Pas op mijn dochter!

Van dezelfde auteur

Omdat jij er niet meer bent

Louise Candlish

PAS OP MIJN DOCHTER!

the house of books

Oorspronkelijke titel
The second husband
Uitgave
Sphere, an imprint of Little, Brown Book Group, London
Copyright © 2008 by Louise Candlish
Copyright voor het Nederlandse taalgebied © 2009 by The House of Books,
Vianen/Antwerpen

Vertaling
Annet Mons
Art-direction en styling
Studio Marlies Visser met dank aan Saskia en Leuk, Haarlem
Omslagillustratie
Chris Hoefsmit
Foto auteur
© Andrew Burton
Opmaak binnenwerk
ZetSpiegel, Best

ISBN 978 90 443 2377 1
D/2009/8899/83
NUR 302

www.thehouseofbooks.com

Voor Nips

Dankwoord

Voor hun vriendschap en creatieve samenwerking en zeer harde werken, mijn oprechte dank aan Claire Paterson en Jo Dickinson. Ook dank aan Rebecca Folland, Kirsty Gordon en iedereen bij Janklow & Nesbit in Londen, en aan Cullen Stanley in New York. Ook aan het geweldige redactieteam bij Little, Brown, inclusief Caroline Hogg, Louise Davies, Emma Stonex, Nathalie Morse, en aan de verkoop- en marketingafdeling, in het bijzonder mijn publiciteitsagent. Ik bof geweldig, dat ik jullie allen als mijn voorvechters heb.

Dank aan iedereen die bij de Miss Write-wedstrijd is betrokken: Waterstone's, *Cosmopolitan,* en natuurlijk de vele deelnemers. Andere tijdschriften hebben me eveneens ongelooflijk veel steun gegeven bij het schrijven, zoals *Elle* en *Red.*

Veel dank aan mijn vrienden en familie voor alle steun bij het schrijven van dit boek, onder wie mijn zusje Jane, mijn toekomstige zwager Michael, mijn ouders en broer, Heather, June, Mats 'n' Jo, Michael, Dawn en Oliver, Ha, Dorothy, Sharon, Mandy, Pat, Catherine, Sara-Jade en Maureen.

Dank aan Joanna, voor je advies over het geven van adviezen. En aan Phil Carré bij www.think-creative.co.uk, omdat je mijn website zo goed onderhoudt.

De gebruikelijke enorme dank aan Nips en Greta, voor het opnieuw verdragen van een jaar vol ups en downs! En aan iedereen die me heeft geschreven over *Omdat jij er niet meer bent –* jullie respons is werkelijk hartverwarmend geweest.

Tot slot zullen de lezers in de gaten hebben dat ik dank verschuldigd ben aan *Lolita* van Vladimir Nabokov. *Roxana* door Daniel Defoe wordt eveneens zeer aanbevolen.

'Het is jammer dat zoveel liefde… van weerskanten,
ooit uiteen moest gaan.'
Daniel Defoe, *Roxana*

1

De dag dat ik Davis Calder ontmoette werd ik te veel door Roxy afgeleid om echt aandacht aan hem te besteden. Eigenlijk is afgeleid niet het juiste woord. Geïrriteerd, verward, ongerust – dat zijn misschien betere omschrijvingen van het gevoel dat een moeder krijgt wanneer ze haar tienerdochter nagenoeg naakt languit ziet liggen in het midden van de gezamenlijke tuin; een tuin die zonder meer vanuit alle ramen van de buren te zien valt.

Het was zaterdag, een onverwacht zomerse dag met Pasen, en ze lag samen met Marianne te zonnen. Dat was een naam die ik de laatste tijd vaak hoorde: Marianne Suter. Ze was Roxy's nieuwste hartsvriendin, een ontzettend vroegrijp nest. Haar grootste ambitie was om actrice te worden (of 'acteur', zoals ze zelf zei) en ze stond al in de boeken bij een of ander castingbureau in West End. Ze was het soort meisje dat vroeger 'losbandig' zou zijn genoemd, en volgens mij was ze dan ook gedeeltelijk verantwoordelijk voor de plotselinge metamorfose van mijn dochter van braaf meisje tot Playmate van de Maand.

Ik kon alleen maar hopen dat het effect daarvan voorlopig alleen uiterlijk was. Vandaag droeg Roxy een blauw-met-witgestreept topje dat ze tot vlak onder haar beha omhoog had geschoven, een denim short die ze zo hoog had opgerold en op de heupen zo ver omlaag had geslagen dat het niet meer dan een onderbroekje was, een oversized zonnebril, bedelarmbandjes om beide polsen en als klap op de vuurpijl een pleister met stripfiguurtjes (van haar broertje Matthew) horizontaal over haar rechterkuit geplakt. Of die alleen maar decoratief bedoeld was of dat er werkelijk een schram onder zat, wist ik echt niet. Marianne lag naast haar in een bikini die nauwelijks een of twee tinten donkerder was dan haar huid en een grote zonnehoed, bedrukt met bloemetjes die op onschuldiger tijden waren geïnspireerd. Ze waren erin geslaagd om zich op twee badlakens te installeren alsof het een fotosessie voor een mannentijdschrift betrof. Roxy lakte haar nagels babyroze en Marianne zoog op een lolly! Het was maar goed dat er papieren voorbeelden van proefexamens – nog onbeproefd – om hun voeten slingerden.

'Is dit het?' vroeg Davis Calder me. Hij stond in de woonkamer van de huurflat en keek om zich heen alsof hij het exacte vloeroppervlak wilde berekenen. Om onze gezichten dansten nog stofdeeltjes na van mijn laatste poetsbeurt van die morgen. 'Ik bedoel, keuken en zitkamer inéén?'

'Klopt. Het is een open keuken.'

'Open keuken.' Hij herhaalde de uitdrukking alsof ik hem had gevraagd een code te breken. Zijn stem was laag en hees, hij sprak algemeen beschaafd Engels, hoewel een beetje sleets aan de randen, wat hem zelfverzekerd en relaxed deed overkomen. Ik had onmiddellijk gezien dat hij aantrekkelijk was, want dat kon je echt niet over het hoofd zien. Ik schatte hem begin veertig, met een suggestief trekje van wetenschappelijke superioriteit rond zijn mond. Er hingen donkere krullen over zijn oren en een sliert voor zijn ogen, als om duidelijk te maken dat hij betere dingen had om over na te denken dan over hoe zijn haar zat. Ik kon vanaf mijn plek niet exact zien welke kleur zijn ogen hadden, maar ze waren donker en heel oplettend zonder echt waakzaam te zijn. Hij was lang met brede schouders en zijn blazer zat onberispelijk. Niet echt het type om op dit punt in zijn leven in zijn eentje in een huurflat te wonen. (Ergens deed hij me aan mijn jongere zusje Tash denken: nooit vastigheid, altijd op drift.)

'Dit is nooit eerder verhuurd geweest,' zei hij opeens. 'Klopt dat?'

'Hoe komt u daarbij?' vroeg ik nieuwsgierig.

'O, ik heb deze week al diverse flats bekeken en dit is de eerste die me niet het gevoel geeft dat ik op de terugweg beter onder een bus kan lopen.' Hij keek me aan met een intense blik. Zijn ogen waren bruin. Niet het bruin van Roxy en mij, het soort bruin dat in het licht als een herfstblad van kleur verandert, maar van dat warme notenbruin, waarachtig en standvastig. 'Een huurflat die net leeg staat, doet heel zielloos aan, hè? Net een motelkamer waarin nog haren van de vorige gast liggen. Waar je iemands lichaamswarmte nog kunt voelen.'

Lichaamswarmte. Nu kreeg ik de neiging om zíjn woorden te herhalen, maar ik kon me nog net inhouden. 'U laat het klinken alsof het de plaats van een misdrijf is,' grinnikte ik. 'En dat is het echt niet, hoor.' Het drong opeens tot me door dat hij niet naar mij keek maar naar de boekenplanken achter me, en ergens in een uithoek van mijn binnenste stak een sprankje teleurstelling de kop op.

'Ik woon hiernaast,' ging ik verder, hoewel hij niets had gevraagd. 'Met mijn twee kinderen. Het was vroeger één flat, maar we hebben dit gedeelte afgesplitst en er een aparte voordeur in gezet.'

Hij knipperde even met zijn ogen, alsof hij wilde zeggen: we hebben allemaal onze eigen ellende, dus laten we elkaar de details maar besparen. Heel even vergat ik mezelf en stond ik mijn ogen toe de boodschap uit te stralen dat ik niet verschoond wenste te blijven van die verhalen. Ik wilde alles weten, maar hij was al buiten bereik. En dat was misschien maar beter ook.

'Mag ik een raam opendoen?' Hij slenterde naar een raam, greep het koperen handvat vast en trok het onderste raam omhoog. Ik veronderstelde dat hij wilde controleren hoeveel verkeerslawaai we hierboven hoorden – niet veel, want we zaten helemaal boven in het gebouw op de vijfde verdieping – en ik wachtte tot hij het raam weer dichtdeed en het weer afsloot.

Hij was de zesde die de voorzijde van mijn flat kwam bezichtigen die ik voor £250 per week te huur aanbood. Misschien omdat ik zo verdrietig was dat ik mijn huis op deze manier moest opsplitsen – letterlijk drie van mijn negen kamers moest afstaan om een afzonderlijk appartement te vormen – had ik de vorige vijf kijkers niet direct een enthousiaste rondleiding gegeven. Er waren twee stellen en een alleenstaande vrouw langs geweest en weer vertrokken, allemaal met een baan, in de twintig of begin dertig, allemaal enthousiast over de zonnige woonkamer die ooit mijn studeerkamer was geweest. En het wás ook een mooie kamer, met een parketvloer en originele schuiframen en dikke, oude radiatoren die veel ruimte in beslag namen maar fijn waren om vast te pakken. De vrouw, een advocaat, had ter plekke haar chequeboek getrokken en allerlei referenties tevoorschijn gehaald, maar ik had ze allemaal afgepoeierd, terwijl ik iets mompelde over dingen die nog moesten gebeuren voordat er een definitief besluit kon worden genomen. Die waren er natuurlijk helemaal niet, ik had alles gedaan wat van een nieuwbakken huisbaas kon worden verwacht. Maar zolang ik die laatste handdruk kon uitstellen, kon ik mijn angst voor indringers in mijn huis, voor het feit dat mijn leven nooit meer hetzelfde zou zijn, onderdrukken.

'Wilt u de slaapkamer misschien zien?' Ik ging Calder voor naar onze oude logeerkamer (logés zouden nu op de bank in de woonkamer moeten slapen) en daarna naar de badkamer erachter. 'Er is helaas alleen een douche.' Het was mijn oude garderobe-alias-rommelkamer, nu verbouwd tot een aardige badkamer voor iemand alleen. Mijn negenjarige zoon Matthew was het voornaamste slachtoffer van het verlies aan ruimte. Omdat hij vrijwel iedere dag aan sport deed, had hij de kamer als een soort kleedkamer gebruikt. Maar modderige laarzen en sportschoenen waren nu verbannen naar de keuken of de brandtrap. Roxy bewaarde haar schoeisel uiteraard in haar slaapkamer, waar ze geheime nieuwe aankopen gemakkelijker verborgen kon houden. Ik probeerde me te herinneren wat ze die ochtend aan haar voeten had gehad toen ze wegdraafde om Marianne bij de poort van de tuin op te wachten. Waarschijnlijk haar teenslippers, die met de overmaatse roze rubberen bloem tussen haar grote en haar tweede teen.

'En wat vindt u ervan?' vroeg ik hem ten slotte.

Hij knikte, meer tegen zichzelf dan als antwoord op mijn vraag. 'Het is een leuke flat, maar eerlijk gezegd wel een beetje klein. Ik heb nogal veel boeken. Die kan ik hier niet allemaal kwijt.'

'Nou, denkt u er maar even over na. Heeft u misschien zin in koffie voordat u weggaat?'

Hij keek op zijn horloge. 'Ja, waarom niet.' Ik vroeg me af waar hij nog naartoe moest, waar hij vandaan was gekomen.

Er was geen koffie in het kleine, smalle keukentje en trouwens ook niets om die uit te drinken, want het verhuurbureau had gezegd dat huurders liever hun eigen keukenspullen meebrachten. Dus liep ik met hem naar de gezamenlijke hal en via mijn nieuwe voordeur naar de achterste hoek van het gebouw. Onze keuken lag op het oosten, met ramen aan twee zijden en een glazen deur naar de brandtrap, wat aan het begin van de dag veel warm zonlicht betekende. De vorige eigenaar had een extravagant dambordpatroon van marmer op de vloer laten leggen en met dit soort weer waande je je bijna in Italië, op het terras van het een of andere palazzo in de heuvels. Terwijl ik koffie in twee mokken deed, proefde ik de verboden smaak van een diepbegraven herinnering: mijn huwelijksreis met Alistair waarop ik in verwachting was geraakt van Roxy... hoewel we dat toen nog niet wisten. Een leven lang geleden – of in elk geval een bestaan als kind. Ze was nu zeventien.

'Alstublieft.' Toen ik de mok voor Calder neerzette, zag ik dat hij uit het raam naar Roxy en Marianne keek. Je kon ze moeilijk over het hoofd zien, want ze lagen pal in het midden van het gazon met winterse benen die porseleinwit glansden in het felle zonlicht. Kind. Ik gebruikte het woord nog steeds voor mijn dochter, maar ze was inmiddels volwassen... of bijna. Ze zat in een overgangsfase van kind naar volwassene, maar ik had geen flauw idee wanneer ze die stap had gemaakt. Toen ze me niet meer welterusten wilde kussen als ze naar bed ging? Toen ze me niet meer vertelde wie ze net aan de telefoon had gehad? Of toen ze zich niet meer kon verheugen over onze fysieke gelijkenis in de spiegel – het donkere haar dat sluik naar beneden viel om aan de punten om te krullen, de rechte, ernstige wenkbrauwen die ons zo bedachtzaam deden lijken – en in plaats daarvan haar uiterste best deed er zo anders mogelijk uit te zien?

'Mijn dochter,' zei ik luchtig. 'En haar vriendin.' Op dat moment spoot Roxy wat zonnebrandlotion op haar buik, waarna ze even rilde vanwege het koude spul voordat ze met lome cirkels over haar huid begon te wrijven. Marianne lag plat op haar rug met beide duimen een sms op haar mobieltje in te tikken, en toen Roxy opeens haar handen aan haar dijen afveegde en in haar tas naar háár telefoon grabbelde, besefte ik dat die twee elkaar berichten stuurden.

'Ze zitten voor hun eindexamen,' vervolgde ik.

David nam een slok van zijn koffie en keek me met twinkelende ogen aan. 'Weet u, ik heb inmiddels zo'n vijfentwintig jaar les gegeven, en ik denk dat ik rustig kan zeggen dat die manier van studeren mij volslagen onbekend is.'

'O ja? Dan is het kennelijk een nieuwe...' Tot mijn verbazing schoot ik hardop in de lach. Hemeltjelief, ik kreeg bijna een goed humeur. En ik had nog wel gedacht dat het vandaag de ergste dag zou worden sinds... Nou ja, dat kon ik eigenlijk niet precies zeggen. Meestal beschouwde ik de dag dat Alistair me had verlaten als het officiële dieptepunt, maar ik moest toegeven dat er in de loop der jaren nog meer van dat soort dieptepunten waren geweest.

Ik zag hoe mijn gast beide handpalmen rond de mok vouwde, alsof hij bevroren vingers wilde warmen. Het was een vreemd kwetsbaar gebaar en ik was opnieuw geïntrigeerd. Hoewel ik het nog niet wenste toe te geven, wist ik dat hij degene was die ik als onze nieuwe huurder wilde hebben.

'Welke is van u?' vroeg hij, met een gebaar naar de meisjes.

Marianne strekte haar armen achter haar hoofd en zette zich schrap, alsof ze lag te wachten op een kus van Valentino. Ik vroeg me voor de zoveelste keer sinds ze in ons leven was gekomen af wat haar moeder van haar vond.

'Niet die kleine vamp,' zei ik, opeens emotioneel. 'De andere.' De reden, voegde ik er in gedachten aan toe, mijn reden voor alles.

Calders ogen draaiden een fractie. 'Ach, juist ja.' Een paar minuten later stond hij op. 'Nou, dank u wel voor de koffie. Ik denk dat ik er maar eens vandoor ga.'

Toen Alistair en ik uit elkaar gingen, bleef ik contact houden met een oude studievriendin van hem, Shireen, van wie ik vermoedde dat ze te goedhartig zou zijn om me links te laten liggen zoals de rest van zijn vrienden instinctief had gedaan. Dan spraken we af om ergens koffie te gaan drinken, waarbij ik mijn uiterste best deed om het haar zo gemakkelijk mogelijk te maken door dwars door de stad naar haar kantoor toe te gaan of een café aan het eind van haar straat voor te stellen, in wezen om haar geen andere keus te laten dan mij te ontmoeten. Ze wist dat ik daar alleen maar was vanwege haar contact met Alistair, maar ze wist ook dat ik het slachtoffer was in dit familiedrama, degene die het recht had wanhopig te doen. (Het kon waarschijnlijk geen kwaad dat ik er net zo verfomfaaid uitzag als de eerste de beste vrouw die zojuist in de steek was gelaten, met baby Matthew in een draagzak voor mijn borst of jammerend in de kinderwagen naast me.)

Shireen gaf dan zo diplomatiek mogelijk antwoord op mijn vragen, waarbij ze me soms zelfs wat ongevraagde informatie deed toekomen, zoals dat Alistair met Victoria was overeengekomen dat ze samen geen kinderen zouden krijgen.

'Dat maakte deel uit van de overeenkomst.'

'Wat voor overeenkomst?' vroeg ik, opeens scherp. 'Ik dacht dat ze van elkaar hielden.'

Ze keek me aan met die mengeling van medelijden en angst waaraan ik als nieuwbakken alleenstaande moeder gewend begon te raken. 'Gewoon bij wijze van spreken, Kate. Het is meer dat ze afspreken wat ze van hun relatie verwachten. Zij wil geen kinderen en hij stemt daarmee in.'

Victoria was meer dan tien jaar jonger dan Alistair en ik kon me zijn overredingskracht op dit punt voorstellen. 'Dit gaat om ons,' zou hij zeggen, 'en hoe wij óns leven delen. Laten we het niet ingewikkelder maken door kinderen te nemen. Dat heb ik al eens meegemaakt en ik weet wat dat met een huwelijk doet.' Dan zou hij zijn hoofd schudden en zij zou instemmend knikken. Ze had waarschijnlijk ook collega's met kleine kinderen en misschien had ze wel medelijden met hen omdat ze hun persoonlijke vrijheid en hun figuur waren kwijtgeraakt. De prijs zou niet te hoog lijken. Ik vroeg me af of ze een huisdier zou mogen hebben.

'Ik heb gelezen dat het in de betere kringen van Manhattan heel gebruikelijk is,' ging Shireen verder, 'in tweede en derde huwelijken. Ze zetten het zelfs in hun huwelijksovereenkomst.'

Ik staarde haar niet-begrijpend aan. Wat hadden de betere kringen van Manhattan met mij te maken en met míjn persoonlijke hel? En wie zei dat Alistair en Victoria gingen trouwen?

'Hoe dan ook,' zei ze haastig, 'dit zou in zekere zin niet eens zo slecht zijn. Voor jou, bedoel ik. Het is vaak heel moeilijk als er een tweede gezin bij komt. Dat gedoe met halfbroers en halfzusjes, weet je wel? Dat geeft altijd een hoop spanning.'

'Hmm.' Ik geloofde geen moment in die afspraak of overeenkomst. Victoria zou gewoon van gedachten veranderen als gevolg van haar biologische aandrang. De enige vraag was wanneer. Toch was dit niet het eerste dat me in gedachten kwam toen Alistair me jaren later op een zaterdagmorgen opbelde om te vragen of we elkaar onder vier ogen konden spreken. Hij moest iets met me bespreken. Dat was nu twee of drie weken geleden, eind maart, en in het weekend dat hij de kinderen zou hebben. Meestal zette ik Matthew na een van zijn vele sportactiviteiten af, maar deze keer stelde Alistair voor hem bij mij thuis op te komen halen. Victoria zou dan iets leuks met hem gaan doen terwijl Alistair en ik met elkaar spraken.

'Wat is er aan de hand?' vroeg ik. Het was lang geleden dat ik die schandelijke afspraakjes met Shireen had gehad, vol verlangen naar ieder beetje informatie. Tegenwoordig was mijn houding tegenover mijn ex scherp, opgewekt en professioneel, een variatie op de manier waarop ik mijn cliënten bejegende. (Blijf opgewekt maar onbewogen, adviseerde mijn chef Ethan altijd nieuwe vrijwilligers op het Wijkkantoor voor Maatschappelijk Advies. Dit gaat niet over het redden van de wereld maar over het geven van de juiste informatie op het juiste moment.)

Ik had zo'n voorgevoel dat Alistair me niet de juiste informatie op het juiste moment ging geven. Hij zat aan de keukentafel met een kop koffie die hij uit een koffiebar had meegebracht. Dit was het soort detail dat me danig irriteerde, alsof mijn koffie niet goed genoeg was voor hem, nu niet meer. Ik deed lang over het inschenken van mijn eigen koffie en roerde er uitvoerig in voordat ik bij hem aan de tafel ging zitten.

'Ik zal maar meteen ter zake komen.' Zijn gezicht vertoonde een uitdrukking die het midden hield tussen bedremmeld en zelfvoldaan. 'Victoria is zwanger.'

Ik knipperde met mijn ogen en met dat gebaar stortte de hele muur weer in, precies zoals ik altijd had geweten dat het zou gebeuren. Ik werd overmand door wanhoop. Nu was het dan toch zover. Mijn kinderen zouden via een bloedband met Victoria verbonden zijn en ik zou levenslang – en nog lang daarna – in verband worden gebracht met de vrouw die mijn plaats had ingenomen. En dan hadden we het alleen nog maar over mij. Wat voor effect zou dit op Roxy en Matthew hebben? Zou Alistair zich anders tegenover hen opstellen als die baby er eenmaal was? Zou hij minder tijd voor hen hebben? Minder liefde?

'Maar ik dacht...' Ik probeerde mijn zelfbeheersing te bewaren. 'Nou, dat is geweldig nieuws, gefeliciteerd. Eigenlijk heb ik altijd gedacht dat ze geen kinderen kon krijgen.'

'Ze wílde ze niet,' verbeterde hij me. 'Maar zulke dingen gebeuren nu eenmaal, zoals je weet.'

Met de grootste moeite wist ik mijn herinneringen weg te duwen aan hoe ik hem het nieuws van mijn eerste zwangerschap had verteld, waarbij onze jonge gezichten probeerden de gedachten van de ander te lezen. 'Wanneer komt het?'

'In oktober. Het is nog een beetje vroeg om het aan anderen te vertellen, maar ze voelt zich niet zo lekker en daarom wilde ik het de kinderen dit weekend vertellen, voor het geval ze zich ongerust maakten. Natuurlijk alleen als jij het ook een goed idee vindt.'

'Natuurlijk, prima. Je zult hun natuurlijk wel verzekeren dat...?' Hij onderbrak me. 'Natuurlijk. Laat dat maar aan mij over.'

Dat was precies wat ik wilde. Ik popelde om het aan hem over te laten, om hem te zien vertrekken... Voor één keer was ik blij dat ik het dit weekend zonder Roxy en Matthew moest stellen. Ik moest dit bericht in mijn eentje kunnen verwerken, voordat ik hen weer onder ogen kwam.

Maar Alistair had nog iets voor me in petto. 'Het punt is, Kate, dat dit helaas ook ramificaties voor jou zal hebben.'

Ik keek op. 'Ramificaties?' Het was een typisch Alistairwoord. Hij had me ooit verteld wat het betekende: niet alleen maar een consequentie, maar ook een nieuwe vertakking van een complexe situatie. (Hij beschouwde zichzelf uiteraard als de kern, als de stam van de boom.) 'Ik heb op donderdag een gesprek met Roger, dus dan zal ik meer weten, maar ik wilde je alvast een beetje een idee geven.' Roger was zijn financieel adviseur, één uit de stoet professionals die in het kielzog van Victoria in beeld kwamen.

'Een idee van wat?'

'Van het feit dat ik mijn alimentatie iets terug zal moeten schroeven.'

Opnieuw knipperde ik met mijn ogen, maar ditmaal werd ik snel defensief. 'Wát?'

'Niet veel, hoor,' voegde hij er snel aan toe, 'maar je moet begrijpen dat zoiets nodig is. Eén mond meer om te voeden, met slechts een beperkte hoeveelheid middelen voorhanden.'

'Roxy en Matthew zijn geen "monden",' zei ik ijzig. 'Het zijn kinderen, mensen. Je kunt ze niet zomaar uit hun omgeving weghalen.'

Hij keek verbaasd. 'Wie zegt dat ze uit hun omgeving weg moeten? Je zult niet hoeven te verhuizen, de hypotheek op dit huis is heel klein.'

Klein voor hem, angstaanjagend groot voor mij. Ik voelde mijn zelfbeheersing wankelen. 'We kunnen nu al amper rondkomen, Alistair, je weet hoeveel ik verdien en wat de servicekosten in dit soort gebouwen zijn...' Ik haatte het geluid van mijn stem, zo zwak en klaaglijk, in een smeekbede tot hem als de machtige autoriteit, de ouderfiguur.

Hij haalde diep adem. 'Dat is eigenlijk gedeeltelijk waar ik het over wilde hebben. Ik heb een voorstel. Wat dacht je ervan om iemand in huis te nemen?'

Ik keek hem ontzet aan. 'Een huurder? Dat meen je niet! Wil je dan dat je kinderen aan een vreemde worden blootgesteld?'

Hij lachte. 'Moet je echt zo dramatisch doen, Kate? Denk er eens over na, dit huis is groot genoeg om een gedeelte af te splitsen, met een eigen voordeur. De indeling is perfect. Een kleine verbouwing om een soort tweede keuken te maken, een paar vergunningen. Ik kan met de beheerscommissie spreken als er daar enig verzet mocht zijn.' Hij sprak alsof hij het allemaal ter plekke zat te bedenken, maar ik kende hem goed genoeg om te weten dat hij er goed over had nagedacht. (Misschien was er al ergens een spreadsheet op een computerscherm verschenen.) Ik vond het een vreselijk idee dat mijn financiële positie al met Victoria kon zijn besproken, misschien zelfs waar de kinderen bij waren. 'Er zit een verhuurbureau hier tegenover, dus je zou met de persoon in kwestie niet méér contact hoeven te hebben dan met de rest van de buren.' Hij begon nu echt warm te lopen voor zijn plan. 'En als jullie wel goed met elkaar kunnen opschieten, zou dat een leuke bonus zijn. Het lijkt mij de ideale oplossing.'

Ik snoof smalend. 'Dat zal best. Ik had veel liever dat we geen oplossing nodig hadden. Waarom nemen jullie geen huurder om de tekorten aan te vullen?'

Hij gaf geen antwoord maar keek me alleen maar aan met een blik die zei dat hij me de vernedering wilde besparen om me uit te leggen dat hij zijn gezin al uitstekend wist te onderhouden, dank je wel. Terwijl ik als medewerkster van een liefdadigheidsorganisatie slechts een schijntje verdiende en onze kinderen in mijn eentje nooit zo'n levensstijl zou kunnen bieden. Ik had zijn bijdragen niet alleen nodig voor luxe zaken, ik had ze nodig om te overleven.

Hij dronk zijn laatste beetje koffie op en kneep de papieren beker in zijn vuist fijn, zodat het deksel eraf sprong. 'Denk er op zijn minst eens over na. Dit is een enorme flat en je zou een paar kamers kunnen opgeven zonder het zelfs maar te merken.'

Ik schoof mijn stoel naar achteren en stond op. 'Als je het niet erg vindt, zou ik er graag eerst over willen nadenken. Het komt allemaal als een schok.'

'Uiteraard. Geen punt.' Hij besefte dat hij beter geen gebaar of zelfs een opmerking van medeleven kon maken, en hij stond meteen op, terwijl hij zijn autosleutels om zijn rechterwijsvinger haakte, net zoals hij dat altijd had gedaan. Hij schoof de ring over zijn vinger heen en weer als een majorette die met haar stok zwaait. 'Nou, leuk je weer eens gezien te hebben, Kate. Ik breng de kinderen morgen terug, op de gebruikelijke tijd.'

Roxy en Marianne verschenen niet lang nadat Calder was vertrokken. Ze kwamen luidruchtig de keuken binnen met sandalen die tegen hun hakken klepperden en met piepende telefoons (ze hielden die mobieltjes zo frequent tegen hun oor geklemd dat ik echt bang begon te worden dat ze last zouden krijgen van carpaletunnelsyndroom). Marianne had een duur uitziende bedrukte kaftan aangetrokken, doorzichtig en zo diep uitgesneden dat de rand van haar bikinibovenstukje zichtbaar was, precies boven de tepels. Hoewel haar teint jong en fris was, lag er in haar blauwe ogen een soort verveeldheid die me verontrustte. Ze was veel te wereldwijs voor een kind van zeventien, het was gewoon niet normaal. Wat voor ervaringen had ze gehad waardoor ze zo'n door de wol geverfde indruk maakte? Naast haar leek Roxy schoon en ongerept als een zwanenjong.

'Hoe gaat het met de studie?' vroeg ik, terwijl ik verderging met het in drie stapeltjes opvouwen van de droge was. Wonderlijk hoe snel ik dat deze keer afhandelde, nu mijn hoofd zo vol zat met de gebeurtenissen van die morgen.

'Goed,' zei Roxy.

'Niet goed,' verbeterde Marianne minzaam. 'Ik heb zoveel te doen dat ik er gewoon niet aan moet denken omdat mijn hoofd anders zal ontploffen.'

'O, lieve help.'

'Mam?' Roxy keek me aan met een quasi-wanhopige blik waarvan we allebei wisten dat die was bedoeld om oprechte ergernis te verbergen. 'Er ligt echt helemaal níéts in de koelkast. Is het niet jouw taak om ervoor te zorgen dat studenten goed worden gevoed?' Het was me opgevallen dat ze zich tegenwoordig studenten noemden in plaats van scholieren. Marianne was onlangs, tijdens een uitstapje naar Oxford Street, gefotografeerd door een journalist van een tijdschrift, en ze was verschenen in een artikel met de titel 'Kijken naar Stijl'. Ze had als leeftijd achttien jaar opgegeven (daarvoor had ze nog een halfjaar te gaan) en als bezigheid 'student'.

Het tweetal stond in de koelkast te loeren, waarbij de deur hun lichaam aan het zicht onttrok, zodat ik alleen de achterkant van vier knieën en vier lange, slanke kuiten zag. Ik probeerde het beeld uit te bannen van mijn eigen lichaam zoals ik dat de laatste keer naakt in een staande spiegel had gezien. Het leek alsof mijn huid kledingstukken maakte van de verschillende zones en ledematen, alsof iemand er vullingen in had gestopt toen ik even niet keek. En alles zat net een beetje lager dan ik had gedacht en was een beetje dikker. Ik zou de laatste zijn die op straat door een modefotograaf werd benaderd.

Ik verschoof een sweatshirt van Matthew op het droogrek, omdat de kraag en de mouwen nog vochtig waren. 'Er is nog wat lekker brood. Zal ik een sandwich voor jullie maken? Of wat toast met kaas?'

'Geen koolhydraten na twaalf uur, helaas,' zei Marianne over haar schouder. 'Heeft u misschien avocado's? Of gele paprika?'

'Sorry, nee. Ik wilde vanavond naar de supermarkt gaan, Rox, als jij bij papa bent. Wanneer ga je die kant uit? Had je niet al op weg moeten zijn?'

Ik kon net genoeg van hen zien om de snelle blik die ze wisselden op te vangen. Toen riep Roxy: 'Ik ga vanavond bij Marianne logeren. Papa zei dat het goed was.'

Ik wist dat Alistair dit alleen goed had gevonden als ik er eerst mee had ingestemd. Dit was geen gebied waarop we het oneens waren. Het zou echter niet bij hem opkomen dat Roxy mijn toestemming alleen maar suggereerde, als ze er al niet regelrecht over loog, een bekende praktijk bij een tiener die tussen gescheiden ouders heen en weer pendelt. Mijn eerste gedachte was dat dit misschien iets te maken had met Damien, haar meest recente vriendje, dat ervoor had gezorgd dat de weekendregelingen gecompliceerd begonnen te raken. Maar voor zover ik wist, hadden ze het uitgemaakt. (De communicatie tussen ons was intussen zo slecht dat ik niet had kunnen ontdekken wie er een punt achter had gezet of waarom. Onwillekeurig verdacht ik Marianne van medeplichtigheid in beide aangelegenheden.)

Na een korte pauze ging ik verder met het wasgoed. 'Wat gaan jullie doen? Iets leuks?'

Roxy kwam achter de deur van de koelkast tevoorschijn en haalde haar schouders op. 'Gewoon, net waar we zin in hebben.' Dit, wist ik, kon van alles betekenen, van een dvd kijken tot wat gerommel met hekserij. Het meest waarschijnlijk, post-Damien, was een uitstapje naar een of andere afschuwelijke pub in Camden. Mariannes vriendje was dj en afschuwelijke pubs waren zijn natuurlijke leefomgeving.

'Je vader zal het jammer vinden dat hij je niet ziet.'

Opnieuw schouderophalen. 'Hij zal Matt hebben. Bovendien zei hij dat hij me morgenochtend op komt halen om bij hen te lunchen.'

'Jij boft maar dat je vader in Londen woont,' zei Marianne met een zucht. 'Ik moet helemaal naar Norfolk om die van mij te zien.' Ze sprak alsof het een algemeen vaststaand feit was dat ouders gescheiden van elkaar woonden. Wat treurig, dacht ik. Had ons gezin nou maar het tegendeel kunnen bewijzen.

'Hoe is het met de kijkers gegaan?' vroeg Roxy opeens, terwijl ze haar vriendin bij de koelkast achterliet en mij wat vriendelijker bejegende. Ze was bereid hartelijk te doen nu ze niet het verwachte gevecht voor een zaterdagavonduitje hoefde te leveren. Ze was heel mooi als ze gelukkig was, als de opgewekte glimlach uit haar kinderjaren weer bovenkwam. Het was misschien toeval, maar ze stond pal onder de print van de hoofdstedelijke politie, die op het keukenprikbord hing. Dat was een document dat op de webside voor scholen stond, met als titel: 'Wat mag ik doen met...?' De meisjes hadden er een in hun overblijfruimte op school en Roxy had nog een uitdraai voor thuis gemaakt. Boven aan de pagina stond:

Wat mag ik doen met zeventien jaar?
* Je mag een rijbewijs halen om auto's en motorfietsen te besturen.
* Je mag vechten in een oorlog.
* Je mag dingen verkopen op straat.
* Je mag een luchtbuks kopen.
* Je mag zonder toestemming van je ouders het huis uit.

De lijst voor zestien was aanzienlijk langer geweest en bevatte angstaanjagende gegevens als 'Je mag van school gaan' en 'Je mag heteroseksuele en homoseksuele seks hebben' en ik was opgelucht geweest toen de lijst was vervangen door die van zeventien jaar. Ik probeerde niet te denken aan wat er op die voor achttien zou staan, ik vermoedde dat ze tegen die tijd zo ongeveer alles mocht doen en niet langer briefjes hoefde op te hangen om mij aan haar rechten te herinneren.

'Even wakker worden, mam? Mám? Hoe is het gegaan? Zat er iets bij?'

'Misschien,' zei ik, terwijl ik probeerde mijn aandacht op de vraag te richten. 'Er was er eentje bij die ik wel aardig vond, een leraar...' Ik besefte dat ik me Calders gezicht veel duidelijker voor de geest kon halen dan dat van de anderen. 'Maar hij vond het te klein. Er was een vrouw die rechten studeerde, die leek me ook wel aardig. Misschien neem ik haar. Ik zal maandag met de makelaar bellen.'

'Je hoeft ze niet áárdig te vinden,' zei Roxy. 'Het zijn maar huurders. We hoeven ze toch zeker niet te zien?' Ik vroeg me af of ze met opzet Alistair napraatte om mij op de kast te jagen, maar toen begreep ik dat ze dit alleen maar herhaalde omdat het de conclusie van iedereen met gezond verstand was. Bovendien betekende het afstaan van een deel van ons huis voor haar niet zo'n ramp als voor mij. Toen duidelijk werd dat haar eigen onderkomen niet onder de toestand te lijden zou hebben, had het vooruitzicht van verandering haar onberoerd gelaten. En zo hoorde het ook, had ik mezelf de afgelopen weken voortdurend ingeprent. Ik wilde niet dat Matthew of zij deel hadden aan mijn verdriet. Dat moest ik gewoon verwerken voordat het hen bereikte.

'Misschien kan ik hier wel iets mee maken,' zei Marianne, terwijl ze eindelijk een doos eieren en een aardappel uit de koelkast opgediept had. 'Een tortilla of zoiets simpels.'

'Kun je koken?' vroeg ik en deed mijn best om niet zo verbaasd te klinken als ik was. Eigenlijk had ik haar altijd zonder meer in dezelfde categorie geplaatst als Roxy's schoolvriendinnen, die thuis personeel of een creditcard voor restaurants hadden.

Ze trok een scheef gezicht. 'Dat kan toch zeker iedereen?'

'Roxy kan amper een ei...' Ik zweeg toen ik de woeste blik van mijn dochter zag. Het was streng verboden om haar tekortkomingen op te sommen waar vriendinnen of andere mensen bij waren. En zelfs als we alleen waren, werd kritiek zelden opgevat in de constructieve geest waarin die werd geuit. Vooral koken was een beladen onderwerp, want er was in haar leven een periode geweest – nadat haar vader was weggegaan – waarin ze wél had gekookt, waarin ze niets te eten zou hebben gekregen als ze dat zelf niet had gemaakt, waarin ze voor mij had gezorgd. Daarna had ik het vuur uit mijn sloffen gelopen om duidelijk te maken wie de moeder was en wie er werd bemoederd.

Marianne begon eieren in een kom te breken, waarbij ze de ene halve dop in de andere zette en behendig slierten eiwit met haar middelvinger stopte. Met haar modieuze kleren en de zonnebril die in haar haar was geduwd om haar gezicht vrij te houden van de lange slierten haar die door middel van highlights honingkleurig waren geworden zag ze eruit als een tv-kok die zich opmaakte om tegen de camera te praten. 'Mijn moeder zegt dat leemten in de kennis van een kind een afspiegeling vormen van de tekortkomingen van de ouders, niet van die van henzelf,' zei ze op zakelijke toon.

Roxy giechelde verrukt en keek me verwachtingsvol aan om te zien hoe ik reageerde.

'Dat is niet persoonlijk bedoeld, mevrouw Easton,' voegde Marianne eraan toe, terwijl ze met de garde aan de slag ging.

'Dat begrijp ik,' zei ik zwak.

2

We woonden in zo'n buurt in Noord-Londen die een 'toastrekje' werd genoemd, vanwege de identieke en dicht opeengepropte rijtjeshuizen, en tot ik in verwachting raakte van Matthew hadden Alistair, Roxy en ik in een flatje vlak bij de hoofdstraat gewoond. Roxy had het piepkleine tweede slaapkamertje aan de achterkant en met elk jaar dat ze groter werd, werd duidelijker hoe krap behuisd we waren. Maar we bleven er toch wonen. We maakten onszelf wijs dat verhuizen te duur was, maar we wisten allebei waarom we aarzelden om iets anders te gaan zoeken. Meer ruimte krijgen, extra slaapkamers hebben, een speelkamer inrichten... alles tartte iets wat er duidelijk in leek te zitten: dat we niet in staat zouden zijn het tweede kind te krijgen dat we zo graag wilden hebben. We hadden het jarenlang geprobeerd en iedere maand kwam dezelfde teleurstelling.

Maar op Roxy's zevende werd ik eindelijk weer zwanger en toen de eerste drie maanden veilig achter de rug waren, gingen Alistair en ik fanatiek op zoek. Hij wilde een huis en wel zo groot mogelijk. Hij was net tot directeur benoemd en het werd tijd voor een demonstratie van zijn verhoogde status in de wereld. Het andere hogere personeel van zijn organisatieadviesbureau woonde in chique herenhuizen in het westen van Londen of, als ze nog niet aan trouwen en kinderen krijgen toe waren, in spectaculaire penthouses met uitzicht op de rivier. En hij zat nog steeds in zijn bescheiden flatje.

Het appartement was mijn idee. Het waren prachtige negentiende-eeuwse gebouwen die in groepjes rond een grasveld stonden, bijna een geheime buurt op zich, een afzonderlijke gemeenschap. Ik had mensen door de enorme dubbele deuren naar buiten zien komen en ik had geprobeerd me hun leven voor te stellen op een manier zoals ik dat nooit had gedaan als ik mijn buren de voordeur op slot zag doen en naar de ondergrondse zag lopen. En er waren gezamenlijke tuinen, geheimzinnige parken die verboden waren voor iedereen die geen sleutel van de poort had. Toen we voor de bezichtiging van Francombe Gardens kwamen, liep de makelaar aan het eind van de rondleiding aan de achterkant mee naar buiten – ik begreep meteen dat dit de doorslag moest geven – en terwijl Alistair en hij bespraken hoe de rekeningen van de tuinlieden werden verdeeld, gingen Roxy en ik op verkenning. Er stond een kring van banken rond een goed verzorgd grasveld, met hout dat in de loop der jaren zacht-grijs was verweerd, er was een tennisbaan die zo te zien onlangs in oude staat was hersteld, er waren klimrekken en schommels en zelfs een kleine, ommuurde tuin met lupines en margrieten en grote papavers met een paarszwart hart en bloembladeren als van crêpepapier.

Op de speelplaats vond Roxy een lange, holle buis en ze riep me.

'Kijk eens, mam, dit is een spreekbuis! We hebben er ook zo eentje op school.'

'Wat is een spreekbuis?'

'Je weet wel, net als op een onderzeeër. Kom op, jij moet pra-ten en dan luister ik.'

Ik sprak in het gat aan mijn kant. 'Hallo, Roxy Easton, denk je dat je hier wel zou willen wonen?'

Ze giechelde om de versterking, alsof het geluid haar oor kie-telde en toen het mijn beurt was om te luisteren, hoorde ik haar zeggen: 'Ja graag, mammie, het is hier práchtig!' En toen blies ze me een kus toe, met een warm, overdreven geluid dat in mijn hoofd bleef hangen en als vloeistof in mijn hart en longen drong.

Ik fluisterde terug: 'Laten we dan maar proberen om papa over te halen.'

Diezelfde middag lanceerden we ons gezamenlijke charmeof-fensief. ('Toe papa, ik beloof dat ik mijn nieuwe kamer beter op zal ruimen.'), maar uiteindelijk waren het de cijfers die de door-slag gaven. Ik bood Alistair een lijst van de huizen die we had-den bekeken, compleet met kolommen prijzen en aantallen vier-kante meters. De laatste kolom toonde mijn berekening van de prijs per vierkante meter. En de grote appartementen boden on-miskenbaar meer waar voor hun geld dan de huizen.

Dus werd er een bod uitgebracht, werd de koopakte opgesteld, maar door diverse vertragingen en op de valreep een probleem met de verkoop van ons flatje verhuisden we pas drie weken voor de geboorte van Matthew naar Francombe Gardens.

Vier maanden later nam Alistair de benen.

De vrouw op de stoel naast me huilde zo discreet dat het een paar seconden duurde voor ik het opmerkte.

'Kom kom, mevrouw Willis,' zei ik, 'rustig nou maar. Weet u zeker dat u geen kopje thee wilt?'

'Het gaat best, dank u.' Ze snoof en veegde haar neus af met een papieren zakdoekje dat nog opgevouwen zat. Kennelijk gebruikte ze liever haar eigen zakdoekjes dan die uit de doos die voor haar stond. Ze was duidelijk gewend alles vóór zich te houden en vreemden niet met haar probleem op te zadelen. Voor haar was het Wijkkantoor voor Maatschappelijk Advies een laatste toevlucht, zoals voor zoveel mensen die hier kwamen. Maar ze was niet ons gebruikelijke type. Ze was ongeveer van mijn moeders leeftijd, halverwege de zestig of zo, en chic gekleed. Alles aan haar verschijning wees op een goedverzorgde vrouw vol doortastendheid – behalve haar gezicht. Haar doortastendheid was afgebrokkeld, haar huid was bleek en opgezet, haar hoofd was gebogen. Mijn ervaring zei me dat dit verdriet was, recent verdriet, en het bleek snel dat mijn instinct juist was.

'Ze sturen me steeds maar brieven, boetes voor honderden ponden, ieder keer meer, en ze zeggen dat hij daar weg moet, maar het was de auto van mijn man en ik kan niet rijden.'

'En uw man...?'

Ze sloeg haar ogen neer. 'Hij is overleden.'

'Wat verdrietig. Wanneer was dat?'

'Vier weken geleden nu. Het probleem is dat ik niet eens weet waar de sleutels zijn. Ik heb overal gezocht.' Ze schudde heftig haar hoofd, alsof ze daarmee fysiek de sleutels uit hun schuilplaats tevoorschijn kon halen. 'Dus, ziet u, ik kan hem zelfs niet door iemand anders weg laten halen.' Ze huilde nu openlijk, en ik verwenste voor de misschien wel duizendste keer in mijn acht jaren hier de beleidsmakers van de gemeentelijke parkeerdienst. Ik kon me de situatie maar al te goed voorstellen. Een aantal parkeerwachters wilde zelfs geen oogcontact met hun slachtoffers maken, ze zeiden dat dit het risico op agressief gedrag verhoogde. En dat bij een gepensioneerde weduwe!

'Ik heb het nummer van de autoverzekering gevonden, maar zij zeiden dat ze niet konden helpen, dat ik het met de gemeente moet regelen. Ik weet echt niet wat ik moet doen.'

Ik greep de telefoon. 'Maakt u zich maar geen zorgen, mevrouw Willis, ik ga de gemeente bellen om dit nu meteen te regelen.'

Ik dacht dat ik kortstondig een trekje van opluchting rond haar mond zag verschijnen, maar dit was weer even snel verdwenen. Mijn paar minuten hulp vormden een druppel in de oceaan, konden niets meer uitrichten.

Mijn moeder was degene die voorstelde dat ik me als vrijwilliger bij het Wijkkantoor voor Maatschappelijk Advies meldde. Ongeveer een jaar nadat Alistair was vertrokken, toen Matthew zijn babyperikelen gezond en wel achter de rug had en er een nieuw soort gezinsroutine was ontstaan, vertelde ze me dat het tijd werd dat ik iets buitenshuis ging doen.

'Ik maak me zorgen dat je hier te veel binnen zit.'

'Ik heb het hier naar mijn zin.'

'Dat weet ik, maar je moet wat meer onder de mensen komen. Je was vroeger altijd heel sociaal.'

Het was waar dat ik lange tijd nauwelijks uit Francombe Gardens en omgeving was weggeweest. Dankzij de tuinen die het formaat hadden van een park en de schommels kon ik gemakkelijk met Matthew naar buiten. Roxy's school was op loopafstand, in de winkelstraat waren een bank, een postkantoor en een supermarkt. Het grootste deel van mijn leven kon gewoon doorgaan zonder me te ver buiten mijn eigen postcode te wagen.

'Ik heb niet de minste behoefte om sociaal te doen,' zei ik. 'Ik ben er nog niet aan toe.'

'Dat bedoel ik niet, ik bedoel werken.' Ze vertelde me over een onlangs gescheiden vriendin van haar die nu vrijwilligerswerk deed bij een maatschappelijk adviesbureau. 'Soms is het wel eens goed om te zien dat je eigen situatie heus niet zo slecht is als je denkt.'

Ik moest onwillekeurig lachen. 'Is dat een vriendelijke manier om me te vertellen dat ik mijn zegeningen moet tellen?'

'Dat ook, ja. Maar het is goed om een paar uur per dag met je hoofd bij de beslommeringen van iemand anders te zitten.'

'De problemen van iemand anders, bedoel je?'

Mam trok een gezicht, heel open en optimistisch, dat me aan Tash deed denken (hoewel het een trek was die mijn zusje meestal bij minder zinnige voorstellen dan dit trok). Toch was het een vreemd gevoel om mam weer in deze rol terug te hebben, om mij te steunen en te leiden. Bijna vanaf het moment dat ik het huis uit was gegaan naar de universiteit tot het moment dat Alistair me om Victoria had verlaten, was ik onder zijn hoede geweest. En nu, op mijn eenendertigste, voelde ik me weer een tiener.

'Het enige dat ik weet is dat Angela zegt dat dit het beste is dat ze had kunnen doen. Ze wordt er nu ook voor betaald en ze kan min of meer haar eigen uren kiezen.'

'Vreemd,' zei ik, 'ik heb mezelf nooit gezien als iemand die goed doet.'

'Dat is een achterhaald etiket. Maar als het íemand goed zal doen, ben jij dat,' zei mam resoluut.

Aan het eind van mijn maandagse dienst zag ik dat er vier berichten op mijn mobieltje waren binnengekomen nadat ik het die ochtend had uitgezet. Allemaal van de makelaar die de verhuur van de flat regelde. Terwijl ik naar huis liep, belde ik hem terug.

'Mevrouw Easton, eindelijk! Ik heb goed nieuws voor u!'

'O ja?'

'Twee van de cliënten die de flat zaterdag hebben bezichtigd zouden hem voor de volle prijs willen huren.'

'Dat is inderdaad goed nieuws,' zei ik nerveus. 'Die advocate? Ze leek me heel aardig.'

'Ja, mevrouw Broadgate, die wil heel graag. En de andere is die leraar, meneer Calder.'

'Calder?' Mijn hart begon onmiddellijk sneller te kloppen. 'Ik dacht dat hij zei dat hij het te klein vond.'

'Ja, dat was ook zijn eerste reactie op zaterdag, maar hij schijnt in de loop van het weekend van gedachten te zijn veranderd. Hij heeft me vanmorgen meteen gebeld. Hij is feitelijk de betere kandidaat, als u meteen huur wilt ontvangen. Hij zou direct kunnen verhuizen, volgend weekend al, of zo mogelijk nog eerder. De andere kandidaat kan pas over drie weken verhuizen.'

Voor mijn geestesoog verrezen een paar aangename beelden: cijfers – het zou leuk zijn om er af en toe eens vier achter elkaar te zien – in de 'bij'-kolom van mijn bankafschrift. Alistairs gezicht terwijl hij zei: 'Het is de perfecte oplossing.' Heel behulpzaam en vriendelijk, als een psychiater die een patiënt kalmeert van wie alleen hij weet hoe hij die moet aanpakken. En het wonderlijke, veelbetekenende gegrinnik van een vreemde die tegenover me aan mijn keukentafel zat: 'Je kunt hun lichaamswarmte nog voelen...'

Ik schraapte mijn keel en besefte dat ik aarzelde. Ik moest een besluit nemen. De vrouw, die mevrouw Broadgate, was advocate en zou me daardoor misschien te veel aan Victoria doen denken, terwijl een leraar, een man die zich met onderwijs bezighield, wiens loopbaan was gewijd aan het onderrichten van kinderen als die van mij... tja, alle kaarten wezen in zijn richting, dat kon iedereen zien. 'Goed,' zei ik ten slotte, 'zegt u maar tegen meneer Calder dat de flat voor hem is.'

'Mooi,' zei de makelaar tevreden. 'Ik zal de papieren later vandaag bij u afgeven, als dat goed is, en ik neem wel contact met uw nieuwe huurder op over sleutels en zo. Volgens mij moet alles dan verder wel lukken.'

'Dank u,' zei ik. 'U heeft het goed geregeld.' En ik voelde me lang niet zo bedrukt als ik had verwacht.

Hij nam zijn intrek op zaterdagmorgen, precies een week na zijn eerste en enige bezichtiging. Het ging reuze gemakkelijk. Aangezien de makelaar voor sleutels en instructies had gezorgd, hoefde ik er zelfs niet te zijn om hem te verwelkomen, maar omdat Matthew naar cricket was en Roxy nog uit haar slaapkamer tevoorschijn moest komen, kon ik onmogelijk al het gebons en geschuifel negeren dat op een paar meter van mijn eigen slaapkamermuur plaatsvond. Een aantal verhuizers, met ruwe stemmen in de stilte van de grote hal, sleepte doos na doos de vijf trappen op naar boven, vloekend over het ontbreken van een lift. Alsof er opeens een schacht zou verschijnen als ze maar hard genoeg klaagden. Calder leidde de activiteiten vanuit de zitkamer. Ik vroeg me af hoe lang het zou duren voordat ik die kamer als van hem en niet als van ons zou beschouwen.

Ik wachtte tot de kust vrij was en klopte toen op zijn voordeur. Het gaf me nog steeds een vreemd gevoel een blinkend Yale-slot op de deur van mijn oude studeerkamer te zien. Het duurde lang voor er werd opengedaan en hij verscheen met een gezicht vol ongeduld. Maar toen hij mij zag, trok hij een ander gezicht en knikte vriendelijk. 'Ha, mevrouw Easton, hallo. Sorry, ik dacht dat een van die idioten weer teruggekomen was.'

'Zeg alsjeblieft Kate.'

'Natuurlijk. Maar dan moet je mij Davis noemen. Kom binnen, maar ik ben bang dat je het één grote troep zult vinden. Ik ben nog maar net met uitpakken begonnen.'

Ik liep achter hem aan naar binnen. Het was een standaard verhuistafereel: overal geopende dozen, gebruikt pakpapier, in bubbeltjesplastic gehulde schilderijen die tegen de haard stonden, een stel koffiebekers druipend op een opgevouwen krant. Op het bureau onder het raam stond een laptop met verlicht scherm en overal in de kamer boeken, op het bureau, de bank, de vloer en het aanrecht, in tientallen wankele stapels.

'Wat heb je veel boeken!'

Davis knikte. 'Dit is nog maar het topje van de ijsberg. De meeste liggen in de opslag, na...' Hij zweeg even en ging toen verder: 'Maar dit zijn de boeken waar ik niet buiten kan, de boeken die ik nodig heb voor mijn dagelijkse lessen.'

'Ik heb nooit gevraagd welk vak je geeft.'

Hij pakte een versleten oud boek met een harde kaft van een van de stapels en gaf het me. 'Raad eens.'

Ik las de woorden hakkelend, onzeker over de juiste uitspraak ervan. '*Jugend ohne Gott*. Wat betekent dat?'

'"Jeugd zonder God." Daar zul jij, als moeder van een tiener in Londen, wel over mee kunnen praten.'

Ik wist niet wat ik daarop moest zeggen. Hoewel hij duidelijk een grapje maakte, had ik instinctief de neiging iedere opmerking serieus te nemen, vooral wanneer die kwam van mensen die ik niet goed kende. Het zou wel aan mijn werk liggen (mijn vriendin Abi zei dat ik minstens een halfuur nodig had om te ac-

31

cepteren dat degene met wie ik praatte niet op het punt stond zelfmoord te plegen). 'Geeft u Duits?'

'Duitse literatuur, ja. Voornamelijk op het niveau van voorbereidend wetenschappelijk onderwijs. En wat Franse spraaklessen.'

'Werkt u dan op een school hier in de buurt?' Het schoot door mijn hoofd dat hij misschien wel op Willoughby Girls zat, de school van Roxy. Een dergelijk toeval zou best handig kunnen zijn. Er waren de laatste tijd signalen geweest dat ze weliswaar niet echt slecht presteerde, maar 'er met haar hoofd niet helemaal bij was', zoals haar klasselerares, mevrouw Harrison, het uitdrukte. Waarschijnlijk hadden ze de oren van Alistair niet eens bereikt. Toch zou het een gevaarlijke ontwikkeling kunnen zijn, omdat ze zich over een kwartaal al voor de universiteit zou moeten inschrijven. Calder zou wel eens een nuttige spion kunnen zijn. Maar meteen daarna voelde ik me al beschaamd. Wat dacht ik wel? Het ging om mijn eigen dochter! Als er iets moest worden ontdekt, moest ik dat zelf maar zien klaar te spelen.

'Ik geef bijles,' zei Calder. 'Klaarstomen voor examens en toelatingsexamens voor de universiteit. Helpen bij het studeren, dat soort dingen. Bovendien is het seizoenswerk en dat komt me ook erg goed uit. Ik heb nog andere projecten omhanden.'

Hij vertelde niet wat die inhielden en ik had geen tijd om dat te vragen omdat hem iets nieuws inviel. 'Dat is eigenlijk wel een punt, Kate.' Het klonk nogal dringend. 'Ik ga soms naar het huis van mijn leerlingen, maar meestal komen ze bij mij. Op die manier kan ik er meer aannemen. Ik hoop dat dat geen probleem is?'

Ik besefte met verbazing dat hij me om toestemming vroeg. Ja, ik zou nog moeten wennen aan deze hospita-huurderdynamiek. 'Natuurlijk, het is nu jouw flat. En het moet heel inspirerend voor hen zijn om hier te komen werken, omringd door zoveel boeken.'

Hij grijnsde. 'O, ze hebben allemaal meer dan genoeg boeken thuis. Hun ouders hebben het idee dat een huis vol boeken goede studenten voortbrengt, ook al hebben ze er zelf niet één gelezen.'

Ik glimlachte om deze theorie, die ik ook wel uit Alistairs mond had gehoord. Ik legde het boek op het bureau, naast de laptop. 'Duits,' zei ik. 'Ik wist niet dat dat nog populair was. Roxy doet Frans en Spaans.'

'Het is niet zo erg in de mode, dat klopt. Maar ik ben ook niet zo'n modieuze man.' Er verscheen een bijzonder aantrekkelijke glimlach op zijn gezicht en ik kreeg onverwacht vlindertjes in mijn maag. In gedachten zag ik voor me hoe het voor een leerling moest zijn om hier voor een les te komen, zich op die lage, olijfgroene bank te nestelen (of zaten ze samen aan het bureau? Het was tenslotte geen therapiesessie) en een uur lang van zijn onverdeelde aandacht te genieten. Maar toen tikte ik mezelf op de vingers. Ik moest me niet zo aanstellen.

'Nou, ik zal je niet langer ophouden. Ik wilde alleen maar zeggen dat als er iets is wat je nodig hebt...'

'Dan moet ik het aan de makelaar vragen, dat weet ik.'

'Nee, de makelaars beheren het huis niet, ze hebben jou alleen maar gevonden. Nu je hier bent, zul je bij mij moeten aankloppen als er iets aan mankeert.'

Hij grijnsde. 'Binnen zekere grenzen, veronderstel ik?'

'Hmm, ja.' Ik stond opnieuw met mijn mond vol tanden en wilde al weglopen, maar hij riep me na: 'O, Kate?'

'Ja?'

Toen hij achter me aan de hal in liep, kreeg ik de indruk dat hij me even met hernieuwde belangstelling aankeek. 'Het warme water en zo, moet ik daar iets over weten? Zijn er hendels of knoppen waar victoriaans gegoochel aan te pas komt?'

'Nee, dat niet.' Ik voelde me opgelucht bij deze vraag, hoewel ik niet weet waarom ik iets problematischers had verwacht. 'Er is altijd warm water, je hoeft niets aan of uit te zetten. Het is één systeem voor het hele gebouw, dus het is allemaal bij de huur inbegrepen.'

'Warm water uit de kraan? Ze staan tegenwoordig ook voor niets!' Hij draaide zich om met een gezicht alsof hij een lach verbeet en ging verder met uitpakken.

Terug in huis keek ik in de spiegel in de hal. Tot mijn ontzetting zag ik dat ik gloeiende wangen had. 'Ik zal je niet langer ophouden.' Wat had dat zedig geklonken, als iets uit een andere eeuw! Hij had me alleen maar geplaagd, op zoek naar wat onschuldig burengepraat, zonder te beseffen dat ik daar helemaal niet meer aan gewend was.

'Mam, ben jij dat?' Roxy kwam op blote voeten uit de keuken

33

naar me toe, een beker zwarte koffie in de hand, en een vragende blik vanachter de lange slierten donker haar. Ik dacht dat ik een spoortje verschaalde sigarettenrook opving, maar maakte er geen opmerking over. Dit was een strijd die ik nooit zou kunnen winnen. (Het had zelfs op de pagina 'Wat mag ik doen met zestien jaar?' gestaan: 'Je mag sigaretten of tabak kopen'.) 'Wat was dat voor lawaai daarstraks?'

'Alleen maar onze nieuwe buurman die zijn intrek nam. Hij heet Davis.'

Maar deze informatie was kennelijk niet interessant en hoewel ik ongewoon veel behoefte voelde om het over onze nieuwe bewoner te hebben, nam Roxy niet de moeite te reageren. Ze liep naar haar slaapkamer terug en deed de deur achter zich dicht.

3

Het verband tussen de komst van Matthew en het vertrek van Alistair was duidelijk genoeg om niet de illusie te hebben dat Roxy het niet ook zou hebben opgemerkt. Ze was net acht geworden toen haar vader vertrok, haar verjaardag was een van de laatste dagen die hij bij ons doorbracht, en tot de komst van haar broertje was haar leven betrekkelijk gelijkmatig geweest. Een gezellig thuis, tien minuten lopen vanaf de enige school waar ze ooit naartoe was geweest en twee ouders die samen gelukkig waren, in elk geval onverdeeld in hun aandacht voor haar. Maar nu werd ze binnen een halfjaar geconfronteerd met een nieuw huis, een nieuw broertje en een ontbrekende vader. Wat haar verder in haar volwassen leven ook mocht overkomen, ik wist bijna zeker dat ze op die periode terug zou kijken als de tijd waarin er een einde was gekomen aan haar onschuld. Dat kon haast niet anders.

Hoewel Matthew een probleemloze zwangerschap was geweest, was hij geen gemakkelijke baby. Maandenlang werd hij geteisterd door kolieken en terwijl hij niets anders deed dan huilen, deed Alistair niets anders dan werken. Ik kende de psychologie – jager-verzamelaar intensiveert inspanningen na de geboorte van een zoon en erfgenaam – maar om zes uur 's ochtends, als ik opnieuw een slapeloze nacht had gehad en weer in mijn eentje voor een dag zonder rust stond, was dat geen aantrekkelijk idee. Ik bracht Roxy naar school en liep langzaam terug naar de flat, terwijl ik ondertussen naar Matthew in zijn kinderwagen keek en dacht: 'Hoe moet ik deze dag in vredesnaam weer doorkomen?' Dit had ik in Roxy's babytijd nooit meegemaakt, dat wist ik zeker.

Alistair en ik begonnen ruzie te maken. Hij was altijd al opvliegend van aard geweest en dan had ik hem na elk meningsverschil met een collega of vriend altijd moeten kalmeren, maar nu merkte ik dat ik de aanleiding was en niet langer de nazorg verstrekte. Het gebeurde maar zelden dat de drukte van ontbijten en lunchpakket klaarmaken niet vergezeld ging van een heftige woordenwisseling, waarna Alistair uiteindelijk naar zijn werk vertrok zonder gedag te zeggen.

Roxy werd begrijpelijkerwijs stilletjes. Haar klasselerares riep me binnen om te vragen of alles wel goed was. Ze was het met me eens dat het een moeilijke periode was met een nieuwe baby in huis, zelfs voor een kind van Roxy's leeftijd, en ze zouden ervoor zorgen dat ze daar veel aandacht kreeg om eventuele tekorten van thuis te compenseren. Ik was dankbaar voor deze steun en voelde me behoorlijk schuldig. Te vaak poeierde ik mijn dochter af met 'Nu niet, Matthew huilt,' of 'Hou eens op met zeuren! Zie je niet dat ik bezig ben?' Op die manier werd zij het slachtoffer van mijn frustratie over zowel Alistair als de baby. Ik was steeds van plan om er even met haar voor te gaan zitten en uit te leggen dat dit slechts tijdelijke krankzinnigheid was en dat alles binnenkort weer normaal zou zijn en zelfs nog leuker dan vroeger. Maar toen zat Roxy op een morgen, terwijl het geluid van Alistairs woeste voetstappen op de trap nog nadreunde, met haar vingers in haar oren aan de ontbijttafel en kreeg ik het afschuwelijke gevoel dat ik te lang had gewacht.

'Liefje, het spijt me dat ik tegenwoordig steeds zo boos doe. Maar ik ben echt vreselijk, vreselijk moe.' Het was te simpel voor haar, ze was nu acht jaar, maar het leek alsof ik niet langer over een antenne beschikte die haar groeiende begrip voor de emoties van anderen op kon pikken. 'Ik verwacht niet dat je het zult begrijpen. Dat is een probleem van grote mensen.'

Er verscheen een verdrietige blik in haar ogen. Ze had nog niet geleerd haar gevoelens te verbergen. 'Ik begrijp het best. Papa en jij háten elkaar.'

'Nee, dat is niet waar...' Maar mijn protest klonk niet overtuigend, zelfs niet in mijn eigen oren.

'Als ik groot ben, ga ik nooit trouwen en ik neem ook nooit een baby. Ik ga alléén wonen!'

Op dat moment wist ik zeker dat ik te lang had gewacht. De vorige keer dat we het hadden gehad over wat ze zou worden als ze groot was, had ze nog prinses of popster willen worden. De stap die ze had gemaakt was eigenlijk veel te groot voor haar.

Toen Alistair vertrok, weet ik dat aan mezelf. Roxy aanvankelijk ook, dus daar waren we het tenminste over eens. We wisten nog niet van het bestaan van Victoria af, en toen we daar achter kwamen, nou ja, toen had dat tenminste het voordeel dat zíj nu het mikpunt werd.

Matthew, die eindelijk een normaal slaappatroon begon te ontwikkelen, kreeg van dit alles niets mee.

'Ziezo,' zei Abi, terwijl ze met een klap een cafetière tussen ons in op haar salontafel zette. 'Gooi alles er maar uit.'

Ik grijnsde. 'Ik zou je nieuwe tapijt niet willen bederven.'

'Kom op, je weet best wat ik bedoel. Die sexy nieuwe kostganger.'

'Het is geen kostganger, maar een huurder.'

Ze duwde de stempel omlaag en begon de koffie in te schenken. 'Ik constateer dat je het woord "sexy" niet ontkent. Nou, nou, nou, ik had niet gedacht dat ik het nog zou meemaken...'

Met mijn buurvrouw Abigail Thorpe had ik iets wat ik graag beschouwde als een vleugje van wat de rest van de vrouwelijke bevolking van de stad iedere dag had: gezelschap, begrip en zusterlijke gevoelens. Vrouwen hadden nu eenmaal een mateloze belangstelling voor elkaars leven. De kleinste gebeurtenissen werden geanalyseerd en geïnterpreteerd, overal werd een drama van gemaakt en daar werd dan met volle teugen van genoten. Ik had dat niet meer gekend sinds de universiteit en het jaar dat daarop volgde, toen ik met verscheidene andere pas afgestudeerde meiden op een kantoor werkte. Iedere dag waren we samen gaan lunchen. We werkten onze broodjes en salades binnen vijf minuten naar binnen en besteedden de rest van het uur aan praten over onze collega's. En aan lachen, altijd lachen. Dat gold waarschijnlijk ook voor Abi, in haar kantoorgebouw aan de Theems, waar ze op het hoofdkantoor van een keten van pizzarestaurants werkte. Maar op het adviesbureau was geen tijd voor kletspraatjes, we hadden nauwelijks tijd om elkaar gedag te knikken voordat de deuren opengingen en de behoeftigen van die dag binnen kwamen.

'Vertel op. Hoe heet hij?' wilde Abi weten.

'Davis, Davis Calder.'

'Hm. Bevalt me wel. Klinkt heel chic. Engelsman, neem ik aan?'

'Ja, volgens mij uit Londen. Zijn vorige adressen waren in elk geval hier.'

'En wat doet jouw meneer Calder voor de kost?'

Ik negeerde het 'jouw'. 'Hij doceert Duitse literatuur.'

'Duits?' Ze fronste haar wenkbrauwen. 'Niet direct de taal van de liefde, hè?'

Ik trok mijn wenkbrauwen op. 'Ik heb echt geen behoefte aan de taal van de liefde, hartelijk dank.'

Ze aapte mijn gelaatsuitdrukking na en snoof toen ondeugend. 'Nou, dat verklaart vermoedelijk die slungelige jongen met wie ik hem gisteren op de trap zag. Ik dacht dat het misschien zijn zoon was.'

'Nee, waarschijnlijk een leerling. Die komen naar de flat voor bijles.' 'Dus hij heeft geen kinderen van zichzelf?' Ik haalde mijn schouders op. 'Ik vermoed van niet, als hij alleen woont in een flat met één slaapkamer. Gescheiden vaders willen meestal een extra kamer voor als hun kinderen komen logeren.'

Er viel een stilte toen de gestalte van Alistair tussen ons oprees. Abi's gezicht was plat en breed, haar kastanjebruine haar, kort geknipt en met een pony, had ze achter haar oren geduwd. Ik zag de behoedzame blik gewoon in haar ogen opwellen. 'Hoe staat het op dat gebied? Nog nieuws over de baby?' Ik schudde mijn hoofd. 'Alles verloopt naar verwachting. Geen bericht over complicaties – niet dat ik Victoria die toewens. Alistair en ik spreken elkaar zelden, behalve om iets te regelen, en Roxy vertelt nooit iets.'

'Die verrekte tieners ook, altijd even zwijgzaam. Ik wed dat ze alle bijzonderheden kent.'

Ik zou het niet kunnen zeggen. Sinds de zesde klas en de komst van vriendjes – om nog maar te zwijgen van haar bewondering voor Marianne – was Roxy het toonbeeld geworden van de in zichzelf gekeerde tiener. Zelfs als er vlak voor haar neus een gewapende overval plaatsvond, zou ze nog zweren dat ze niets had gezien. 'Matthew begint vragen te stellen. Ik geloof dat hij het wel spannend vindt om een jonger broertje of zusje te krijgen.'

Abi keek me onderzoekend aan en probeerde een middenweg

te vinden tussen behoedzaamheid en haar aangeboren openhartigheid. 'Je maakt je geen zorgen dat ze...' Ze zweeg even. 'Je weet wel, dat ze van loyaliteit zullen wisselen of zo?'

'Ik geloof eerlijk gezegd niet dat ik Roxy's loyaliteit nog heb.'

'O, ik weet zeker dat dat niet waar is.' Maar dat meende ze niet, en ze wist dat ik wist dat ze het niet meende, want Abi ging er prat op dat ze niets van kinderen begreep. Samen met haar vriend Seb had ze al vroeg in hun relatie besloten niet aan kinderen te beginnen en ik vermoedde dat dit voor een deel de reden was waarom ik me tot hen aangetrokken voelde. We hadden elkaar een paar jaar geleden bij een feestje in de tuin ontmoet. Door mijn werk had ik geleerd op de proef gestelde mensen van verre te herkennen (en wat we ook allemaal van de bijbehorende vreugden mogen vinden, het ouderschap is een soort beproeving). Abi en Seb waren echter zorgeloos. Ze spraken anders, keken elkaar anders aan, ze bewogen zich zelfs anders. Ik was die avond rechtstreeks naar hen toe gelopen, alsof het om een raam ging met een uitzicht dat ik niet wilde missen.

Ik zuchtte. 'Misschien heb je gelijk. Misschien is het gewoon weer een fase.'

'Ja, tienermeisjes en de maan, wie had gedacht dat er overeenkomsten waren. Weerwolven, ja.'

Terwijl ik lachte, dacht ik opnieuw aan de jonge vrouw die mijn dochter was geworden, of pretendeerde te zijn. Ze was nog niet onafhankelijk, eerder wrokkig afhankelijk. Het laatste stadium voor onafhankelijkheid misschien en als ze niet mijn oudste kind was geweest, zou ik dit ongetwijfeld niet zo'n probleem vinden. Mijn moeder vond in elk geval niets opmerkelijks aan het gedrag van haar kleindochter. 'Jij was net zo,' zei ze herhaaldelijk en ik vroeg me af of ik misschien gewoon was vergeten hoe het voelde om zeventien te zijn. Misschien vergat je dat zodra je het had overleefd. 'Ik maak me trouwens eerder zorgen dat Alistair minder tijd voor hen zal hebben. Dat is het klassieke gevolg, nietwaar?' Een van de gevolgen.

Abi knikte. 'Ik las in de krant dat binnenkort in Engeland de helft van de kinderen in een stiefgezin zal wonen. Dat betekent wonen bij de man die niet hun vader is terwijl die van hen bij de kinderen van een ander woont. Krankzinnig!'

'Dat moet je mij vertellen.'

Maar er viel niets meer te vertellen, ze was alweer afgeleid. 'Hé, kijk eens naar de zon, Kate! Zullen we buiten gaan zitten?' Ik liep achter haar aan door de openslaande deuren naar haar tuin. Seb en zij hadden een vierkant eigen terras dat door een bloembed van het gezamenlijke park erachter werd gescheiden. Ze hadden niet het mooie licht van mijn flat, maar ze hadden dit: het groen dat vanaf hun voeten verder liep zover het oog reikte, of tot aan de bomen die de rij garages aan het oog onttrokken. De bloemen van de magnolia waren al donker geworden en afgevallen, hoewel het nog maar begin mei was. De narcissen waren uitgebloeid, maar er waren tulpen en muurbloemen en in de bloemenweide aan deze kant bloeide een overdaad aan boterbloemen. Het was prachtig. Dit was waarom ik vocht om hier te blijven, iedere keer dat de financiën me te machtig dreigden te worden. En ik negeerde de twijfels die de kop opstaken wanneer ik dacht aan een toekomst zonder Alistairs kindertoelage. Het was onwaarschijnlijk dat Davis er dan nog zou zijn. Zouden er meer huurders volgen? Zou dit echt uitpakken zoals ik had gehoopt?

Terwijl we op de twee smeedijzeren stoeltjes gingen zitten vroeg ik me onwillekeurig af of Abi en Seb een derde stoeltje ergens in een berging bewaarden. Zo lang ik me kon herinneren had ik in drieën gedacht: eerst Alistair, Roxy en ik, toen een heel korte periode in vieren: met Matthew erbij. Maar alles in Abi's flat was voor twee personen. Heel overzichtelijk.

'Je lijkt niet veel over hem te weten,' merkte ze op, terwijl ze haar bleke gezicht naar de zon ophief. 'Over die Davis Calder.'

'De makelaar heeft zijn referenties nagegaan en die bleken goed te zijn.'

'Iedereen kan sjoemelen met referenties.'

'Doe eens niet zo melodramatisch, Abi! Daar heb ik bij Roxy al genoeg mee te maken, hou alsjeblieft op.'

Ze reageerde opnieuw vol spot. 'Geen drama, romantiek...'

Ik wierp haar een waarschuwende blik toe. 'Romantiek is een woord voor kleine meisjes en oude dames. Je kent bovendien mijn gouden regel over geen nieuwe relaties.'

'"Gouden regel"! Wie klinkt hier nu als een klein kind?'

Ondanks mezelf voelde ik de adrenaline door mijn lijf bruisen. Ik moest nu meteen ophouden. Dit waren gevaarlijke praatjes, gevaarlijke gedachten. Mijn alarmsysteem had bij Davis Calder misschien niet op volle kracht gewerkt, maar het had het ook niet volledig laten afweten.

'Ik denk dat het best de moeite waard kan zijn om zijn gegevens na te trekken,' zei Abi, als terloops. 'Ik bedoel, gezien het feit dat jullie dezelfde flat delen.'

Ik kneep in het puntje van mijn neus, dat koud was ondanks de zon. 'Dat zie ik inmiddels anders.' Ik keek naar de hoek van mijn huis, naar het uitwendige geraamte van de brandtrap die zigzaggend vanaf onze keukendeur naar de grond liep. Erachter zat de buitenmuur die we nu met Davis deelden. 'Zijn gedeelte is niet meer van ons.'

De volgende keer dat ik Davis zag, was in de hal op de benedenverdieping. Hij keek in ons postvakje of er iets voor hem bij zat – dat deelden we wel, omdat er geen ruimte voor de nieuwkomer was – en haalde een paar brieven voor hemzelf uit de dikke stapel waarvan ik wist dat mijn maandelijkse rekeningen erin moesten zitten.

'Begin je je een beetje thuis te voelen?' vroeg ik.

'Ja, prima.' Hij zag er fris en verzorgd uit in de warme, benauwde ruimte, waardoor ik me opeens erg bewust werd van mijn bezwete T-shirt. Victoriaanse appartementcomplexen waren niet berekend op de klimaatverandering van de eenentwintigste eeuw.

'Je zult het wel druk hebben met alle overgangsexamens voor de boeg. Ik heb de kinderen gezien, ze lijken heel gespannen.'

'O ja, dat kun je wel zeggen. Generatiestress, noem ik het.' Hij wierp me een schalkse blik toe. 'Ik geef de ouders de schuld.'

Ik begon er al beter in te worden, het duurde nog maar een onderdeel van een seconde voor ik begreep dat het een grapje was. 'O, ik ook.'

We liepen samen naar de trap om aan de lange klim naar boven te beginnen. Ik was blij dat ik net binnen was gekomen en niet wegging, zodat ik de kans had ons gesprek voort te zetten.

'Het is al heel lang geleden,' ging ik verder, 'maar ik herinner me nog altijd de spanningen van die examens, het gevoel dat álles afhing van hoe je het maakte.' En dat was ook zo. Ik had de cijfers gehaald die ik nodig had om naar Warwick te gaan, en daar had ik, na zes weken in mijn eerste trimester, Alistair ontmoet.

'Zit je dochter dan nu nog niet voor het eindexamen?' vroeg Davis.

'Roxy? Nee, volgend jaar pas.'

'Dus ze is zeventien?'

'Ja, net geworden. Je hebt haar misschien op donderdag na schooltijd voor rijles zien weggaan?'

'Nee, nee, dat heb ik niet gezien. Hoe gaat het?'

'Goed, geloof ik. Ze schijnt het gemakkelijk te vinden. Ze schijnt alles gemakkelijk te vinden.'

'Wat een geluksvogel.'

Ik grinnikte. Ik begon gewend te raken aan zijn lijzige toon, die zowel spottend als uitnodigend klonk. 'Dat heeft ze niet van mij. Ze lijkt op haar vader. Hij is een heel succesvol managementconsultant.'

'Hm. Geen beroep waar ik ooit mee te maken heb gehad.'

'Wees daar maar blij om,' zei ik.

We hadden de overloop voor onze voordeur bereikt en hij bleef een paar stappen achter me. 'Heb je tijd voor een kopje thee?' vroeg ik, terwijl ik mijn best deed om mijn stem terloops te laten klinken en me tegelijkertijd afvroeg waarom ik eigenlijk zo behoedzaam deed.

'Sorry,' zei hij. 'Ik heb echt geen tijd. Ik moet nog een hele stapel proefwerken nakijken...'

'Oké, goed.' Toen we de gezamenlijke hal binnenstapten besloot ik het daar niet bij te laten en terwijl ik keek hoe hij zijn sleutel in het slot stak, hoorde ik mezelf vragen: 'Maar heb je dan misschien zin om volgende week een keer te komen eten?'

Hij draaide zich om, volgens mij een tikje achterdochtig.

'Niets bijzonders, we willen je gewoon even welkom heten. Dan zou je de kinderen kunnen ontmoeten.'

Pas toen ik dat had gezegd besefte ik hoe aanmatigend het klonk, om niet te zeggen behoorlijk angstaanjagend voor de alleenstaande mannelijke buur van een gescheiden vrouw. Waarschijnlijk verdacht hij me ervan hem op te wachten, juist voor dit soort 'toevallige' ontmoetingen. Hij zag er ook heel goed uit, dit zou hem wel om de haverklap overkomen. Bij dat idee kreeg ik onverwacht een verslagen gevoel.

'Ik bedoel, als ze tenminste thuis zijn. Matthew is er meestal wel, maar Roxy is vaak weg.'

Nog erger, de gedachte dat hij me liever alleen zou zien in het een of andere geforceerde afspraakje! Ik stelde me voor hoe Abi smalend zou snuiven en ik verwenste mezelf om mijn gebrek aan ervaring op dit gebied. Op wélk gebied? In het aangaan van een vriendschap, prentte ik mezelf resoluut in. Want dat was wat ik zocht bij deze man, ook al was hij nog zo aantrekkelijk. Een beetje vriendschap, de 'bonus' waarover Alistair het had gehad.

Toen ik weer opkeek, zag ik tot mijn verbazing dat er ineens oprechte belangstelling in de ogen van Davis te lezen stond. 'Graag, dank je,' zei hij met vriendelijk en beleefd. 'Dat zou heel gezellig zijn. Ik ben maandag-, dinsdag- en woensdagavond bezet, maar ik zou donderdag vrij kunnen houden.'

'Uitstekend.' En ik schreef de golf van opluchting die ik voelde toe aan mijn gebrek aan ervaring in mijn nieuwe rol als huisbaas.

4

Pas toen mijn man zijn jacquet afborstelde om werkelijk met een andere vrouw te trouwen, gaf ik de hoop op een verzoening op. Roxy had geen aansporing nodig om de hele toestand te boycotten.

'Ik haat Victoria,' zei ze.

'O Roxy, dat mag je niet zeggen!' Maar ik protesteerde te zwak. Hoewel ik wist dat het slecht van me was, genoot ik van het kinderlijke venijn in haar stem.

Matthew, die toen drie was en sinds kort zindelijk, werd door mijn schoonmoeder (voormalige schoonmoeder) meegenomen naar de burgerlijke stand, waar hij me op waardige wijze vertegenwoordigde door luid om de wc te roepen alvorens op haar schoot in zijn broek te plassen.

Iemand, waarschijnlijk Shireen, vertelde me dat Alistair in zijn toespraak de rede van Johnson had aangehaald, met die beruchte zinsnede dat een tweede huwelijk de triomf van de hoop over de ervaring betekende. Ik vond dat uitermate kwetsend.

Toen alles achter de rug was en de jonggehuwden in hun businessclass-stoelen op weg waren naar de Malediven, deed ik mezelf een belofte: ik zou nooit weer trouwen. En dat niet alleen, ik zou ook nooit meer aan een relatie beginnen. Ik zou mijn kinderen niet opnieuw aan deze verwarrende toestanden blootstellen en mezelf ook niet. Ik dacht niet dat ik het een tweede keer zou overleven.

En ik had niet één keer geaarzeld. De enkele keer dat een man het gesprek in de richting van de gevarenzone leek te sturen had ik ieder voorstel voor een glaasje of een etentje al afgewimpeld voor het kon worden uitgesproken. Eén keer was een vrijwilliger op het werk iets hardnekkiger en moest ik me duidelijker uitdrukken: 'Het spijt me, maar ik kan het echt niet. Het is niet persoonlijk, ik zou tegen iedereen hetzelfde zeggen.' Hij wierp me een blik toe die zei: 'Ik herken een smoes als ik er een hoor.' En

ik wierp hem een blik terug waarvan ik hoopte dat de boodschap luidde: 'Het is geen smoes, het is de waarheid.'

'Je kunt je niet volledig afsluiten,' zei Abi tegen me. 'Dat is onnatuurlijk. Zelfs nonnen worstelen daarmee. Je moet nog steeds
begeerten hebben. Fantasieën.'

'Zal best.' Ik geneerde me om te erkennen dat ondanks alles
wat Alistair me had aangedaan hij nog steeds degene was die in
die fantasieën verscheen, fantasieën waarin het leven tien jaar terugging naar de tijd dat we samen wakker werden en een paar
minuten voor onszelf hadden voordat Roxy de kamer binnen
kwam hollen. Ik dacht aan die man als de Oude Alistair of Mijn
Alistair, alsof zijn lichaam was geroofd en was teruggekeerd met
iemand anders erin. En zo was het in zekere zin ook gegaan.

Het was opmerkelijk hoe doelgericht een mens kan zijn zonder de afleiding van romantische liefde. Ik wijdde me aan mijn
kinderen, zorgde ervoor dat ze een zo vredig en stabiel mogelijk
thuis hadden, waarbij mijn stemmingen niet werden beïnvloed
door relaties van buitenaf. En ik stortte me op mijn nieuwe baan
met een toewijding die alom lof en waardering oogstte. Hoewel
ik mezelf bleef kwellen met de herinneringen uit de tijd dat mijn
huwelijk op zijn best was en ik me het voortdurende geplaag van
Abi en anderen moest laten welgevallen, voelde ik me nooit tot
een andere man aangetrokken, kwam ik nooit in de verleiding
mijn belofte te verbreken.

Alles stond klaar voor het etentje met Davis Calder. Ik had me
al uren geleden verkleed in een gestreepte overhemdjurk en mijn
gebruikelijke mocassins verwisseld voor de teenslippers met lovertjes die mijn zusje me met Kerstmis had gegeven (de cadeaus
van Tash pasten niet altijd bij het betreffende jaargetijde). Ik had
zoveel make-up aangebracht als ik durfde te riskeren zonder
Roxy's nieuwe instinct voor spot te wekken. Ze was net terug
van rijles en zat in bad waardoor ik haar stemming nog niet had
kunnen peilen. Bij Roxy kwam dat ongeveer neer op hopen op
zonneschijn.

Het eten was van tevoren klaargemaakt, de tafel was gedekt
en de wijnglazen waren opgewreven, dus hoefde ik nu alleen nog
maar Matthew binnen te roepen en in bad te stoppen voor ik de

woonkamer een laatste keer kon opruimen (hopelijk was Roxy uit bad tegen de tijd dat ik terugkwam, ik wilde er geen ruzie over maken). Ik glipte de keukendeur uit, de brandtrap af en de tuinen in. Terwijl Roxy's kennissenkring uitsluitend uit haar klasgenoten bestond, woonachtig in een waaiervorm van buurten aan weerszijden van ons plekje in het noorden van Londen, had Matthew een groep kameraden binnen Francombe Gardens zelf: Ruben, Jack en Evert uit gezinnen aan de overkant en af en toe twee broers uit het gebouw naast ons, David en Gary. Het groepje speelde de meeste avonden samen buiten, waarbij ze alle hoeken van het park gebruikten en meestal in de zandbak eindigden, in een woest spel dat ze zelf hadden bedacht.

'Matt!' riep ik, terwijl ik de stoep van de speelplaats oprende naar het epicentrum van hun oorlogskreten. 'Het is nu tijd om binnen te komen!'

Niemand hoorde me en ik bleef even staan kijken. Net zoals de mensen direct Roxy's gelijkenis met mij zagen, wist je zodra je hem zag dat Matthew de zoon van zijn vader was: net als hij langer dan zijn leeftijdgenoten, dezelfde directe blik vanonder de gewelfde wenkbrauwen, de bos rossig haar waarvan ik altijd had gehoopt dat hij het zou erven. Ik hield het lang, tot over zijn oren, zeer tot Alistairs misnoegen en iedere keer dat hij van een verblijf bij zijn vader terugkwam, verwachtte ik een andere jongen naar binnen te zien stappen. Maar dat deed Alistair nooit, hij liet zijn zoon niet kortwieken zoals ik altijd vreesde. Het haar was een symbool van mijn recht op besluitvorming. Bovendien wist Alistair even goed als ik dat als Matthew, zoals wij voor hem gepland hadden, straks naar een van de betere middelbare scholen ging hij het toch zwaar te verduren zou krijgen. Waarschijnlijk moest zijn haar al kort geknipt worden voor de toelatingsgesprekken, wat betekende dat hij nog ongeveer anderhalf jaar van zijn kinderjaren met een volle haardos kon genieten. Alleen Evert had ook zulk lang, weelderig haar. Zijn ouders waren Zweden en zijn vader Jan had me ooit verteld: 'In Zweden hebben we het woord *slitvargar.* Dat betekent zoveel als jonge wolven die hun kleren verslijten. Kinderen moeten woeste jonge wolven kunnen zijn.'

Dat was geen slechte vergelijking als je ze zo zag spelen. Het spel heette Machete Hel, en het doel was, zoals bij de meeste spelletjes, de anderen tegen de grond te werken en hun nek te breken.

'Mis!' joelde Evert, en hij duwde Gary tegen diens borst en liet zich boven op hem vallen. Ik kromp inwendig ineen, de laag zand was heel ondiep.

'Liggen blijven, liggen blijven!' schreeuwde Ruben tegen Matthew. 'Je bent dood, ik heb je hoofd er net afgehakt.'

'Nee,' protesteerde Matthew met een mond vol zand. 'Ik ben verhuisd. Ik zit nu in de hemel.'

Ruben vond dit niks. 'Er ís helemaal geen hemel.'

'O.' Matthew schikte zich zoals gewoonlijk naar Rubens leiderschap. Ruben was de oudste van de groep en een strenge dictator. Tegenover volwassenen wist hij zijn houding al even moeiteloos te bepalen als tegenover andere kinderen en hij deed altijd heel beleefd. Nu begroette hij me met een vriendelijke glimlach en hij knikte even naar Matthew. 'Je moeder is er.'

Toen Matthew me zag, kwam hij heel gewillig uit de zandbak (de mate van tegenzin hing meestal af van hoe goed hij er in het spel voorstond).

'Daar komt de zandman,' zei ik, terwijl ik de zandkorrels van zijn blote armen veegde. Dit was ons grapje wanneer ik hem uit de zandbak plukte. Als klein kind was het liedje van de zandman zijn lievelingsliedje voor het slapengaan geweest.

Hij glimlachte – Alistairs glimlach. 'Ik mag toch opblijven, hè? Voor het eten?'

'Reken maar.' Ik haakte mijn arm door de zijne toen we terugliepen en hij protesteerde niet nu zijn makkers veilig uit het zicht waren. 'Ik heb je hulp nodig omdat onze nieuwe buurman op bezoek komt.'

Toen Davis om acht uur op onze deur klopte, voelde ik me nerveus om redenen die helemaal niets met ons te maken hadden, en al helemaal niets met Matthew. Het lag uiteraard aan Roxy. Ze was humeurig de badkamer uit gekomen en ik vreesde de sabotage die ze wellicht zou plegen op mijn pogingen ons drietal te presenteren als een gelukkig gezin dat braaf samen aan tafel zit en het uitstekend met elkaar kan vinden, dank u zeer, ook al zit de heer des huizes enkele kilometers verderop op een duurdere bank en wrijft vertederd over de zwangere buik van zijn tweede vrouw.

Pas nadat ik Davis met een glas rode wijn in een fauteuil had gezet verscheen Roxy, op blote voeten en met kletsnatte haren. Maar ze had zich wel netjes aangekleed, in een korte, geel met blauwe bloemetjesjurk – het was weer zo'n lauwe, vochtige avond – en ik voelde een golf van trots om haar zuiverheid, de stralende eenvoud van de jeugd.

Davis kwam overeind en ze draaide zich om met ogen vol verwachting, die rekenden op een waarderende blik.

'Davis, dit is mijn dochter Roxy,' zei ik opgewekt. 'Roxy, dit is onze nieuwe buurman Davis.'

'Hoi.' Ze keek over zijn schouder, waarschijnlijk op zoek naar de afstandsbediening van de tv, terwijl hij haar beleefd begroette. 'Roxy, leuk om kennis met je te maken. Is je naam een afkorting van Roxanne?'

'Nee, van Roxana.' En ze voegde eraan toe, zoals ik wist dat ze zou doen: 'Mijn ouders hebben me vernoemd naar een achttiende-eeuwse prostituee. Leuk, hè?'

'Dat is niet waar,' zei ik glimlachend. 'Je vader en ik hadden dat boek niet gelezen toen we die naam kozen.'

Davis knikte. 'Ach, natuurlijk, *Roxana* van Defoe. Een fascinerende persoonlijkheid, hoewel ik best kan begrijpen dat je daar bezwaar tegen hebt. Toch is het beter dan dat je je kind Nell noemt, hè?'

'Naar Nell Gwynn? Dat is waar.' Roxy kneep haar ogen een eindje dicht, alsof ze hem plechtig tegemoetkwam. (Wisten die meiden dan altijd alles beter?)

'We vonden het gewoon een mooie naam, dat was alles,' zei ik, maar ze leken me geen van beiden te horen.

'En je moeder vertelde me dat je op Willoughby Girls zit. Wat zijn je belangrijkste vakken?'

'Engels, Frans, Spaans en geschiedenis.'

'Aha, een talenknobbel. Een vrouw naar mijn hart.'

Roxy glimlachte snel bij het woord 'vrouw' (Marianne en zij vonden 'meisje' neerbuigend). Persoonlijk vond ik het heel bijzonder dat ze, meisje of vrouw, voor vier hoofdvakken had gekozen. Ik meende me nog goed te herinneren dat ik het met drie al behoorlijk moeilijk had gehad.

'Roxy overweegt rechten te gaan studeren,' vertelde ik Davis. 'Zelfs als klein kind wilde ze al advocaat worden.'

'Misschien.' Ze haalde haar schouders op. 'Ik heb nog niets besloten.'

'Ze heeft deze zomer een stage op een advocatenkantoor in de City,' ging ik verder. 'En dat is op zich al een hele prestatie, echt een geweldige kans.'

Roxy glimlachte, maar de kille blik in haar ogen vertelde me dat ik dubbel zondigde. Niet alleen door voor haar te praten, maar ook door haar in verlegenheid te brengen met dat vertoon van trots.

'Dus je voelt je niet tot exacte vakken aangetrokken?' vroeg Davis, terwijl hij een slokje wijn nam. De vingers van zijn vrije hand tikten op zijn dijbeen alsof het een toetsenbord was.

Ze keek hem aan op een speelse manier die ik niet van haar kende, alleen van Marianne. 'Ik voel me eerlijk gezegd niet erg "aangetrokken" door iets wat de school te bieden heeft. Het is allemaal zo ongelooflijk veilig en voorspelbaar.'

'Juist. Nou ja, wat mij betreft, ben ik het roerend met je eens. Maar ik vraag me af hoe de universiteiten daarover denken.'

Ze giechelde even en ik voelde me wat minder gespannen. Dit zou wel lukken. Davis wist kennelijk hoe je deze leeftijdsgroep aan moest pakken. Hij toonde de belangstelling die ze zo graag wilde, alsof hij alles wat ze te vertellen had bijzonder interessant vond. Geen wonder dat hij het zo druk had met zijn bijlessen, de wedijver was groot hier in de buurt en hij moest resultaten behalen.

Ik vroeg me af waarom Matthew er zo lang over deed om zich na het bad aan te kleden. Gasten aan het avondeten waren heel zeldzaam en hij genoot meestal van de kans om dan zijn diverse talenten te tonen. Meer dan eens waren Abi en Seb opgeroepen om zijn goocheltrucs of imitaties te bewonderen. 'Heb je zelf kinderen?' vroeg ik aan Davis.

Hij nam een flinke slok wijn. 'Nee, nee. Mijn vrouw en ik hebben dat genoegen niet beleefd.' Ik probeerde te bedenken hoe hij dit bedoelde, maar hij had zijn gezicht opzijgedraaid zodat ik alleen zijn profiel zag. Hij had scherpe trekken, zag ik, met een rechte neus, die bij de neusvleugels iets omlaag boog, en een strakke sterke kaaklijn.

'Dus u bent gescheiden?' vroeg Roxy plompverloren.

'Inderdaad. We zijn inmiddels al een paar jaar uit elkaar.'

'Dat dachten we al.'

'We?' zei ik lachend, in een snelle poging de indruk te verjagen dat wij het over hem hadden gehad. Roxy wierp me een meewarige blik toe waarna ze haar aandacht weer op Davis richtte. 'Marianne en ik. We zagen u laatst in de tuin zitten lezen. We zeiden meteen dat u er als een vrijgezel uitzag.'

Davis grinnikte. 'Heel goed gezien, ik ben onder de indruk. Maar ik vraag me af wat de aanleiding daarvoor was. Een houding van extreem verdriet, of was het wellicht extreme opluchting?'

Roxy giechelde weer en bloosde even. Ik dacht aan de opmerking van Abi: ik wed dat ze alle details kent. Was het dan maar een houding dat ze alleen maar met zichzelf bezig leek te zijn? Voor een studente die voortdurend werd aangespoord om meer te doen en extra vakken te volgen, leek ze erg veel tijd te hebben voor 'observaties'.

Alsof hij voelde dat ze nog niet helemaal op zijn hand was, bleef Davis aandacht aan haar besteden. 'Nou, het is erg aardig dat jullie me te eten hebben gevraagd en vooral dat jullie een deel van jullie huis voor me wilden opgeven.'

Roxy haalde haar schouders op. 'O, u bedoelt de flat. Dat is echt niet zo bijzonder. We hebben gewoon het geld nodig, hè mam?'

'Roxy!' riep ik gegeneerd. Afgezien van de ontelbare andere recente wijzigingen in haar gedrag had ze een manier van praten ontwikkeld met een soort vermoeid sarcasme ten aanzien van alles wat op financieel geploeter leek. Dit was een teleurstellende ontwikkeling want ik had altijd geloofd dat ze ondanks al die dure scholen was grootgebracht met voldoende besef van haar bevoorrechte leventje en dat ze – echt zo'n cliché waar ouders op hameren – een gezond begrip had voor de waarde van geld. Hoewel ik, zeker voordat ik een betaalde baan had, altijd mijn best had gedaan om mijn zorgen voor haar verborgen te houden was ze zich altijd bewust geweest van de situatie. Af en toe had ze dan ook, om het mij niet moeilijk te maken, niet aangedrongen op een kostbaar extraatje op school waarvan ik wist dat ze het graag wilde. Dat had me niet alleen dankbaar gemaakt maar ook trots. Maar dat was inmiddels veranderd. Ze kwam nu regelmatig aan met verzoeken, waarbij ze me duidelijk liet merken dat als ik weigerde ze ook wel op een andere manier haar zin zou kunnen krijgen. Het was heel gemakkelijk om, zoals gewoonlijk, Marianne en haar dure garderobe de schuld te geven, maar het was een feit dat er diverse mensen waren die Roxy in dit opzicht konden beïnvloeden, waardoor ze een andere houding en andere verwachtingen zou krijgen. Alistair en Victoria waren de voor de hand liggende schuldigen, want zij leefden aanzienlijk luxueuzer dan wij. En als Roxy bij hen was, gold hetzelfde voor haar. Alistair en ik waren weliswaar overeengekomen dat de kinderen alleen bij verjaardagen, Kerstmis of speciale gelegenheden dure cadeaus zouden krijgen, maar toch bleef het een feit dat hij hen het gevoel gaf dat ze recht hadden op méér. Hoe moesten ze anders die plaatsen op de universiteit en die stages zien te bemachtigen als ze niet geloofden dat ze bij de crème de la crème hoorden?

'Ach ja,' zei Davis, met een glimlach van Roxy naar mij, 'we moeten allemaal op een of andere manier geld verdienen. Ik ben alleen blij dat dat van mij op zo'n nuttige wijze wordt besteed.'

'Hè ja,' grinnikte Roxy, ' maar ik moet wel lachen bij het idee dat de ouders van kinderen die bijles krijgen helpen om mijn schoolgeld te betalen.'

Ik wees haar er niet op dat dit niet helemaal waar was, want het waren de cliënten van Alistair die haar schoolgeld betaalden, niet die van Davis. Ik had Willoughby Girls nooit kunnen betalen, met of zonder de nieuwe huuropbrengst. Maar Davis had mijn hulp niet nodig, hij kon zichzelf uitstekend redden.

'Tja, zo werkt de economie nu eenmaal,' zei hij tegen haar. Zijn vingers waren opgehouden met trommelen en speelden nu met het haar in zijn nek. Het was een biologerende combinatie, die droge toon van zijn stem en de ontspannen fysieke manier van doen. 'Geld moet rollen. Maar je hebt zelf al gezegd dat jouw belangstelling vooral uitgaat naar niet-exacte vakken.'

Bij die opmerking trok Roxy haar wenkbrauwen op, waarbij ze me opnieuw deed denken aan Marianne, die begrip meende waar te nemen waar dit niet was bedoeld en die onmiddellijk de vermoorde onschuld speelde bij het eerste teken van sarcasme. Spelletjes spelen met volwassenen, dat was het. Die twee waren net jonge katjes die oefenden in het bespringen van muizen. (En je kon er niet onderuit dat volwassen mannen een veel gewilliger speeltje waren dan vrouwen, zelfs al ging het om leraren.)

In de keuken gaf de oven een ping en ik gebaarde naar de deur. 'Zullen we naar de keuken verhuizen? Het eten is klaar. Ik moet alleen Matt even ophalen...'

Aan tafel schonk Roxy zichzelf rode wijn in en ik besloot geen ophef te maken over het feit dat ze door de week dronk. Ik vroeg haar de kaarsen aan te steken terwijl ik het eten op tafel zette en ze nam een flinke slok uit haar glas voordat ze gehoorzaamde. De kaarsen verspreidden een mooi licht en het viel me niet voor het eerst op hoeveel warmer en gezelliger de sfeer was met een gast aan tafel.

Tijdens het eten richtte Davis zijn belangstelling op Matthew, die hem vertelde over zijn recente passie voor de gitaar en over een school in West-Londen waar aankomende rocksterren les kregen op elektrische gitaar. Matthew liep over van enthousiasme en vertelde de plot van een kort verhaal dat hij op school had geschreven over een gitarist-annex-ontdekkingsreiziger die gevangen zat in een ondergrondse cel. 'Papa neemt ons deze zomer mee naar Zuid-Afrika. We gaan naar Robbeneiland en naar de Tafelberg en daarna op safari. We gaan in tenten slapen en we eten struisvogeleieren aan het ontbijt.'

'Dat klinkt geweldig,' zei Davis. 'Een heel avontuur.'

Ik glimlachte met opeengeklemde kaken. Alistair kwam altijd met geweldige zomervakanties op de proppen en hoewel ik had voorgesteld dat hij de kinderen dit jaar mee naar Frankrijk zou nemen om Roxy's spreekvaardigheid in het Frans – haar zwakste punt – te helpen verbeteren, had hij iets bedacht wat veel gedoe en een hoop ongerustheid van mijn kant mee zou brengen. Roxy was nog tot daaraan toe, die kon best voor zichzelf zorgen. Maar hij wist toch wel dat ik geen rustig ogenblik zou kennen in de wetenschap dat Matthew daar midden op de vlakte lag met alleen maar een lap tentdoek die zijn lieve smoeltje moest beschermen tegen wilde beesten?

'Zelfs Roxy gaat mee,' zei Matthew tegen Davis, alsof de reis wel heel bijzonder moest zijn om haar mee te willen laten gaan. Ze sloeg haar ogen ten hemel bij die opmerking en greep naar haar wijn. Het leeftijdsverschil tussen hen was nog nooit zo groot geweest. Ze hadden tegenwoordig heel weinig met elkaar gemeen. Misschien moest ik Alistair toch dankbaarder zijn voor zijn gezinsvakanties, voor al zijn activiteiten. Als ze niet regelmatig weekends bij hun vader doorbrachten, deden ze waarschijnlijk niets meer samen.

Na het eten stuurde ik Matthew naar bed en Roxy verdween uit eigen beweging, waardoor Davis en ik alleen tegenover elkaar aan tafel achterbleven. Ik trok nog een fles wijn open en keek op toen hij zuchtte, waarbij hij de lucht uitblies alsof het sigarettenrook was.

'Nou, je hebt leuke kinderen. Je kunt er trots op zijn.' Ik voelde dat hij het meende, dat het niet zomaar een loos complimentje was.

'Dank je. Maar soms valt het niet mee, hoor.'

Ik had onmiddellijk spijt dat ik dit had gezegd. Ik had me nog zó voorgenomen me op geen enkel terrein te begeven dat hem de indruk zou kunnen geven dat er op hem gejaagd werd.

Hij knikte braaf en zette zich waarschijnlijk meteen schrap voor het standaard ouderlijke gezeur. De hemel mocht weten met wat voor gezinstoestanden hij in zijn dagelijkse werk te maken kreeg. Hij klopte op de zak van zijn broek. 'Heb je er bezwaar tegen als ik rook?'

Eigenlijk wel, voornamelijk vanwege de boodschap die dit voor Roxy inhield. De ene keer dat ze mij rokend had aangetroffen – maar een paar trekjes samen met Abi – had ze daar nog wekenlang over gezeurd. Maar ik had het gevoel dat als ik nee zei, de gezellige, ontspannen sfeer tussen ons bedorven zou worden en hij meteen zou gaan popelen om terug te gaan naar zijn eigen onderkomen. 'Nee, helemaal niet. Ik zal even het raam iets verder openzetten...'

Ik stak mijn arm uit naar het kozijn en terwijl ik dat deed zag ik de wijde opening tussen de knoopjes over mijn buste. Toen ik weer was gaan zitten trok ik de jurk weer recht, met mijn vingers uit het zicht onder de tafel, maar gelukkig was Davis druk bezig

53

een sigaret op te steken en zag niets. Omdat het raam helemaal omhoog was geschoven draaiden we ons automatisch om en keken naar buiten, waar het uitzicht verduisterd werd door de invallende avond. Toch was er nog steeds een mooi, schaduwrijk landschap te zien, verlicht door de lichten uit de flats erachter. Ons blok lag ongeveer halverwege de straat, zodat je het gevoel kreeg dat je over een rivier keek, omdat de twee kleinere gebouwen die de korte zijden van de rechthoek vormden bijna niet te zien waren. Tegenover me leek Davis, door de manier waarop hij zijn ogen dichtkneep en de rook de nacht in blies, rechtstreeks afkomstig uit een artistieke film uit de jaren vijftig.

'Roxy rookt,' zei ik, terwijl ik de grijze pluim tussen zijn lippen vandaan zag komen. 'En waarschijnlijk meer dan ik denk.'

Hij knikte. 'Dat doen ze allemaal. Ze denken dat ze daardoor volwassen lijken, maar wat ze niet beseffen is dat zij de enigen zijn die het doen. Echte volwassenen hebben het allang opgegeven. Behalve hopeloze gevallen zoals ik, natuurlijk.'

Ik glimlachte. 'Ze hield het aanvankelijk verborgen, maar ik vertelde haar dat dat geen zin had. Dat ik het liever gewoon wist.'

Hij knipperde met zijn oogleden, bijna slaperig – ook zo'n onbewust gebaar, net als het rond zijn vinger draaien van zijn haar – en het effect was wonderlijk kalmerend, als van een gedempte stem. 'Ouders zeggen dat vaak tegen me, weet je. Dat ze "het liever gewoon weten". Ik vraag me wel eens af of dat de juiste benadering is.'

'Hoe bedoel je?'

Hij bleef me aankijken. In het licht van de kaarsen leken de irissen van zijn ogen heel zwart. 'Tja, ik heb natuurlijk helemaal geen recht van spreken, maar ik kan me toch wel herinneren dat het in de puberteit vooral om heimelijkheid draait. En ouders die een verlichte, begrijpende houding tentoonspreiden, zijn nou niet bepaald een grote uitdaging, hè?'

Ik dacht aan Roxy. Hoewel ze zelf wel oppaste met wat ze tegen me zei, kon ze me toch op een bepaalde manier aankijken als iemand anders iets zei waarvan ze dacht dat het me tegen de borst stuitte. Het was een waakzame blik, zelfs met iets van leedvermaak. Ze genoot van mijn onbehaaglijke gevoel, omdat ze wist dat haar geen blaam trof. 'Misschien. Maar ik denk dat ze ook willen dat hun dwarse gedrag wordt opgemerkt. Ze willen wat dat betreft van twee walletjes eten. Ze willen de regels overtreden én ze willen dat we daar bewondering voor hebben.'

Hij keek me belangstellend aan. 'Dus je denkt dat het allemaal een vorm van onschuld is? Dat ze alleen maar uit effectbejag zondigen? Dat ze er diep in hun binnenste naar snakken dat hun de juiste morele houding wordt opgelegd?'

Ik staarde hem aan, zonder te weten hoe ik daarop moest reageren. Ik kon niemand anders bedenken die woorden gebruikte als 'snakken' en 'zondigen'. Het deed me denken aan werkcolleges op de universiteit, waarbij ik altijd de grootste moeite had gehad om op de been te blijven. 'Ik geloof niet dat ik er zo diep over nadenk, in ieder geval niet op zo'n intellectuele manier. Ik probeer alleen maar alle stemmingswisselingen te verduren en ermee om te gaan zonder al te bazig over te komen. Zo goed en zo kwaad als het gaat.'

Ik was teleurgesteld over mijn antwoord. Het klonk sentimenteel en niet erg spits, maar op het gezicht van Davis gezicht stond begrip te lezen. 'En al die tijd heb je zelf ook zo je stemmingswisselingen natuurlijk.'

'Niet dat zij zich daar ook maar iets van aantrekken.' Ik glimlachte. 'Ik heb het over "hen" en "hun", maar eigenlijk slaat het niet op Matthew. Hij is nog jong.' Hij is nog van mij. Ik was verbaasd over die gedachte, want het was de eerste keer dat ik tegenover mijzelf erkende dat Roxy dat wellicht niet meer was. Van wie was ze dan wel? Van haar vader? Van haar vriendinnen? Van zichzelf?

Er viel een plotselinge stilte toen het gebrom van de ventilator in de badkamer ophield – Roxy ging naar bed – en op hetzelfde moment hield de muziek uit de cd-speler op. Ik vroeg me af of ik een nieuwe cd op moest zetten, maar de stilte maakte me loom en ik bleef zitten. 'Ik vroeg me af...' zei ik. Maar toen ik zijn opgetrokken wenkbrauwen zag, veranderde ik van gedachte en mompelde: 'Nee, sorry, dat is onbeleefd.'

'Ga maar gerust verder.' Hij glimlachte bemoedigend. 'Je dochter zou geen moment aarzelen.'

'Nou ja, gewoon, hoe komt het dat iemand zoals jij hier in je eentje woonruimte wilt huren...?'

Hij wierp me een plagende blik toe. 'Zo laat in mijn leven, bedoel je? Hoe het komt dat nog ik geen welgesteld man ben? Want dat is toch het doel waarnaar iedere bewoner van deze stad streeft?'

'Ik neem aan dat je scheiding de oorzaak is?' zei ik, toen me iets begon te dagen.

'Mijn vrouw en ik hebben nooit een huis gekocht. We woonden in een flat die van haar vader was, waardoor zij de illusie had dat we hem huurden en dat wilde ze graag.'

'Hoe bedoel je?'

'Je zou kunnen zeggen dat ze met mij beneden haar stand leefde. Ze zag mij als de berooide kunstenaar en ze plaatste zichzelf in de rol van muze.'

'Kunstenaar? Schilder je dan?' Ik kon me niet herinneren dat ik schildersbenodigdheden had gezien toen hij zijn intrek nam, maar hij was natuurlijk nog maar amper met uitpakken begonnen toen ik binnen viel en sindsdien was ik niet meer in de flat geweest. Ik dacht zorgelijk aan druipende doeken die tegen mijn meubels werden gezet en ik schaamde me onmiddellijk over mijn kleinburgerlijkheid. 'Wat voor werk maak je?'

Hij drukte zijn sigaret uit. 'Ik schilder niet, ik schrijf.'

'O! Je schrijft een roman? Wat spannend!'

Hij schudde zijn hoofd. 'Ik beschouw het meer als fragmenten.'

'Fragmenten? Zoals poëzie?'

'In zekere zin.' Hij zweeg even. 'Als je het niet erg vindt, praat ik er liever niet over. Anders begint het iets anders te worden dan het eigenlijk is, als je begrijpt wat ik bedoel.'

'Natuurlijk, ik begrijp het helemaal.' Nu ik wist dat mijn parketvloer niet door terpentijn zou worden bedorven was ik opeens diep onder de indruk bij de gedachte dat er onder mijn dak een geheimzinnig meesterwerk tot stand zou komen. Ik stelde me voor dat er in deze 'fragmenten' een nieuwe figuur zou verschijnen, een onvermoede nieuwe muze. (Pas later zag ik de parallel met zijn ex-vrouw en dat ik precies die fantasie van haar herhaalde, waar hij net zo spottend over had gedaan.)

'Waarom zijn jullie uit elkaar gegaan?' vroeg ik voor ik mezelf kon inhouden. En ik kon al evenmin voorkomen dat ik me vooroverboog om zijn antwoord nog beter in me op te nemen.

'Waarom gaan we meestal uit elkaar?' zei hij en begon weer op die biologerende manier met zijn ogen te knipperen.

'Ik weet het niet.' Ik wachtte gespannen, terwijl de wijn me een gevoel van belangrijkheid gaf dat niets met de werkelijkheid van doen had. Ik was de pelgrim die dagenlang door onherbergzaam terrein was getrokken om me vijf minuten te mogen laven aan de wijze man in zijn grot in de bergen.

'Er was een ander,' zei hij ten slotte en hij wendde zijn blik af. Daarna stopte hij zijn aansteker in zijn sigarettenpakje, alsof hij wilde aangeven dat daarmee het onderwerp was gesloten.

'O.' Het leek me niet gepast te vragen of die bewuste 'ander' van haar of van hem was geweest.

5

Een paar dagen later kreeg ik een briefje van hem, een prachtig opgesteld bedankje op een ansichtkaart van een Weens straattafereel. Ik prikte de kaart op het memobord in de keuken, naast Roxy's uitdraai van de politie, en bewonderde zijn smaak op het gebied van fotografie. Desondanks was ik een beetje teleurgesteld omdat hij niet de tijd had genomen om langs te komen. De aard van onze banen maakte dat we allebei meer thuis waren dan de doorsnee werkende mens in Londen, er moesten rustige momenten in zijn dag zijn waarop hij zou kunnen overwegen de ongeveer twaalf stappen van zijn bureau naar mijn voordeur te zetten. Na een paar dagen begon ik me zelfs af te vragen of hij me meed.

Ik besefte dat ik niet wilde toegeven dat ik me tot Davis aangetrokken voelde, maar dat bewees alleen maar dat het ook echt waar was. Het was een klassiek voorbeeld van te veel protest. Als ik tussen de ontvangst van twee cliënten in mijn aantekeningen uittikte, dwaalden mijn gedachten soms naar hem af en dan moest ik mezelf dwingen om te denken aan een gouden regel die opeens iets van zijn glans had verloren. Zou dat betekenen dat ik klaar was voor een nieuwe relatie – zoals Abi zei, kon ik me onmogelijk voor altijd afsluiten – of reageerde ik op iets in Davis wat ik sinds Alistair niet meer bij anderen had aangetroffen? Ik kreeg het gevoel dat het van het grootste belang was om uit te vissen of de tijd rijp was of dat het puur een kwestie van toeval was.

Ik las de woorden op het scherm nog eens over. 'De heer Bicknell heeft een laatste waarschuwing ontvangen van de financieringsmaatschappij waar hij vorig jaar een persoonlijke lening bij heeft geherfinancierd en hij heeft om advies verzocht bij het aanvragen van een faillissement.' Verdergaan met een molensteen van een lening die hij nooit zou kunnen afbetalen of zichzelf opzadelen met een etiket dat bij iedere toekomstige werkgever of huisbaas de alarmbellen zou doen rinkelen? Dat was pas echt een dilemma. Mijn dilemma was alleen maar verwende onzin. Ik moest mijn zorgen maar gewoon voor me houden, besloot ik. En zelfs niets tegen Abi zeggen. Als ik alleen al dacht aan wat ik zou moeten zeggen om haar duidelijk te maken wat er aan de hand was, besefte ik hoe kinderachtig ik me gedroeg. Alsof ik verliefd was. Heel naïef, heel tienerachtig.

'Kate, met mij. Heb je even?'

Ik schoot meteen overeind toen Alistair me dat toe blafte. Ondanks al die jaren waarin ik hem uit de flat had proberen te verdrijven slaagde hij er steeds weer in om met één telefoontje binnen te dringen. Ik voelde gewoon wanneer hij het was. Het was net alsof de telefoon dan hardnekkiger rinkelde. En hoe dicht ik de hoorn ook tegen mijn oor drukte, toch lekte zijn energie in de atmosfeer om me heen. Vanmorgen was hij in het offensief, dat was wel duidelijk. Het zou wel om nog meer bezuinigingen op het budget gaan. En wat dat arrogante 'met mij' betrof, die veronderstelling dat er nog steeds, na al deze tijd, niemand anders zou zijn die mijn 'mij' was, kon me echt woest maken.

'Wat is er?' begon ik te vragen, maar hij viel me meteen in de rede, te ongeduldig om me zelfs die drie woorden te laten uitspreken. 'Wat is er verdomme met Roxy aan de hand?'

'Met Roxy?' Ze was die morgen vrij zonnig geweest, herinnerde ik me, althans zonnig op de Roxy Easton-barometer.

'Ja, Roxy. Onze lieve dochter. Ze heeft me net gebeld met de mededeling dat ze haar stage van deze zomer toch maar niet wil doen. Zijn jullie nou helemaal gek geworden? Ik dacht dat we het erover eens waren dat dit een geweldige kans voor haar zou zijn.'

'Dat is ook zo.' Ik negeerde de persoonlijke beschuldiging en reageerde automatisch met mijn kalme, effen beroepsstem. 'Alistair, daar weet ik echt helemaal niets van. En hoe kan ze je net gebeld hebben? Ze hoort op school te zitten.'

Hij gromde nijdig, alsof hij wilde zeggen dat hij dit had verwacht, dat het slechts een kwestie van tijd was geweest voor ik ten slotte alle controle over mijn dochter verloor (want bij problemen was Roxy altijd mijn dochter en niet ónze dochter). Op de achtergrond hoorde ik verkeerslawaai, hij zat kennelijk in de auto. In gedachten zag ik hem al woedend naar andere chauffeurs kijken, agressief en uitdagend.

'Dit is verdomme een van de vijf beste advocatenkantoren! En ik hoef er niet bij te zeggen dat Victoria hiermee ook een slechte beurt maakt. Ze heeft bij personeelszaken veel druk moeten uitoefenen om Roxy erin te krijgen, en nu ze zwanger is, staan ze natuurlijk toch al op hun achterste benen, precies zoals we hadden voorspeld.'

'Ik heb niets voorspeld,' zei ik scherp. Daar had je het weer. Nog geen twee minuten en ik zat alweer op de kast. Victoria was mijn achilleshiel en dat zou ze altijd blijven. Ik had mijn laatste beetje waardigheid – waar toch al niet veel van over was – bijeen moeten rapen om erkentelijk te zijn voor de manier waarop ze voor Roxy de felbegeerde stage bij een van haar partners had weten te regelen. 'Je moet het me maar vergeven dat ik niet wakker lig van de manier waarop zij wordt behandeld.'

Alistair snoof smalend. 'Nou, dat zou anders wel zo moeten zijn. Is dit geen seksuele discriminatie van het soort waar jij dagelijks tegen ten strijde trekt? Jij neemt het toch altijd op voor de zwakkere broeders? Pardon, zusters?'

Ik had spijt van mijn sarcasme. Alistair genoot van dit soort woordenwisselingen omdat hij er vast van overtuigd was dat hij die zou winnen. Hij was heel opvliegend, altijd de eerste om een gesprek op ruzie uit te laten lopen, klaar om er van alles en nog wat bij te halen. Ik dwong mezelf even te zwijgen om mijn evenwicht te hervinden. Ik wist maar al te goed dat zijn opvliegende gedrag moest worden gedempt, niet aangewakkerd. Dit was tot nu toe ook de enige manier geweest om ons co-ouderschap vriendschappelijk te houden (als je de definitie van vriendschappelijk tenminste ruim nam). 'Ik heb in het algemeen meer met woningproblemen te maken, Alistair, of met schulden, maar daar gaat het niet om. Zullen we het weer over Roxy hebben? Weet je zeker dat ze van gedachten is veranderd?'

'Dat zei ze wel. Ze wil betaald werk doen en solliciteert naar een baantje in een broodjeswinkel. Een bróódjeswinkel!' Hij sprak het woord vol afkeer uit, alsof hij 'rioolpijp' zei.

'Een broodjeswinkel?' herhaalde ik. 'Wat raar.'

'Het is verdomme krankzinnig. Zal ik je eens wat zeggen? Als ze echt zit te springen om het geld dat ze daar met sloven zou verdienen, dan kan ze dat ook zo wel van me krijgen!'

Ik fronste mijn wenkbrauwen. 'Ik weet niet of dat nou wel zo'n goed idee is. We moeten haar niet belonen voor zulk onattent gedrag.'

Hij gromde opnieuw. 'Nou, wat stel jij dan voor?'

'Ik praat wel met haar zodra ze thuis is en dan zal ik kijken of ik haar van gedachten kan laten veranderen. Voorlopig moet Victoria maar niets op haar werk zeggen.'

'Ja, dat weet ik ook wel.' Het was nu stil op de achtergrond. Kennelijk bevond hij zich op een rustiger deel van de route en ik kon horen dat hij wat kalmer werd terwijl hij probeerde de positieve kant te zien. 'Ik denk dat ze pas over een paar weken moet beginnen. We hebben nog tijd.'

'En ik weet zeker dat Roxy Victoria nog steeds heel erkentelijk is voor deze mogelijkheid die haar wordt geboden.'

'Dat mag verdomme ook best, ze hebben een wachtlijst van hier tot ginder. De twee van vorig jaar zijn in Oxford of Cambridge gekomen, weet je nog?'

Dat wist ik maar al te goed, want we hadden het er uitvoerig over gehad en ik voelde mijn maag samentrekken als ik dacht aan Roxy en alle concurrentie van haar generatie, alle wedijver die haar en al die andere kinderen werd opgedrongen door scholen, ouders en maatschappij. De gestreste generatie, had Davis ze genoemd, hoewel de leden ervan er opmerkelijk goed tegen bestand leken te zijn. Op zeventienjarige leeftijd hadden die kinderen al een cv dat er niet om loog. Hoewel het broodjeswinkelalternatief – wat het ook mocht zijn – nieuws voor me was, wist ik zeker dat om dat baantje gevochten werd door meisjes die ergens in de nabije toekomst met vlag en wimpel eindexamen zouden doen. En bij hun toelatingsgesprekken tot de universiteit zou dit werk in de broodjeswinkel zijn omgedoopt tot het triomfantelijke doen herleven van een kwijnend plaatselijk bedrijfje, compleet met koffiebonen met het 'eerlijke handel'-etiket en een nieuw dorpsschooltje in Guatemala. Je werd al moe als je eraan dacht.

'Ik bel je nog wel terug,' zei ik vastberaden. 'We denken hier allebei hetzelfde over, oké?'

Ik hing op en zette de ontbijtspullen van Matthew en mij in de afwasmachine. Roxy had met vriendinnen afgesproken om vóór schooltijd een cappuccino te gaan drinken en ik vroeg me af of ze soms daarvandaan haar vader had gebeld. Misschien was ze pas vlak voor ze hem belde op het idee gekomen. Wilden Alistair en ik eigenlijk wel hetzelfde voor onze dochter? Het enige dat ik ooit had gewild was dat ze gelukkig werd – over clichés gesproken! – en toch leek dat de laatste tijd alleen maar het geval te zijn wanneer ze met Marianne Suter naar de kroeg, een party of een popconcert ging, waar kennelijk werd gerookt en gedronken en de hemel mocht weten wat nog meer werd gedaan, en dat was níét wat ik wilde. Alistair had tenminste tastbare ambities voor zijn kinderen: een uitstekende school, de beste die er voor hen te koop was, een topuniversiteit, liefst Oxford of Cambridge, en zo niet dan toch zeker een van de resterende top vijf. Hij kon van alles de top vijf noemen, het was een obsessie, een zesde plaats was niet bespreekbaar. Een beginsalaris van minstens driemaal modaal en ten slotte een uitstekende carrière. Pas als het Easton-nageslacht in *The Times* werd geciteerd in verband met zijn of haar bijzondere kwaliteiten, zou hun vader zijn handen van hen aftrekken.

Hun persoonlijke leven liet hij over aan de goden.

Ik moest tot 's avonds tien uur wachten voor een audiëntie bij Roxy. De repetities voor de zomeropvoering waren begonnen, dit jaar was het een musical, *Bugsy Malone*. Alweer een vermelding op het cv. Marianne schitterde als Tallulah en Roxy had de rol van rechercheur kapitein Smolsky toebedeeld gekregen. Ze had gehoopt een van Tallulah's revuemeisjes te zullen zijn, want dat had betekend dat ze alle repetities met Marianne samen zou kunnen doen, maar lange meiden als Roxy, met kleine borsten en smalle heupen, kregen op meisjesscholen onvermijdelijk de mannelijke rollen en dus werd het kapitein Smolsky.

Haar slaapkamerdeur stond op een kier en ik klopte voordat ik naar binnen liep. Ik besloot dat ik er maar beter niet omheen kon draaien. 'Roxy, je vader vertelt me dat je hebt besloten af te zien van de stage bij Clifton Merchant.'

Ze draaide zich om van haar bureau, met de laptop open voor zich. 'De dorpstamtam werkt snel.'

'Dus het is waar?'

'Ja.'

'Waarom?'

Ze trok een pruilend gezicht, alsof ze wilde zeggen: 'Waarom niet?' Wat een even nietszeggend antwoord was als elk ander. Daarna zei ze: 'Ik vond gewoon dat ik het te druk had om dat er ook nog eens bij te doen.'

'Er nog eens bij?'

'Ja, die theatercursus in de zomer, als ik word toegelaten, al mijn vrijwilligerswerk, mijn Frans oppoetsen. Mevrouw Richardson zegt dat ik extra conversatielessen moet nemen. Ze gaat me een zomercursus aanbevelen.' Ze vervolgde vrij emotieloos met het opsommen van nog meer kleine verplichtingen, en ik voelde mijn ongerustheid toenemen zelfs nog voor ze bij de laatste was. 'En misschien werken bij Eli's.'

Ik sloeg toe. 'Eli's, de broodjeswinkel?'

'Jawel, ik moet daar zaterdag solliciteren.'

'Maar als jij het veel te druk hebt voor een stage op een kantoor, heb je het daar dan niet ook te druk voor? Dit slaat nergens op, lieverd.'

Ze werd zichtbaar nijdig bij dat 'lieverd'. Het was een automatisme. Omdat ik Matthew nog steeds koosnaampjes gaf, vergat ik dat ik ze voor haar niet meer mocht gebruiken. Het was een afschuwelijk gevoel een uitdrukking van liefde te moeten smoren, maar voorlopig moest ik me daar bij neerleggen. 'Het slaat wél ergens op. Ze zoeken extra serveersters en het is hier vlakbij. Als ik toch voor een stel yuppen koffie moet inschenken wil ik er liever fooien bij krijgen.' Ze zweeg even. 'Marianne gaat naar het Edinburgh Festival, weet je, en daar ga ík niet naartoe.'

Ik herkende een afleidingsmanoeuvre als ik er een hoorde. Dit was echt niet de eerste keer dat het punt van Mariannes grotere vrijheid als bruikbare zijweg werd bewandeld. 'Maar die stage is zo'n zeldzame kans, Roxy. Je was zo blij toen je hoorde dat je die had gekregen.'

Ze haalde haar schouders op. 'Dat was omdat ik nog steeds dacht dat ik misschien rechten wilde gaan studeren. Nu weet ik dat niet meer.'

Ik slaakte een gesmoorde kreet bij de terloopse manier waarop ze dat vertelde. Zolang ik me kon herinneren was het haar (en Alistairs) plan geweest om te proberen in Cambridge rechten te gaan studeren. Ik had het mis gehad. Ze was helemaal niet in een opwelling van gedachten veranderd. Dit was een serieuze omwenteling. 'Nou ja, maar waarom doe je niet eerst die stage en beslis je daarna? Je kunt het onmogelijk zeker weten als je niet zelf hebt gezien wat het inhoudt.'

Weer dat schokschouderen. 'Waarom niet? Er zijn op school massa's meisjes die rechten willen gaan studeren en die het wel zeker weten. Misschien moet ik de stage bij Clifton Merchant maar aan een van hen geven. Iedereen weet trouwens dat ik die via vriendjespolitiek heb gekregen.'

Ik besefte dat ik geen woordenstrijd over de voors en tegens van vriendjespolitiek moest aangaan. Alweer zo'n afleidingsmanoeuvre. Wat was ze toch handig in dit soort gesprekken. Een en al slinksheid. Terwijl Alistair ontplofte, liet zij je gewoon in de val lopen. Ik was er niet bij als ze samen ruzie hadden (dat was in elk geval een pluspunt van onze scheiding), maar ik had zo'n idee dat zij veel koeler was. En of ik tegen haar opgewassen was? Nou, niet dus. Zo simpel was het. Ik kon niet precies aangeven wanneer ze mij precies de baas was geworden. Soms leek het nog maar zo kort geleden dat ze drie of vier was, heel lief en doorzichtig in haar uitdagingen, verrukt als ze een volwassene op de kast had weten te jagen. Ik herinnerde me dat ik verbaasd was geweest over de gretigheid waarmee ze een machtsstrijd wilde aangaan, zelfs nog voor ze over de woorden beschikte om zich duidelijk uit te drukken. Nee, net als bij Alistair kon ik niet veel meer doen dan me naar de persoonlijkheid richten. Het enige probleem bij Roxy was, dat ik er nooit zeker van was dat waar ik me op richtte nog hetzelfde was als de dag ervoor.

'Oké,' zei ik opgewekt. 'Nou, zelfs als je geen rechten wilt studeren zal het toch een fantastische ervaring zijn. Misschien kom je dan wel op een ander idee.'

Ze trok een scheef gezicht. 'Voor andere manieren om massa's geld te verdienen, bedoel je? Misschien vinden papa en jij dat wel belangrijk, mam, maar ík geef niets om geld.'

Dat was niet eerlijk, en het was ook niet in overeenstemming met haar argument inzake het verkiezen van betaald werk boven onbetaald, maar ik dwong me niet opnieuw te happen. 'Goed, als jij wat rechten betreft van gedachten bent veranderd, wat zou je dan op de universiteit willen doen?' Ik herinnerde me dat gesprek met Davis. Ik voel me nergens toe aangetrokken, had ze gezegd, en hoewel het aanstellerig had geklonken had ik toch het gevoel gehad dat ze het meende. Ik had echt met haar te doen. Ze moest al zo vroeg kiezen, ze moest haar koers al uitzetten voor ze zelfs maar had leren zeilen.

Ze verschoof de muis op de mat en klikte haar e-mail open, terwijl ze me de woorden over haar schouder toe wierp en ondertussen haar nieuwe berichten inkeek. 'Ik dacht moderne talen, misschien Frans.'

'Fráns? Maar dat is...' Ik zweeg, om niet te hoeven opmerken dat dit volgens alle berichten haar zwakste vak was. Alles was tenslotte betrekkelijk. Ik dacht opnieuw aan de reis naar Zuid-Afrika in plaats van de Franse vakantie waarop ik had gehoopt, en dat bracht me op een idee.

'Weet je, als jij die stage niet doet, zal papa heel erg teleurgesteld zijn. Misschien besluit hij wel die safari af te zeggen.'

Nu had ik haar onverdeelde aandacht. Ze draaide zich om van haar e-mail en keek me aan met een blik die zei: is dat nou echt het beste dat jij weet te bedenken? Meteen daarna draaide ze zich opnieuw om en begon te tikken. 'De ballen ermee.' (Ik had geprobeerd een banvloek uit te spreken over die uitdrukking, maar hij was onuitroeibaar, net als mijn 'lieverd' en 'liefje'.)

'Het is al laat,' zei ik, vrij zeker dat ze zat te bluffen. 'Laten we er morgenochtend verder over praten. Oké?'

'Als jij dat wilt.'

'Ja, Roxy, dat wil ik graag.'

Aangezien ze opnieuw begon te tikken, kennelijk nog steeds vol energie, zat er voor mij niets anders op dan af te druipen en naar bed te gaan. Niet voor de eerste keer wenste ik Alistair en haar naar een plek hier ver vandaan, waar ik niet langer tussen hen hoefde te bemiddelen. De vrede bewaren en brandjes blussen, ik had er mijn handen aan vol.

Ze vertrok de volgende morgen al voor het ontbijt, ook zo'n nieuwe gewoonte, en nadat ik Matthew naar school had gebracht, kreeg ik Alistair al aan de lijn. Ik vertelde hem over het gesprek van de vorige avond en wachtte op de explosie. Voor de verandering bleef die uit.

'Laat mij het maar proberen,' zei hij vermoeid, alsof hij een ondergeschikte wegstuurde van wie hij nooit had gedacht dat die voor dit werk geschikt zou zijn. 'Geef haar maar even aan de telefoon, wil je?'

'Het is halftien op woensdagmorgen, Alistair. Ze zit op school en haar mobieltje staat dan uit. Ik zal haar vragen je te bellen zodra ik haar zie.' Ik zweeg. 'Ik vraag me af, als je haar spreekt, of je dan kunt dreigen haar niet mee naar Zuid-Afrika te nemen. Misschien bedenkt ze zich dan.'

Hij liet een korte, vreugdeloze lach horen. 'Juist ja. Ik begrijp het.'

'Je begrijpt wat?'

'Je wilt dat ik de boeman speel. Je hebt het helemaal niet geprobeerd, hè? Jij staat een beetje stroop bij haar om de mond te smeren, en nu wil je dat ik het vuile werk opknap.'

'O, doe niet zo belachelijk! Natuurlijk heb ik het geprobeerd. Maar ik beschik momenteel niet over dezelfde machtsmiddelen als jij. Wat kan ik tegen haar zeggen? Doe die stage, anders verschoon ik je bed niet meer? Ik denk niet dat dat zou werken. Jij wel?'

'Ze heeft ook nog autorijles.'

'Die betaalt ze zelf. Van haar zakgeld.' Dat voortdurend door jou wordt aangevuld, voegde ik er in gedachten aan toe. Er waren tijden dat ik vond dat het leek of Roxy en haar vriendinnen zo ongeveer een salaris ontvingen. 'Bovendien is dat nou niet direct het intrekken van iets leuks, wel?'

'Goed. Dus ik word geacht mijn vakantie met haar op te offeren, de enige tijd van het jaar dat ik echt tijd voor mijn dochter kan uittrekken. Kom nou, Kate, dat is echt stomme kletskoek, dat weet je zelf ook!'

Opnieuw zoemde ik inwendig van protest. Het is niet mijn schuld dat jij geen tijd voor haar hebt, egoïstische klootzak die je bent. Het is niet mijn schuld dat je bij haar bent weggegaan, bij míj bent weggegaan. En wat dacht hij eigenlijk van de tijd die ík met haar had? Die was in ieder geval niet te vergelijken met de luxe van een reis van twee weken naar Zuid-Afrika! 'Daar gaat het niet om, Alistair, dat weet jij ook wel. Het gaat er alleen om dat je dreigt die reis niet door te laten gaan, zodat zij toch die stage doet en dat ze dan toch met vakantie gaat. Op die manier wint iedereen. Het is een kwestie van onderhandelen.'

Hij snoof minachtend. 'Nou, dank je wel voor je onderhandelingstips, maar ik denk dat je de aantrekkingskracht van die reis overschat. Bij Matthew zou het misschien werken, maar niet bij Roxy. Misschien moet ik haar pas voor de sauna intrekken!'

Daar moest ik ondanks alles om glimlachen. 'Hoor eens, ik zal het nog een keer proberen en als dat niet werkt, dan moet jij maar met haar praten. Maar we zullen misschien moeten accepteren dat ze het niet gaat doen. Uiteindelijk moet ze zelf voor een studie en een loopbaan kiezen.'

'Ik ben ervan overtuigd dat de toelatingscommissie voor Cambridge dat met genoegen zal horen.'

Opnieuw volgde er een misnoegd geluid en toen werd de verbinding verbroken. Ik had de stoep van het gebouw bereikt en stak mijn sleutel in het slot. De deur viel zwaar achter me dicht en ik leunde ertegenaan om de klap te dempen, waarbij ik me door het gewicht naar voren liet duwen, de stilte in. Ik overwoog serieus om te gaan gillen. Als ik nou gewoon mijn gezicht in mijn postvakje duwde, zou het geluid misschien voldoende worden gesmoord om niet gehoord te worden. Ik beheerste me (ik beheerste me altijd), maar toen ik de vijfde verdieping bereikte en de buitendeur openmaakte, besefte ik dat ik heel zwaar uitademde en bijna kreunde. Een overdreven reactie, zelfs na die klim.

'Is alles in orde?'

Ik keek op. Het was Davis Calder, koel en minzaam. 'Ja, prima, dank je.'

'Weet je dat zeker? Je ziet er een beetje ontredderd uit.'

'O.' Ik zweeg en zuchtte. 'Alleen maar gezinsgedoe. Roxy.'

'Ach. Gedoe maar geen onzin.' Hoewel ik me tot hem aangetrokken voelde, was ik niet in de stemming voor zijn literaire woordspelletjes, dus glimlachte ik kort naar hem en liep naar mijn voordeur. Maar toen ik langs zijn deur kwam, deed hij die wijd open en wenkte me binnen. 'Kom op, je hebt nog een kop koffie van me tegoed. Misschien kan ik wel helpen.'

Achter hem kon ik de ramen in het zonlicht zien schitteren. Ik zag een ingelijste foto boven de schoorsteenmantel, het een of andere spiraalvormige patroon, als een slakkenhuis. Er was ook een Perzisch tapijt, heel groot, verschoten en gerafeld, wat de schoonheid van het patroon nog verhoogde, een kleed dat een groot deel van de vloer bedekte. Ooit was dit mijn favoriete kamer van het appartement geweest, maar ik kon me het vertrek nu al niet meer zonder dat schilderij en het kleed voorstellen.

'Goed.' Ik liep gehoorzaam achter hem naar binnen. Het rook er nu anders, naar oude boeken en koffiebonen en het vage aroma van tabak. Terwijl hij met de waterkoker in de weer was, bekeek ik de foto boven de schoorsteenmantel. *Phare des baleines,* luidde de titel.

'Het is de binnenkant van een vuurtoren,' zei Davis, 'de wenteltrap van beneden af gefotografeerd. Als je goed kijkt, kun je een hand zien die de leuning vasthoudt.'

Ik zocht op de foto. 'O ja, wat knap om op die manier de schaal te laten zien. Hij moet heel hoog zijn.'

'Ja, tweehonderdvijftig treden of zo. Ik heb een vriend die er pal naast woont.' Hij gaf me een beker koffie en liep naar de boekenkast, waar hij een dunne paperback uit haalde. Hij kwam bij me voor de haard staan en gaf me het boekje. 'Heb je ooit iets van Mishima gelezen?'

'Ik geloof het niet, nee.' Ik pakte het boekje voorzichtig aan – de vergeelde bladzijden begonnen los te raken van de rug – en las de titel: *Het geluid van golven.*

'Er staat een heel mooie scène in, waarin de twee geliefden zich uitkleden voor de haard,' zei hij, bijna binnensmonds.

Ik bleef naar het boek kijken terwijl ik voelde hoe een blos zich langzaam vanaf het puntje van mijn neus verspreidde. Ik wist niet of Davis nog steeds naar me keek of niet, maar ik hoorde hem lachen. 'Het speelt in een vuurtoren. Daarom moest ik eraan denken.'

'O, oké.' Ik deed alsof ik de tekst op de achterkant bekeek. 'Een verfijnd verhaal over een eerste liefde...' Wat had ik in vredesnaam gedacht (of gehoopt) dat hij bedoelde? Eén onnozel ogenblik lang overwoog ik de kamer uit te rennen, zodat ik uit het zicht was voor mijn blos me kon verraden.

Ondertussen nestelde Davis zich op de bank en hield op met in zijn koffie roeren. Toen tikte hij met het lepeltje op de rand van de beker, als een rechter die om orde roept. 'Vertel me nu eens wat er met je dochter aan de hand is.'

Toen ik een uur later zijn deur uit kwam, had ik eerder de neiging om te zingen dan om te gillen. De wereld was bij nader inzien toch niet opgehouden met draaien. Davis had me precies dat gegeven wat ik van Alistair nodig had en zo zelden kreeg: begrip voor mijn dagelijkse gevechten in de vuurlinie, constructieve suggesties voor een staakt-het-vuren, een vredesverdrag voor de toekomst, of in elk geval de nabije toekomst. Hij zou zelf met Roxy praten. Hij had een studente die in Oxford was aangenomen om moderne talen te studeren en hij zou Roxy de volgende dag nog aan haar voorstellen. Samen zouden ze uitleggen waarom de komende zomervakantie de belangrijkste van haar leven zou kunnen zijn.

Toen ik Roxy over het plan vertelde, haalde ze instemmend haar schouders op. Aangezien ze van 's ochtends vroeg tot 's avonds laat met adviezen werd gebombardeerd, zag ze er niets vreemds in om tussen ontbijt en school naar een naburige flat te worden gestuurd om de mening van een volslagen vreemde over haar toekomstmogelijkheden aan te horen.

'Beloof me dat je naar hem zult luisteren, Rox. Hij weet waar hij het over heeft.'

'Ja, ja.' Maar ik zag dat ze geïnteresseerd was, ze had Davis die avond bij het eten aardig gevonden. Met zijn aantrekkelijke uiterlijk en die droge, gemakkelijke manier van praten had hij Roxy's radar weten te bereiken.

Ik moest naar mijn werk en ik zag haar niet meer voor we elkaar die avond in de keuken troffen, maar wat Davis ook mocht hebben gezegd, het had zeker effect gehad.

'Je zult wel blij zijn te horen dat ik die stage toch ga doen,' kondigde ze aan terwijl ze een blikje cola-light opentrok en me over de rand ervan aankeek.

'Echt waar?' Ik voelde dat ik breed begon te grijnzen. Het was zo lang geleden dat ik zo had geglimlacht, dat ik echt spierpijn kreeg in mijn wangen. 'Dat is geweldig nieuws, lieverd!'

'Davis zegt dat Clifton Merchant een vestiging in Parijs heeft en dat ik, als ik daar ben, moet vragen of ik daar langs mag gaan. Ook al is het maar voor een dag, het zal heel goed op mijn cv staan als ik moderne talen wil doen.'

Dat was een slim idee vond ik, diep onder de indruk. 'Heb je nog een leerling van hem ontmoet, degene die naar Oxford gaat?'

'Ja, Lucy zus of zo. Een gave meid. Haar Frans was wel veel beter dan dat van mij. Heel pijnlijk.'

'Vergeet niet dat ze een jaar op je voorloopt.'

'Nou ja, kennelijk wel. Maar Davis zegt dat hij me deze zomer bijles zal geven om het in te halen.'

'O ja?' Ik fronste mijn wenkbrauwen. 'Heb je daar wel tijd voor?'

'Volgens mij wel, als ik volgende maand mijn rijexamen haal.' Haar rijexamen stond gepland op de laatste dag van het trimester en het leek haar niets van de angst in te boezemen die ik me van mijn examen herinnerde. 'We hebben het over de donderdagavond gehad en misschien de weekends ook. En maak je geen zorgen, als goede buren onder elkaar zal hij van lesgeld afzien.'

'Dat is heel aardig van hem.' Ik kreeg een warm gevoel van blijdschap bij de gedachte dat Davis dat voor míj had gedaan, om míjn leven gemakkelijker te maken. 'Nou, daar zal je vader blij mee zijn,' ging ik verder.

'Het gaat niet om papa,' zei Roxy luchthartig. 'Het gaat om mij.'

Ik onderdrukte een glimlach. 'Oké. Nou, ik ben blij dat je je babbeltje met Davis nuttig hebt gevonden. Het is een aardige vent, hè?'

De blik die ze me toe wierp, leek vol betekenis, vol begrip dat ik niets liever wilde dan dat ze toe zou geven dat Davis geweldig zijn best had gedaan om haar te helpen en dat zijn aanbod misschien meer te betekenen had dan gewone vriendelijkheid. 'Trouwens,' zei ze ten slotte, 'tante Tash heeft gebeld. Ze heeft met Matt gesproken en ze zei dat ze binnenkort hierheen komt. Ze zei dat ze hem weer mee zou nemen naar het reuzenrad in Londen. Ik hoop dat ze er deze keer aan zullen denken bijtijds uit te stappen.'

'Binnenkort? Ze zei niet wanneer precies?'

'Dat wist ze niet precies,' grinnikte Roxy, vol leedvermaak over de wisselvalligheid van Tash. Het was dezelfde grijns die Matthew en ik de laatste tijd voor Roxy waren gaan gebruiken, hoewel het in haar geval niet zozeer om onbetrouwbaarheid als wel om onvoorspelbaarheid ging. Diva, zo noemde Matthew haar, Roxy de diva.

'Eet je vanavond thuis?' vroeg ik, terwijl ik het gebruikelijke ontkennende antwoord verwachtte.

Ze dronk de cola snel op. 'Ja. Ik heb Matt in geen eeuwen fatsoenlijk gesproken.'

Toen ik me naar het buffet omdraaide om de pasta te pakken, merkte ik dat mijn ogen vol tranen stonden. Nu de crisis voorbij was, konden we voorlopig, voor deze avond, weer een gelukkig gezin vormen. Ik zou Alistair morgen bellen om hem het goede nieuws te vertellen. Hij kon nog wel een avond in zijn eigen sop gaar koken.

6

Toen ik pas bij het adviescentrum was gaan werken, was ik onthutst over sommige gevallen waar ik mee te maken kreeg en aan
het eind van de dag vaak in tranen. Dat was heel normaal, zei
Ethan. Ik had de bekende fout gemaakt door te veel mee te leven
en me verschrikkingen voor te stellen die niet hadden plaatsge-
vonden: kinderen die werden verwaarloosd en vrouwen die werden mishandeld, achterbuurttoestanden die in een andere eeuw
thuishoorden. Zoals die keer dat een man 's ochtends om elf uur
naar binnen kwam sjokken met een blikje bier in de ene hand,
drie kleine kinderen achter zich aan en een jong hondje aan de
lijn in de andere hand. En hoewel zijn probleem heel overzichtelijk was geweest – iets met een arbeidsongeschiktheidsverzeke-
ring – glipte ik na afloop het kantoor van mijn chef binnen om
te vragen of ik niet ook andere punten van zijn huiselijke situatie
moest bekijken.

'Denk eens goed na,' zei Ethan. Hij had een kalme, zakelijke
manier van doen waardoor het altijd leek of alles toch goed zou
komen. 'Zagen de kinderen er moe of ziek uit?'

'Nee, niet echt.'

'Was die pup schoon?'

'Ja, en hij kwispelde.' Ik bloosde, toen ik besefte dat ik als een
kind van vijf klonk.

Ik moet Ethan nageven dat hij me volkomen serieus bleef aankijken. 'Goed, nou, dat is alles wat je moet weten. Wat maakt het
uit dat die kerel midden op de dag iets wil drinken? We leven in
een vrij land en misschien had hij een zware dag. Je bent zijn
buddy niet, Kate. De mensen komen hier omdat ze door iets in
het overheidsapparaat voor het blok zijn gezet. En dat moet je
gewoon zo goed mogelijk zien op te lossen.'

'Natuurlijk.'

Er was altijd de angst, vooral in de eerste jaren na mijn scheiding, dat ik voor een situatie zou komen te staan die op mijn

eigen toestand leek en dat die twee dan in mijn hoofd met elkaar verstrengeld zouden raken. Feitelijk gebeurde dat ook, alleen was het allemaal veel minder erg dan ik me voorgesteld had. Het ging om een vrouw die advies nodig had bij het zoeken naar een goede advocaat die in gezinszaken was gespecialiseerd, aangezien haar ex-man had aangekondigd dat hij de voogdij over hun dochter van acht wilde hebben. Een ouder kind, een jongen van elf, had er al voor gekozen bij zijn vader te wonen.

'Maar ja, als ze dat zélf willen,' zei ze steeds weer met een beverig stemmetje.

'Het gaat niet wat om wat zíj willen, het gaat om wat voor hun welzijn het beste is,' zei ik, terwijl ik mijn best deed om Ethans kalme toon te imiteren. Maar eigenlijk klonk ik al veel te emotioneel. Welzijn: het woord herinnerde me altijd weer aan de dag dat mijn moeder in mijn eigen ellende had ingegrepen. Dat was ongeveer een week nadat ik had ontdekt dat de 'vriend' bij wie Alistair had gelogeerd in werkelijkheid zijn nieuwe minnares was en dat haar flat niet langer alleen maar een plek was om de post naar door te sturen, maar een permanente adreswijziging. De flat in Francombe Gardens was een varkensstal. Roxy zorgde zo ongeveer voor zichzelf – en voor haar kleine broertje – terwijl ik verlamd door verdriet in bed lag. Ik kon vrijwel geen hap door mijn keel krijgen en moest om alles huilen.

'Lieve hemel, hier had ik geen idee van!' Mijn moeder keek naar de puinhoop en leek diep geschokt. 'Dit is niet goed voor hun welzijn, Kate.'

'Het gaat prima met ze,' snoof ik. 'Ze hebben mij.'

'Dat kan best, maar dan moet je toestand wel snel verbeteren.'

Later ving ik haar telefoongesprek met mijn vader op. 'Het is geen depressie, Chris, dat is niet waar. Ze moet haar leven gewoon weer een beetje op de rails zien te krijgen.' De volgende dag trok ze bij ons in. De enige andere keus was dat de kinderen tijdelijk naar Alistair gestuurd werden, maar dat zou het hele etmaal kinderoppas betekenen aangezien Alistair en Victoria twaalf uur per dag werkten. Ze pakte alle normale gezinsactiviteiten die ik had verwaarloosd op. Ik had me langzaam, stukje bij beetje, losgemaakt uit die hel en toen ik er weer bovenop was, nam ik me stellig voor dat nooit meer te laten gebeuren.

'Hij heeft meer geld,' zei de vrouw, terwijl de vechtlust met iedere zin uit haar wegsijpelde. 'En zijn nieuwe vrouw heeft ook een goedbetaalde baan. Bij hem zullen ze meer kansen krijgen. Betere vooruitzichten.' De manier waarop ze het zei deed me denken dat ze de tekst van een ander herhaalde.

'Geld is niet het punt waar het om draait,' zei ik kortaf, 'en het gebeurt heel zelden dat de kinderen aan de vader worden toegewezen. Hij zal moeten bewijzen dat u ongeschikt bent.'

Ze keek onzeker.

'En dat bent u uiteraard niet.'

Ik prentte mezelf in dat ik haar eigen instinct had versterkt, een instinct waar niets mis mee was. Iedere moeder hoorde haar kinderen toch zeker bij zich te hebben! Toen ik echter na afloop haar dossier bekeek en de lange voorgeschiedenis vol klachten over haar las, vroeg ik me af of ik haar niet alleen maar valse hoop had gegeven en de kinderen had veroordeeld tot toekomstige narigheid die ze niet verdienden.

Op aandringen van Abi nodigde ik Davis uit om samen met ons iets te gaan drinken in de bar in de hoofdstraat, met uitzicht op het park. Dit was zogenaamd bedoeld om hem te bedanken voor zijn hulp bij de toestand met Roxy, maar in werkelijkheid om Abi de kans te geven hem te beoordelen. Seb, een pianist die later accountant was geworden, en die heel goed met verschillende soorten mensen kon omgaan, werd er als extra jurylid bij gehaald. Met de grootst mogelijke tegenzin was Roxy ertoe te bewegen geweest op Matt te passen, niet direct een zware klus aangezien hij voor het grootste deel in bed zou liggen en ze al met Marianne had afgesproken dat ze bij ons samen hun tekst voor het toneelstuk gingen instuderen. Eigenlijk dacht ik niet dat Marianne veel repetities nodig zou hebben, ze was een geboren Tallulah. Zelfs nu, in een joggingbroek met wijde pijpen en een ribbelhemdje, straalde ze een zekere glamour uit.

'Hoi, mevrouw Easton, wat ziet u er leuk uit. Roxy zegt dat u vanavond met Davis uitgaat.'

Ik viel onmiddellijk over dat 'mevrouw Easton' voor mij en het 'Davis' voor hem, alsof Marianne hem aanzienlijk beter kende dan mij. Had ze Davis zelfs wel eens ontmoet? En als dit zo was, wanneer dan? Maar goed, ze scheen te suggereren dat ik natuurlijk al een oud lijk was, terwijl dat bij hem nog maar de vraag was. Ik knipperde met mijn ogen, geschrokken van mijn eigen reactie – alleen maar om een vriendelijke opmerking, notabene! – en glimlachte terug. 'Dat klopt, Marianne, we gaan even een glaasje drinken met vrienden.'

Op dat moment merkte Roxy op: 'Ja, het is wel ontzettend afgezaagd, hè? Om te proberen de huurder te strikken.' Sinds zijn ingreep met betrekking tot de stage en de belofte van bijles, had ze zich met betrekking tot Davis een onmiskenbaar bezittersair aangemeten. Maar zoals gewoonlijk had ze gewacht tot Marianne erbij was voor ze met haar brutale opmerkingen kwam. (Het schoot door mijn hoofd dat dit een positief punt was. Als ze die morele steun nodig had, kon ze nog niet helemaal slecht zijn.)

'Ik probeer niemand te strikken,' protesteerde ik. 'Tenzij een groot glas rode wijn ook in die categorie valt!'

Marianne trok een scheef gezicht. Ik zou iets beters moeten bedenken om haar te amuseren. 'Het kan nog veel erger. Mijn moeder laat zich door haar fitnesstrainer pakken. Als dát geen cliché is.'

Roxy schoot in de lach. 'O, maar dat is ook wel een stúk!'

'Weet ik, zoiets mag je niet afslaan.'

Abi, die net binnen was gekomen om me op te halen, stond met haar mond vol tanden bij dit soort praatjes. Ze keek me aan alsof ze wilde zeggen: 'Doe je daar niets aan?'

Ik probeerde weer greep op de situatie te krijgen. 'Hoor eens, er is niets tussen Davis en mij.' Ik wierp Roxy een waarschuwende blik toe, maar het was veel te laat in het gesprek om nog enig effect te hebben. 'Hij is gewoon een van de drie vrienden met wie ik een glaasje ga drinken.'

'Als volwassenen onder elkaar,' voegde Abi eraan toe. Het was de stomste opmerking die ze had kunnen maken: laten doorschemeren dat Roxy en Marianne géén volwassenen waren. En ze keken haar dan ook aan met blik alsof ze een bijzonder akelige stank verspreidde. Die smalende blik van Roxy bezorgde me een vervelend gevoel. Toen we Abi nog maar pas kenden, had ze haar hevig bewonderd, maar tegenwoordig scheen mijn vriendin niet over de benodigde glamour te beschikken. Niet alleen qua uiterlijk maar ook qua baan. Ze was niet cool, evenmin als ik.

'Ach,' zei Marianne, die Abi negeerde en zich tot mij richtte, 'ik kan me ergere mannen voorstellen om "gewoon een glaasje" mee te drinken.' Haar lijzige Mae West-toon maakte dat het even grof klonk als wanneer ze 'om mee naar bed te gaan' had gezegd, maar voor ik kon protesteren zag ik Roxy afkeurend naar haar vriendin kijken, die haar een spottende blik toewierp. Mijn hart werd iets lichter. Was dit soms de oorzaak van haar vijandige houding, gewoon de angst dat ik op een dag misschien een nieuwe relatie zou krijgen en van haar zou worden weggenomen, net als Alistair destijds? Ik probeerde haar aandacht te trekken om haar gerust te stellen en duidelijk te maken dat er niets zou veranderen, maar ze draaide zich alweer ongeduldig om. Ik besefte dat het alleen maar een wenk voor Marianne was geweest om het onderwerp te laten rusten zodat we konden ophoepelen.

'Veel plezier,' riepen ze duidelijk onoprecht en met hun gedachten alweer bij andere dingen.

'Allemachtig,' zei Abi toen we de trap af liepen. 'Wat een valse krengen! Wat is er met die lieve kleine Roxy gebeurd?'

Ik grinnikte. 'Ze is ontvoerd door marsmannetjes en vervangen door een of andere jonge zakenvrouw.'

'Ik had geen idee! Ik bedoel, je zei wel dat ze de laatste tijd was veranderd, maar allemachtig! Arme stakker. Hoe hou je het uit met twee van die secreten? Dat moet echt afschuwelijk zijn.'

Ik bedwong wijselijk mijn eerste emotionele reactie, iets in de trant van 'omdat ik toch vreselijk veel van haar houd, omdat één minuut zonneschijn opweegt tegen een uur van onweer'. Dat zou veel te melodramatisch klinken, of domweg sentimenteel, of allebei. In plaats daarvan zei ik: 'O, ik probeer er gewoon doorheen te kijken en te beseffen dat ik te maken heb met iemand die wel de houding maar niet de ervaring heeft. Ze weten niet waar ze het over hebben, zoiets.'

Abi geloofde er niets van. 'Je bedoelt dat het wel woorden maar geen daden zijn? Dat ze nog steeds maagd zijn? Dat Roxy niet met die donkere knul naar bed is geweest? Met die Damien?'

Ik hapte even naar lucht. In het afgelopen jaar had ik, vooral als ze met Damien uit was geweest, geprobeerd op het gebied van seks Roxy's vertrouwen te winnen: rechtstreekse vragen, onderonsjes over geboortebeperking en HIV en terloopse anekdotes over dilemma's van cliënten. Allemaal bedoeld om bekentenissen los te kloppen. En ik had met al dan niet grote nadruk laten blijken dat ik niet zou oordelen of vissen. Ze had officieel geen enkele nacht bij Damien doorgebracht, hoewel ze vaak bij vriendinnen had gelogeerd en ik was heel streng voor mezelf geweest door dat nooit middels een telefoontje te controleren. Maar ze had me altijd op afstand gehouden. En dat betekende weer dat ik urenlang had zitten piekeren over precies dezelfde vraag als Abi mij nu stelde. Kon ik maar naar mijn werk gaan om het antwoord in ons databestand op te zoeken en dan een nummer van een hulpdienst te bellen wanneer ik daar behoefte aan had. 'Ik weet het niet,' zei ik oprecht. 'Ze heeft me nooit iets verteld. Maar ik hoor de laatste tijd niet veel meer over Damien. Marianne heeft in elk geval wel iemand, een dj, die ze in een club heeft ontmoet. Rob heet hij. Hij is tweeëntwintig, vijf jaar ouder dan zij.'

'Is het nu in om een oudere man te hebben?'

'Ik denk dat alles wat Marianne doet bijzonder in is.' Ik dacht aan Alistair. Hoewel hij getrouwd was met een vrouw die tien jaar jonger was dan hij, zou hij zelfs bij de suggestie dat Roxy omgang had met iemand van Robs leeftijd al ontploffen. 'Ze schijnt een tweepersoonsbed in haar slaapkamer te hebben.'

Abi keek verbijsterd. 'Echt waar? Dat is met recht je dochter het spek op de bek binden!'

'Of dat het juist de gewoonste zaak van de wereld is en daarom ook niet meer als rebellie telt.' Ik dacht aan wat Davis had gezegd over ouders die de illusie hadden dat hun mening veel effect had op de beslissingen van tieners. Hij had gelijk. Meisjes als Roxy deden niet wat wij zeiden of deden, ze deden wat hun vriendinnen deden.

Abi keek nog steeds geschokt. 'Ze is net een fotomodel, die Marianne. Maar zelfs Roxy, die ik altijd een beetje als een laatbloeier beschouwde, met weinig boezem en aan de slungelige kant, ziet er ineens helemaal volwassen uit.'

Ik knikte. 'Dat zijn ze ook, in lichamelijk opzicht. Als je er goed over nadenkt, zijn er al zat meisjes van hun leeftijd met een stel baby's. Het had veel erger kunnen zijn.'

'Ja, ze hadden stemrecht kunnen hebben.' We schoten in de lach. 'Goed, laten we Roxy maar even vergeten. Je gaat nooit uit, dus maken we er een gezellige boel van.'

Een avondje uit was voor mij inderdaad een zeldzaamheid. Zelfs mijn vaste vrije avonden, wanneer de kinderen bij Alistair waren, werden in mijn eigen keuken of in die van Abi doorgebracht, of af en toe aan de tafel van een moeder van een vriendje van Matt, met te lang gekookte pasta en vermoeiende gesprekken. Ik had geen geld genoeg voor een uitvoerig sociaal leven, zelfs niet om een oppas te betalen. Dit was echt een uitzondering, met of zonder Davis.

We hadden het park bereikt. De bar stond al vol, de meeste tafeltjes buiten werden bezet door groepjes kantoormensen. Het was juni, de bomen waren vol en groen en schermden aan alle kanten de lucht af. Er hing een wonderlijk geurmengsel van uitlaatgassen en pollen.

Abi gaf me een por. 'Daar is-ie, die knappe vent. O, hij gaat nog staan ook, wat galant!'

Aangezien ik sinds mijn laatste ontmoeting met Davis mijn uiterste best had gedaan om hem uitsluitend als buurman te zien, mocht ik er nu van mezelf even van genieten dat hij me op beide wangen kuste voordat hij Abi een hand gaf. 'Kijk eens aan, nog een buurvrouw uit Francombe Gardens. Leuk om je te leren kennen, Abigail. Volgens mij zouden we onze eigen bar moeten hebben.'

Ik zag hoe Abi de lange, grijszwarte krullen en de beschaafde gelaatstrekken in zich opnam, samen met het warme timbre van zijn stem dat iedere opmerking zo ongelooflijk intiem deed klinken. 'Ik ben ervoor om het grondig aan te pakken en een zwembad te regelen,' zei ze met een overdreven hese stem, 'dan kunnen we een bar aan de rand van het zwembad nemen.'

'Wat een goed idee. Ik vraag mijn huisbaas meteen of ze dat wil voorstellen op de volgende vergadering van de vereniging van huiseigenaren.'

We schoten allemaal in de lach. Hij was al aan een fles rode wijn begonnen en schonk voor ons allemaal een glas in. Het was een lekkere wijn, zachter dan het spul dat ik voor mezelf bij de discount kocht, en ik nam een flinke slok.

'Dus jij bent onze nieuwe inwonende germanist,' zei Abi, terwijl ze hem een tikje flirtend aankeek.

'Hadden jullie er dan vóór mij ook al een?' vroeg hij.

'Vroeger hadden we mevrouw Weiss,' zei ik. 'Een heel lief mens. Ze gaf ons met Kerstmis altijd Weense truffels.'

'Maar die is inmiddels overleden,' zei Abi. 'Heel vervelend voor de zoetekauwen onder ons. Dus ik hoop maar dat jij haar leverancier weet te vinden en de traditie zult voortzetten, Davis.'

'Dat beschouw ik als een eer, Abi... en dat zij in vrede moge rusten.'

Terwijl Abi en Davis het soort gekkigheid verkochten dat voor hen een tweede natuur was, moest ik onwillekeurig denken aan de weduwe die naar het adviescentrum was gekomen met het probleem van de auto. Was dat alles wat we bij ons heengaan achterlieten? Onze geliefden die parkeerproblemen moesten oplossen, terwijl onze buren ons alleen om onze chocola herdachten? O lieve help, een luchthartige instelling was veel gemakkelijker dan een zwaarmoedige. Wat waren mijn dagen toch serieus, met het werk op het adviescentrum, de strubbelingen met Alistair en mijn behoedzame aanpak van Roxy. Ik moest altijd op mijn woorden letten en rekening houden met de gevoelens van anderen. Als ik me al liet gaan was dat tegenover Matthew, de enige onschuldige onder hen. Het arme joch kon al op zijn duvel krijgen vanwege een stel moddervoeten of vergeten huiswerk. Abi had gelijk, ik was hard aan een verzetje toe.

'Hoe is jouw week geweest?' vroeg ik opgewekt aan Davis.

Hij trok een scheef gezicht. 'O, wat eindexamengedoe en zo. Maar in dit stadium is het alleen nog maar een kwestie van de puntjes op de i zetten en wat bemoedigende schouderklopjes. De ergste paniek is wel achter de rug.'

'Ik bewonder je,' zei Abi, terwijl ze haar ogen ten hemel sloeg. 'Tieners zijn volgens mij afgrijselijke wezens. Ik bedoel het niet kwaad, Kate, maar laten we het alsjeblieft niet de hele avond over hen hebben. Ze besteden al zoveel aandacht aan zichzelf, hebben ze onze aandacht dan ook nog nodig?'

'Ik had het zelf niet beter kunnen zeggen,' glimlachte Davis. Ik ving zijn blik op en begreep dat hij wist wat hij aan Abi had, dat hij het kleine hartje onder al die kwinkslagen had bespeurd. Hij was een fatsoenlijk mens, vond ik, meer dan fatsoenlijk, een attente buurman en, het moest gezegd, een huurder uit duizenden. Het geld stond precies op de afgesproken dag op mijn rekening en er was geen enkel probleem met de flat geweest. En als dat wel het geval was geweest had hij mij er niet mee lastig gevallen. Het was inderdaad de perfecte oplossing, precies zoals Alistair had gezegd. Ik had het gevoel dat hij er altijd al was geweest.

Nadat Seb was gearriveerd raakten Davis en hij verwikkeld in een discussie over de een of andere avantgardistische productie van een opera die ik niet had gezien (ik had in de afgelopen tien jaar trouwens niet één opera gezien) en ik leunde achterover om van het spektakel te genieten. Het viel me op dat Abi en Seb goed met Davis konden opschieten. Ze waren net als ik behoorlijk onder de indruk. Dat gold voor iedereen, zelfs voor die twee jongedames, Roxy en Marianne.

Roxy. Ondanks alles schoot die vraag van Abi, die me wat had overvallen, weer door mijn hoofd. *Bedoel je dat ze nog maagd zijn?* Zou dat kunnen? Jaren geleden, toen ik me kennelijk bij voorbaat al zorgen begon te maken, had ik de moeder van een vriendinnetje van Matt, die ook een dochter op de universiteit had, gevraagd op welke leeftijd meisjes aan seks begonnen. 'Het heeft niet veel met leeftijd te maken,' zei ze. 'Het gaat erom of ze een vriendje hebben. Als dat zo is, neem dan maar aan dat ze het doen.' Neem maar aan dat ze het doen. En toch zei mijn intuïtie me dat Roxy die stap nog niet met Damien had gezet. Zou een moeder die gedaanteverwisseling niet opmerken? Maar er was de laatste tijd zoveel onduidelijk geweest, zou het daar dan ook niet voor gelden? Toen ik haar leeftijd had, werd alles wat er in mijn leven gebeurde in de openbaarheid gegooid middels de gesprekken die werden gevoerd via de enige telefoon die we in huis hadden. Het toestel hing aan de muur in de gang en het snoer reikte net tot aan de trap, wat betekende dat ik noodgedwongen alle gesprekken in code moest voeren, omdat mijn moeder een paar meter verder in de keuken bezig was. Ze liet het niet altijd merken, maar ze wist precies wat ik uitspookte. Maar Roxy, met haar door een wachtwoord beveiligde e-mails en teksten die gewist werden zodra ze gelezen waren, om nog maar te zwijgen van het propvolle schema dat maakte dat haar komen en gaan onmogelijk te volgen waren, kon een dubbelleven leiden zonder dat ik daar enig idee van had.

'Nog wat wijn, Kate?'

'Wat? O ja, graag.' Ik besefte dat ik me opnieuw aan het gesprek had onttrokken. Ik moest niet de hele avond aan mijn gezin gaan zitten denken. Ik dronk mijn glas leeg en stak het uit naar Seb om het weer te laten vullen. Hij had al voor een tweede fles gezorgd en vroeg Davis nu naar de romans die hij tegenwoordig behandelde. Wat waren de favorieten onder 'de jeugd', zoals hij het uitdrukte?

'Het scheelt als de hoofdpersoon iets herkenbaars heeft,' zei Davis, terwijl hij een sigaret opstak. 'Zoals *Effi Briest*. Haar ouders huwelijken haar uit op haar zeventiende en dat is precies de leeftijd van de leerlingen, dus zijn ze automatisch geïnteresseerd in wat haar overkomt.'

'Wie is Effi Briest?' vroeg ik.

'De heldin uit een boek van Theodor Fontane, een heel beroemde Duitse roman, misschien wel de beroemdste. Het staat altijd op de boekenlijst.'

Abi lachte. 'Vind je het niet vreselijk als mensen dat doen? Zeggen dat iets ongelooflijk beroemd is terwijl jij al hebt toegegeven dat je er nog nooit van hebt gehoord?'

Ik glimlachte vaag, in de hoop dat Davis me niet als acultureel zou beschouwen. Toen ik Abi's niet-begrijpende gezicht zag, riep ik mezelf tot de orde. Ik moest niet beginnen te doen alsof ik iets was wat ik niet was (hemel, had ik maar de helft van Mariannes zelfverzekerdheid!). En Davis was tenslotte een leraar, hij was gewend aan onwetende geesten.

Ik keek hem aan. 'Vertel eens wat over Effi... hoe heette ze ook alweer?'

'Briest. Het is een soort Duitse *Anna Karenina* of *Madame Bovary*. Zeer de moeite waard.'

'Roxy is voor Frans bezig met *Madame Bovary*. Ze vindt het een geweldig boek.'

Ik merkte vaag dat Abi bij Roxy's naam haar ogen ten hemel sloeg, maar Davis bleef mij aankijken. 'Ze zijn er allemaal dol op. Ze genieten van een verhaal over een ongelukkige liefde.' Hij trok aan zijn sigaret. 'Maar ik weet niet zeker of ze het altijd begrijpen.'

'Wat begrijpen?' vroeg Seb.

We wachtten allemaal op het antwoord en ik kreeg weer hetzelfde gespannen gevoel dat ik die avond in mijn keuken had gehad, de overtuiging dat Davis iemand was die iets bijzonders te zeggen had, iets diepgaands.

Hij hield zijn hoofd een tikje scheef om de rook langs ons heen te blazen. 'Soms krijg ik de indruk dat ze denken dat het desastreuze einde iets met het tijdperk te maken heeft in plaats van met de menselijke aard. Alsof het iets is dat hun nooit zou kunnen overkomen.'

Abi trok haar wenkbrauwen op. 'Dus kennelijk was er voor Effi geen "en ze leefden nog lang en gelukkig" weggelegd?'

'Niet echt. Ze keert in feite terug naar waar ze is begonnen, door weer bij haar ouders te gaan wonen.'

'Wat mooi symmetrisch,' zei Seb.

'Wat ontmoedigend,' zei Abi met een zuur gezicht.

Persoonlijk kon ik me een veel slechter lot voorstellen.

We lieten Abi en Seb bij de benedendeur achter – de ingang van hun blok was om de hoek in de volgende straat – en liepen samen de trap op. Het was een cliché, maar ik had in mijn tred een veerkracht die er niet was geweest toen ik eerder het gebouw had verlaten. Ik voelde me bijna jong, met al dat verheven gepraat over opera en literatuur. Sinds de universiteit had ik niet meer over die dingen zitten praten. Om nog maar te zwijgen van het déjà vu van een afscheid in de hal van een studentenflat, toen Davis en ik met onze sleutels stonden te prutsen om onze respectievelijke voordeuren open te maken.

'Bedankt voor je komst,' zei ik. 'Ze waren heel nieuwsgierig naar hun nieuwe buurman. Ze zouden heel gepikeerd zijn geweest als ik je niet had meegebracht.'

Hij glimlachte. 'Het genoegen was geheel aan mijn kant. Het is een leuk stel.'

'Ja, Abi is echt geweldig. Ze is al jaren een goede vriendin van me.' Ik vroeg me af wie zíjn vrienden waren. Andere leraren en academici? Overlevenden uit zijn vroegere echtelijke kennissen-kring? Ik had niet gemerkt dat hij gasten ontving, buiten het komen en gaan van leerlingen. 'Nou, tot ziens dan maar. Ik moet nu naar binnen om te zien wat de kinderen hebben uitgespookt.'

'Ja, ik hoop dat de repetities voorbij zijn. Het laatste waar we op zitten te wachten is een reconstructie op volle sterkte over hoe het hoofd van Fat Sam het kussen raakt.'

'Het verbaast me dat jij dat stuk zo goed kent,' lachte ik. Mijn stem klonk luid en vrolijk in de besloten ruimte. 'Is het niet een beetje te laag-bij-de-gronds voor je?'

'Volgens mij hebt u toch een verkeerde indruk van me, me-vrouw Easton.' Hij keek me strak aan met een vrij wreed lachje en ik glimlachte verrukt terug. Veel te aangeschoten om te be-grijpen waar die laatste opmerking op zou kunnen slaan ver-volgde ik haastig: 'Ik geloof trouwens niet dat ze vanavond echt zouden zíngen. Ik hoop tenminste van niet, anders heeft Mat-thew niet kunnen slapen en kan ik hem morgenochtend zijn bed niet uit krijgen. Ik zweeg even. 'Dus... welterusten.'

'Welterusten.' Na een korte stilte draaide hij zich om en ging naar binnen. Ik volgde zijn voorbeeld. Roxy's licht was nog aan en haar deur stond open. Haar slaapkamer was het dichtst bij de voordeur en ik besefte dat ze ons gesprek waarschijnlijk had ge-hoord. Ik klopte aan, wachtte op haar norse 'binnen', en stak mijn hoofd om de deur. Ze lag boven op haar dekbed, in een korte pyjamabroek en een hemdje, haar haar in een staart, de pagina's van het script voor haar open. 'Hoi, lieverd. Is Marian-ne naar huis? Is alles goed gegaan met Matt?'

Ze wierp me een geïrriteerde blik toe. 'Het is halféén in de nacht, wat denk jij dan? Ik begon net in slaap te vallen toen je me wakker maakte met dat stomme gekakel.'

'Gekákel?'

Ze snoof ongeduldig. 'Ja. Je gedraagt je gewoon belachelijk.'

'Wat?' Haar opmerking trof me als een klap in mijn gezicht en ik moest even naar lucht happen voor ik iets kon uitbrengen. 'Roxy! Hoe dúrf je zo tegen me te spreken!'

Ze rolde op haar zij om me aan te kijken. 'Waarom niet? Het is de waarheid.'

'Waarom mogen twee mensen in vredesnaam niet samen staan

te lachen?' Ze gaf geen antwoord en ik raasde verder. 'Spreek ik een oordeel uit over jouw vrienden en vriendinnen? Nee, ik respecteer je privacy.'

Roxy draaide met haar ogen. 'O, hou toch op, mam, je zit hier niet in een debatingclub. Je bent dronken.'

'Dat ben ik niet.'

'Bovendien oordeel je wél. Je zegt het alleen niet altijd.'

'Dat is niet waar!'

Ze gooide haar papieren op de vloer en geeuwde. 'Hoor eens, ik heb mijn slaap nodig, oké?' En ze stak een lang, bloot been uit en schopte de deur voor mijn neus dicht, zodat ik achteruit moest springen. Het volgende ogenblik had ze de lamp op haar nachtkastje uitgedaan. Ik stond met knipperende ogen voor haar deur, volledig overdonderd door het gebeuren en helemaal niet tevreden over het slot. Maar ik kon het niet opbrengen om weer naar binnen te stormen en als bij een ouderwetse huiselijke ruzie te eisen dat ze zich nader zou verklaren, maar niets doen voelde ook niet goed, net alsof ik schuld bekende.

Op één punt had ze echter gelijk: ik was inderdaad dronken. Daarom mompelde ik alleen maar binnensmonds: 'Je mag blij zijn dat ik jou niet uithuwelijk, jongedame, net als Effi Briest!' Daarna ging ik naar bed.

7

Het was jammer voor mijn zusje Tash dat ik zo jong was getrouwd en bijna onmiddellijk een baby had gekregen, want dat betekende dat ze altijd in leeftijd dichter bij mijn dochter dan bij mij zou staan. En onwillekeurig ging ik Roxy ook met haar vergelijken, daar viel niet aan te ontkomen. Zelfs nu nog gaf mijn moeder die twee vaak dezelfde cadeautjes of stopte hun 'een kleinigheidje' toe, waarbij ze kennelijk vergat dat een van het stel achter in de twintig was en inmiddels uitstekend in staat om voor zichzelf te zorgen.

We scheelden twaalf jaar. Dat maakte het onmogelijk dat er een hechte band tussen ons zou ontstaan. Wat hadden mijn ouders eigenlijk verwacht? Maar later had ik precies hetzelfde gedaan. Er bestond ook een groot leeftijdsverschil tussen mijn kinderen waardoor ze in een totaal andere fase van hun ontwikkeling waren. Zodra de een het drijfzand van puberteit en adolescentie achter zich had gelaten, zou de ander eraan beginnen. En welke oudere zus wilde nog herinnerd worden aan een ervaring die ze zojuist achter zich had gelaten? Als Roxy tegenwoordig al aandacht aan Matthew besteedde, vond ze hem alleen maar nog irritanter en nog onnozeler. Ik wilde graag denken dat ze weer meer met elkaar om zouden gaan als ze allebei volwassen waren, maar ik moest ook bekennen dat dit nou niet direct het geval was geweest met Tash en mij. En wij waren nu respectievelijk zevenentwintig en negenendertig. Nee, wat ik ook probeerde, ik kon niets veranderen aan het feit dat we volstrekt verschillende mensen waren. Of om precies te zijn: ik was verantwoordelijk, zij onverantwoordelijk, ik was het slachtoffer van een verbroken relatie, terwijl zij die voortdurend veroorzaakte. Ik was de idealist, terwijl zij met haar hoofd in de wolken liep, althans, zo zag ik het.

Maar als je naar haar jeugd keek, kon je haar dat nauwelijks kwalijk nemen. In tegenstelling tot Matthew was zij geen geplande baby geweest. ('We wilden al onze middelen voor jou aanwenden,' kreeg ik te horen van mijn moeder, die niet aan overdreven sentimentaliteit deed.) Tash noemde zichzelf graag de grote vergissing, maar er was geen twijfel over mogelijk dat ze van die vergissing had geprofiteerd. Als de bonusbaby, het extraatje, werd ze zo door mama en papa verwend, dat ze bijna een extra stel grootouders leken. Voor mijn ouders het goed en wel in de gaten hadden, zaten ze opgescheept met een verwende dochter. Niet dat ze bazig of vervelend was, ze leefde gewoon alleen in het heden zonder in staat te zijn aan een toekomst te denken of aan de gevolgen van wat ze deed.

'Het leven is een lange strijd, Tash,' had Alistair een keer zwaarwichtig tegen haar gezegd en ik was benieuwd geweest naar haar reactie, omdat ik me afvroeg of hij in tegenstelling tot anderen er wel in zou slagen haar dat aan het verstand te brengen.

'Wat is daar nou voor lol aan?' had ze oprecht verbaasd geantwoord.

En dus had ze haar studie niet afgemaakt, had ze doelloos rondgereisd, had ze voor zover ik wist minstens twee zakelijke ideeën gehad, waarvoor ze bij anderen financiële steun had weten los te kloppen voordat ze er weer de brui aan gaf en rende ze van de ene flat naar de andere, van het ene vriendje naar het andere en van de ene baan naar de andere. Haar activiteiten speelden zich voornamelijk af rond het huis van mijn ouders, in Leicestershire, wat inhield dat ze niet vaak naar Londen kwam. En daar was ik op een schuldbewuste manier dankbaar voor. Ik had geen behoefte aan nog meer mensen die afhankelijk van me waren.

Maar als ze wel op bezoek kwam, ging de zon meteen schijnen, dat moest ik haar nageven. Matthew gedroeg zich ineens alsof het vakantie werd. De jongere Roxy smeekte of Tash bij haar op de kamer mocht slapen en dan verdwenen ze om samen al die meisjesdingen te doen waar ik nooit tijd voor had. Zelfs de nieuwe Roxy fleurde op bij het nieuws dat ze zou komen. Ik hoorde dat ze haar tante tegenover Marianne beschreef als 'daar kun je mee lachen, ze is net zoals wij' (en in gedachten legde ik haar de woorden die zouden kunnen volgen in de mond: 'heel anders dan mama').

Ik vroeg me af of Tash zou vinden dat haar nichtje veranderd was, of ze een of andere doorslaggevende ontwikkeling zou zien die mij was ontgaan omdat ik er te dicht op zat. Maar het lag meer voor de hand dat ze haar zou inwijden in de een of andere nieuwe en krankzinnige en misschien wel illegale activiteit. Ik tikte mezelf op mijn vingers. Wat zei Ethan altijd tegen ons op het werk? Zoek geen moeilijkheden waar ze niet zijn. We hebben er al genoeg.

Tash mocht dan het zonnetje in huis zijn, ze had ook de gewoonte om altijd precies op het verkeerde moment te arriveren. Het was begin juli, de laatste en drukste week van het trimester, en hoewel de overgangsexamens achter de rug waren en het meeste schoolwerk was gedaan, had Roxy nog haar uitvoeringen van *Bugsy Malone* voor de boeg plus haar rijexamen aan het eind van de week. Hoewel het drie avonden achter elkaar waren, had ze natuurlijk kaartjes voor me geregeld op dezelfde avond als die voor Alistair en Victoria. Ik zou nooit weten of dat opzet was, en zo ja, of het dan een extreem late poging tot verzoening was of om mij opzettelijk een onbehaaglijk gevoel te bezorgen.

Zoals gewoonlijk voegde Tash zich in het gezinsleven alsof ze er permanent deel van uitmaakte. Ze stond ineens op de stoep met haar weekendtas in de hand (al wist ik uit ervaring dat ze minstens tien dagen zou blijven) en bemoeide zich met alle gesprekken alsof ze volledig op de hoogte was van het reilen en zeilen in ons gezin. Het was echt een gave, vond ik, geen aarzelend aftasten, gewoon meteen het diepe in.

'Maak je maar geen zorgen, ik zal de eer wel hoog houden,' zei ze tegen mij toen Roxy het nieuws van de kaartjes vertelde. 'Ik beloof je dat ik extra luid zal klappen om die valse Victoria te overstemmen.'

'Valse?' zei Matt verbaasd.

'Ze maakt een grapje,' zei ik snel. 'En die kaartjes zijn geen enkel probleem.' Ik fronste even tegen mijn zusje. Ook al lukte het me misschien niet altijd, ik deed toch altijd mijn best om in het bijzijn van de kinderen niet al te kritisch over hun stiefmoeder te praten.

Tash keek me onbewogen aan. Ze had het kastanjebruine haar

en de blanke huid van onze moeder en dankzij de zomerzon sproetjes op haar neus. Elke keer als ik haar zag, leek ze jonger. 'Ik neem toch aan dat er voor mij ook een kaartje is?' zei ze. 'Ik bedoel, ik was gék op die film, vooral op Tallulah...' Ze keek Matt aan en begon te zingen, waarbij ze haar bovenlichaam bewoog op het ritme van een overdreven charleston. Het effect leek echter meer op een cobra dan op een revuemeisje en hij schoot in de lach. 'Tash! Wat doe je nou?'

'Ik probeer alvast in de stemming te komen, jochie.' Tash kon zich bij de kinderen allerlei vrijheden veroorloven die voor mij allang verleden tijd waren. 'Dus jij speelt Tallulah, Roxy?'

'Nee,' zei Roxy. 'Dat doet Marianne.'

'Haar beste vriendin,' verklaarde ik, eigenlijk om uit te proberen of dat waar was.

Roxy knikte. 'Ik ben kapitein Smolsky.'

'Wie is dat?'

'De rechercheur. Hij heeft een maatje dat Knuckles heet.'

'O ja,' zei Tash, 'nou, weet ik het weer. Hij is echt grappig, hè? Ik zie wel een comédienne in jou, Roxy, dat ligt je wel.'

'Dank je, Tash. Mensen beseffen niet altijd dat komedie veel moeilijker is dan tragedie.'

Mijn zusje knikte begrijpend. 'Dat komt doordat vrijwel iedereen denkt dat-ie leuk is, is je dat wel eens opgevallen? Maar niemand vindt zichzelf ooit tragisch.'

Ik volgde het gesprek geamuseerd. Het enige wat Roxy de laatste tijd regelmatig deed, was tikken op haar computer of sms'jes versturen via haar mobieltje. De komische aspecten daarvan ontgingen mij enigszins. Wat Tash en haar parels van wijsheid betrof, ik kon me nog herinneren dat Alistair haar ooit onze *idiot savant* had genoemd, om daar vervolgens een beetje gemeen aan toe te voegen: 'Maar de jury is het nog steeds niet eens over dat *savant*.' In ieder geval maakte het weinig uit, want tegen de tijd dat er een fout in haar logica was ontdekt was er alweer een ander geweldig idee bij haar opgekomen. Net als nu.

'Hé, moeders, ik weet wat!' Ze was me in het bijzijn van haar nicht en neefje 'moeders' gaan noemen, een gewoonte die zowel absurd als onuitroeibaar was gebleken. 'Waarom vragen we niet of jullie buurman ook meegaat? Ik popel om hem te ontmoeten!'

'Heb je het over Davis?' Dat was een suggestie die ik niet had verwacht en ik merkte tot mijn ergernis dat mijn ogen de hare schichtig ontweken. Ik had het nog helemaal niet met haar over Davis gehad, behalve om uit te leggen hoe de verbouwing van de flat van invloed was op de plek waar zij zou slapen. Roxy had kennelijk iets tegen haar gezegd en misschien ook wel over de avond dat we naar de kroeg waren geweest. We hadden onze ruzie natuurlijk niet goed uitgepraat. Daar was het onderwerp niet naar geweest en eerlijk gezegd ook niet het juiste tijdstip. Ik had haar uiteindelijk in haar nekvel gepakt toen ze uit de badkamer kwam en gezegd dat ik haar houding volstrekt onacceptabel vond (zelfs toen had ik de verkeerde toon aangeslagen, alsof ik een cliënt een gedragsregel voorlas). Zij had prompt haar verontschuldigingen aangeboden, waarvan we allebei wisten dat ze niet oprecht waren, en daar hadden we het bij gelaten.

'Dat lijkt me geen slecht idee,' zei ik opgewekt. 'Je kunt het heel goed met hem vinden, hè, Roxy?' Ik besloot de gênante gedachte achterwege te laten dat het me heel leuk leek om Alistairs gezicht te zien wanneer ik met een knappe, intellectuele metgezel kwam aanzetten en dat ik het nog leuker zou vinden als Davis zich onder de neus van haar man heel charmant tegenover Victoria zou gedragen. In gedachten zag ik al voor me hoe een gekostumeerde Roxy ons achter de coulissen zou begroeten, waarbij ze eerst naar Davis en mij toe zou komen voordat ze naar haar vader en stiefmoeder liep. Misschien nam ze hen ook nog wel met een waterpistool op de korrel.

Mijn dagdroom werd verstoord toen ik op een boos gezicht werd getrakteerd. 'Nee,' zei ze ijzig. 'We hebben maar twee kaartjes en Matt gaat ook al mee, hè Matt?'

'Ja,' zei Matt, blij dat zijn zusje hem erbij betrok, ook al was het maar als pion in een spel waarvan hij zich niet bewust was.

'En ik dan?' jammerde Tash. 'Ik wil ook mee!'

Matt begon opnieuw te lachen, waarschijnlijk omdat hij dacht dat zijn tante alleen maar deed alsof ze gepikeerd was.

'Ach, we kunnen vast wel meer kaartjes krijgen,' zei ik. 'Het is toch nog niet uitverkocht, Roxy? En als we dan een extra kaartje voor Tash halen, kunnen we gelijk een vierde kaartje voor Davis meenemen. Hij zal het vast leuk vinden om mee te gaan.'

'Ik zei néé!' We schrokken allemaal toen Roxy haar stoel over de marmeren vloer schoof en opsprong. 'Heeft er dan niemand oren aan zijn hoofd? Het is míjn uitvoering en ík beslis wie er wordt uitgenodigd, begrepen?'

Ze holde weg en we hoorden haar slaapkamerdeur met een klap dichtvallen.

'Wat vreselijk grappig!' zei Tash schaterend. Hoewel ik het helemaal niet grappig vond, wist zij de stemming in elk geval luchtig te houden voor Matt. 'Nou, ik begrijp dat de jongedame het geen leuk idee vindt dat jij een nieuwe relatie hebt, moeders?'

Ik keek even naar mijn zoon. Hij was bezig geweest zijn sportschoenen te strikken, maar hij was abrupt opgehouden, vol belangstelling bij deze plotselinge wending in het gesprek. 'Het is geen nieuwe relatie, Tash. Davis is onze huurder. Hoe vaak moet ik dat nog zeggen?'

Mijn zusje stak haar handen op. 'Oké, oké, rustig maar. Allemachtig Kate, over lange tenen gesproken!' Ze strekte haar armen uit naar Matt, zoals ik eigenlijk had moeten doen, om hem een stevige knuffel te geven. 'Die vrouwen ook! Je hebt heel wat met ze te stellen, joh!' Terwijl hij zich met een voldaan geknor uit haar armen losmaakte, ging ze verder: 'Volgens mij moet jij weer een man in huis hebben...'

Victoria Mitchell (ik kon de naam Easton nog steeds niet over mijn lippen krijgen) was zo'n wereldse vrouw als ik misschien ook was geworden als ik niet op mijn eenentwintigste zwanger was geraakt en een serieuze carrière had opgegeven voordat ik er goed en wel aan was begonnen. Ze was niet alleen keihard en hooghartig, maar ook knap en vlijmscherp. Ze werkte als advocaat bij een kantoor in de city waar alleen de beste en de meest gehaaide krachten het tot na hun dertigste uithielden. Alistair was opgetogen over haar voorbeeldige carrière. Hij had me een paar keer verteld (al had ik daar echt nooit om gevraagd) dat er over een jaar een partnerschap zou volgen, waarna ze de jongste partner van het kantoor zou zijn, man of vrouw.

Maar toen werd ze vlak voor haar dertigste verjaardag zwanger en dus moest ze er ook nog voor gaan zorgen dat ze op precies dezelfde wijze werd behandeld als een aanstaande vader, dat wil zeggen nog precies hetzelfde. Ze begon op haar werk aantekeningen bij te houden met het oog op mogelijke toekomstige onrechtvaardigheden. Ik gaf haar weinig kans, maar onwillekeurig had ik toch ontzag voor haar vooruitziende blik, om nog maar te zwijgen van haar principes. Het was ook een goed signaal richting Roxy. Als ze advocaat wilde worden (al dan niet in Parijs), zou ze dat soort vastbeslotenheid hard nodig hebben.

Ik zag haar meteen, de enige zwangere gestalte in een verzameling ouders met kinderen in de zesde klas. Hoewel ik nog steeds een hekel aan haar had – ondanks al zijn tekortkomingen was Alistair geen klassieke rokkenjager geweest en het initiatief moest in eerste instantie bij haar hebben gelegen – kon ik toch met haar meeleven toen ik haar vermoeide gezicht zag. Een benauwde theaterzaal van een school in juli, het oversekste geroezemoes van een toneelvoorstelling met uitsluitend meisjes, om nog maar te zwijgen van de zinderende opwinding bij de jongere meisjes in het publiek... Alles bij elkaar was dit waarschijnlijk de laatste plaats waar ze na twaalf uur op kantoor wilde zijn.

'Hallo Alistair, Victoria.' Toen onze groepjes elkaar troffen, probeerde ik wat hartelijkheid in mijn glimlach te leggen, al was het maar omwille van Matthew.

'Hoi Kate.' Er werden de gebruikelijke kuise kussen uitgewisseld.

'Ken je mijn zusje Tash nog?' vroeg ik vriendelijk aan Victoria.

'Ja natuurlijk. Hoe gaat het ermee, Tash?' Victoria en Tash scheelden slechts drie maanden in leeftijd, maar het contrast had niet scherper kunnen zijn als er een modestyliste aan te pas was gekomen. Tash was een geboren buitenbeentje met kleren die niet bij elkaar pasten en lang haar dat het midden hield tussen ongekamd en dreadlocks en Victoria had, ondanks haar buik van zes maanden, een keurig krijtstreep pakje aan en onberispelijk geföhnde haren.

'En wat doe jij tegenwoordig?' vroeg Alistair aan Tash. 'Wat is de nieuwste bevlieging?'

Terwijl Tash antwoord gaf zonder zich iets van zijn sarcasme aan te trekken had ik het idee dat Victoria me iets aandachtiger opnam dan anders. Misschien begon ze zich eindelijk schuldig te voelen omdat ze de man van een zwangere vrouw had gestolen en dat ze met hem tussen de lakens was gekropen toen zijn vrouw in dezelfde toestand verkeerde als zij nu. Ik keek haar aan. Geen leuk idee, hè meid? Voor het eerst sinds Alistair bij me weg was, had ik het gevoel dat ik, in elk geval tegenover de buitenwereld, in het voordeel was. Mijn baan had niet veel status, maar ik hielp anderen. En bovendien was de hulp die ik gaf gratis, wat meer was dan je van haar werk kon zeggen. Ik was uitgerust en gezond, mijn barensweeën waren allang verleden tijd. Misschien zou mijn dochter geen traan laten als ik door een bus geschept zou worden, maar ze was nog steeds mijn dochter, een knappe meid van zeventien die straks op het toneel de vruchten van mijn genen zou tonen aan iedereen die daar oog voor had. En naast me stond een hartstikke leuk ventje met een warrige bos blond haar en aan de andere kant stond mijn eigen loyale zusje. En tussen hen in voelde ik me meer ontspannen dan ik me sinds tijden had gevoeld, terwijl ik de verwachtingsvolle sfeer in het theater op me liet inwerken. Ja, Roxy en Marianne en hun vriendinnen hadden hun hele leven nog voor zich, maar het mijne was toch ook nog niet voorbij?

'We moeten zo langzamerhand naar onze plaatsen,' zei Alistair, met zijn arm om Victoria. Terwijl ik keek hoe ze naar plaatsen liepen die veel beter waren dan die van ons moest ik inwendig lachen om mijn trots. Hou je gedeisd, zei ik tegen mezelf, het leven zal echt niet opeens wonderbaarlijk simpel worden. Hoop maar gewoon dat het een fijne zomer wordt.

'Kom op, Matt. We gaan zitten en de zakjes snoep open maken.'

Hij knikte, aandoenlijk aandachtig. 'Ik wil alle zwarte. En de groene.'

'Ik wil de rooie, moeders,' zei Tash met een kinderstemmetje.

'Vooruit dan maar,' speelde ik mee, 'dan neem ik de oranje.'

We hadden de dvd wel tien keer bekeken, maar Matt ging helemaal op in de uitvoering. Ik had ook niet anders verwacht, met al die grappen en gekkigheid op het toneel. Roxy zorgde voor veel vrolijkheid, Marianne was onwaarschijnlijk sexy en de muziek en de zang waren van een uitzonderlijk niveau vergeleken bij de schoolvoorstellingen waar ik aan had meegedaan.

'Zullen we voor je verjaardagsfeestje een *Bugsy Malone*-thema nemen?' fluisterde ik tijdens een decorwisseling tegen hem. 'Dan kunnen we in de tuin een taartengevecht houden.'

'Kan dat? Gááf zeg! Mag ik me dan als boef verkleden?'
'Je mag je verkleden zoals je wilt.'
'Gaaf. Dan ben ik Fat Sam. En Ruben kan Dandy Dan zijn.'
Hij propte een paar snoepjes in zijn linkerwang en zakte voldaan
onderuit.

Het succes voor Roxy hield aan. Drie dagen later haalde ze haar
rijbewijs en korte tijd later hoorden we dat Marianne en zij een
plaats hadden bemachtigd voor de zomercursus van de toneel-
school. De data vormden geen belemmering voor de stage op
het kantoor, dus was Alistair ook blij. Hij had haar zelfs soft-
ware gestuurd voor een digitale agenda zoals die bij hem op kantoor gebruikt werd. Hij dacht dat ze daarmee haar tijd nog effi-
ciënter in kon delen. Ik vond het een beetje overdreven, maar
Roxy was er kennelijk heel blij mee, dus deed ik alsof ik het ook
prachtig vond.
Daarom was het een week later een schok voor me toen ze op
een morgen met bloeddoorlopen ogen en dikke oogleden kwam
opdagen.
'Is alles goed met je?' vroeg ik behoedzaam.
'Hè? Ja hoor.'
'Ruzie met Marianne?' Ik dacht aan de drukte rond die kleine
ster na afloop van het toneelstuk. Het was vast niet gemakkelijk
geweest om een vriendin te hebben die het middelpunt van de
belangstelling vormde.
'Allemachtig, mam!' viel Roxy uit. Maar het klonk vermoeid,
zonder haar gebruikelijke scherpte. 'Dat zou je wel willen, hè?
Nou, het spijt me dat ik je teleur moet stellen, maar nee, we
hebben geen ruzie. En dat gaan we niet krijgen ook. We zijn
vriendínnen.'
Ik was even stil. Haar ogen waren echt heel dik. 'Je bent toch
niet verdrietig dat Tash weggaat? Ik weet dat jullie tweetjes…'
Ze viel me in de rede. 'Grote goden, ik ben toch geen kind
meer! Waarom zou ik verdrietig zijn omdat er iemand weggaat?
Bovendien heeft ze gezegd dat ik bij in haar nieuwe huis mag
komen logeren wanneer ik wil.' Ik begreep meteen dat die opmerking een afleidingsmanoeuvre was, zodat ik het oorspronkelijke onderwerp van gesprek zou vergeten en zou informeren of

ik misschien vooraf van die plannetjes op de hoogte kon worden gesteld. En dat ik trouwens niet eens wist dat Tash een 'nieuw huis' had.

'Oké, het spijt me. Maar het komt omdat je ogen zo rood zijn. Je ziet eruit alsof je hebt gehuild, of misschien heb je een infectie opgelopen of zo.'

Ze voelde met haar vingers aan haar gezicht en tuurde in het raam naar haar spiegelbeeld. 'O, kan wel. Ik heb vannacht iets in mijn oog gekregen.'

In beide ogen zeker, dacht ik treurig. Maar ik wist dat elk blijk van medeleven haar nog bozer zou maken. 'Er staat een flesje met fysiologisch zout in het kastje in de badkamer. En oogdruppels. Als je...'

Ze onderbrak me weer. 'Ja, goed, mam.'

Op dat moment kwam Tash binnen en toen ze Roxy's gezicht zag, wierp ze me een vragende blik toe. Inmiddels was ik gewend geraakt aan dit soort volwassen blikken die ik niet met Matt kon wisselen. En haar zorgeloze houding had zelfs op mij een bepaalde uitwerking gehad. Hoe frustrerend ze ook kon zijn, ze was een goede afleiding voor mijn overdreven gepieker.

'Alles in orde?' zei ze tegen Roxy terwijl ze een pak Rice Krispies van tafel pakte.

Roxy schokschouderde.

'Allemensen, ik kan me gewoon niet voorstellen dat ik vandaag alweer terugga. En dat ik morgen weer in Leicester als serveerster aan de slag moet. Niet direct de baan van je dromen, hè?'

'Het lijkt mij gaaf,' zei Roxy en ik dacht aan haar plan om de stage op het advocatenkantoor te ruilen voor het serveren van cappuccino's bij Eli's. Was dat soms wat haar dwarszat, het verpletterende besef van alles wat er op haar afkwam? De theatercursus zou inderdaad geweldig op haar cv staan, maar het kon ook de druppel zijn die de emmer van een tiener deed overlopen. Dit hoorde tenslotte een schoolvakantie te zijn, even rust van al het harde werken. Voor de honderdste keer voelde ik me schuldig omdat ik erop had aangedrongen dat ze toch die stage bij Clifton Merchant deed. Waarom mocht ze haar vakantie in hemelsnaam niet gewoon besteden aan een baantje als serveerster?

Op haar leeftijd had ik gewoon bij vriendinnen in de slaapkamer rondgehangen en plaatjes gedraaid en gekletst. We hadden alleen af en toe een baantje voor de zaterdagmiddag gehad.

Een tijdje later legde ik net de telefoon neer na een gesprek met Abi, toen ik stemmen in Roxy's kamer hoorde. Tash was bij haar en zat kennelijk te vissen.

'Wat is er eigenlijk met Damien gebeurd? Ik heb hem geloof ik nooit ontmoet, hè?'

'Mmm. Het is niet zo lang aan geweest.'

'Zie je hem nog wel eens?'

'Af en toe.'

'Het is maar goed dat je op een meisjesschool zit, hè? Dan loop je al die exen tenminste niet om de haverklap tegen het lijf. Dat heeft mij heel wat problemen bezorgd. Het scheelde maar een haar of ik had er mijn eindexamen voor laten lopen. Er was er één bij, nou, dat was net een zielig hondje. En ik maar denken dat meisjes zo vasthoudend waren.'

Ik hoorde Roxy aarzelend lachen en verbeet zelf ook een grijns.

'Met wie heb je eigenlijk momenteel verkering?'

'Dat heb ik je al verteld, Tash, met niemand.'

'Echt niemand, of een ik-ga-zo'n-ouwe-taart-als-jij-niet-aan-je-neus-hangen-wie-niemand?'

Opnieuw een lachje. 'Echt niemand.'

'Geloof ik niks van. Je bent veel te mooi om niemand te hebben.'

Lang leve Tash, dacht ik. Dit deed ze echt geweldig, veel beter dan ik. 'Is er dan helemaal níémand die je aardig vindt? Al is het maar een ietsie-pietsie?'

Ik hield mijn adem een paar seconden in, maar er volgde niets dat op een antwoord leek. Roxy had kennelijk haar hoofd geschud of haar schouders opgehaald.

De volgende opmerking van Tash sloeg mij met stomheid en kennelijk gold hetzelfde voor Roxy. 'Rox, je mag ook best meisjes aardig vinden, hoor…'

'Weet ik.' Toen: 'Wat bedoel je eigenlijk?'

'Ik bedoel in plaats van jongens. Dat je ook een pot kunt zijn.'

'Een pót?'

Het bleef even stil tot Tash begon te giechelen: 'Oké, ik heb kennelijk de plank misgeslagen…'

Een moment later lagen ze allebei dubbel. Ze hadden kennelijk de slappe lach, het leek wel of ze elkaar om beurten kietelden. Ik had Roxy in tijden niet meer zo horen lachen.

Toen ik met Tash naar beneden liep, zei ik: 'Weet je dat ik jullie hoorde praten? Toen ze zei dat ze op dit moment niemand had.'

Tash trok een gezicht. 'Volgens mij had ze in de gaten dat jij stond te luisteren.'

'O nee! Echt?'

'We hoorden je schuifelen.'

'Dat deed ik niet met opzet, ik stond daar gewoon, daar kon ik ook niets aan doen. Ze vertelt me bijna nooit iets.' Ik aarzelde. 'Denk je dat ze met opzet iets verzweeg? Omdat ik haar kon horen?'

'Natuurlijk. Ik bedoel, er moet wel een jongen in het spel zijn, denk je niet? Zodra ik zag dat ze gehuild had... We zijn niet op ons achterhoofd gevallen.' Ze vertrok haar mond, weer zo'n trekje dat me aan onze moeder herinnerde. 'Misschien heeft ze toch nog steeds iets met Damien. Of misschien wás dat zo en heeft hij haar nu de bons gegeven.'

'Dat zou best kunnen. Wat heeft ze deze week nog meer tegen je gezegd?' vroeg ik. 'Iets wat ik niet heb gehoord?'

'Niets. Ze wil niets zeggen. Onze Tallulah is de enige die werkelijk weet hoe de vork in de steel steekt.'

'Marianne?'

'En je hebt geen enkele kans er bij haar iets uit te krijgen. Als je 't mij vraagt is dat een echte sfinx. Ha, daar is de taxi.'

Terwijl ze haar weekendtas op de achterbank zette, bracht haar laatste opmerking me op een idee. Roxy liet zich voortdurend details over Mariannes relatie met Rob ontglippen en dat terwijl ze verder eigenlijk nooit een mond tegen me open deed. Dus zou Marianne, die volgens de berichten een veel hechtere band had met haar moeder, ook wel eens iets over Roxy loslaten. Als dat zo was, konden we die geheimen uitwisselen en daar wederzijds ons voordeel mee doen. Ik had Mariannes moeder nog nooit ontmoet, maar ik had de lijst van de Willoughby School met de telefoonnummers van alle leerlingen. Ik zou het in ieder geval op een regenachtige dag eens uit kunnen proberen.

We knuffelden elkaar even bij wijze van afscheid. 'Ik zou maar wat afstand bewaren als ik jou was,' zei ze, alsof ze aanvoelde waaraan ik stond te denken. 'Het ergste wat je kunt doen is je ermee bemoeien.' Daarna stapte ze in de taxi en zwaaide. Voor het eerst had ik haar het liefst achterna willen hollen om te zeggen dat ze moest blijven.

Alistair en ik hadden maar al te vaak kritiek op haar gehad omdat ze altijd zo impulsief was en weigerde om van haar fouten te leren, terwijl ze voortdurend klaarstond anderen van advies te dienen. Maar ik moest erkennen dat ze het dit keer bij het rechte eind leek te hebben. Ik vond het vreselijk om Roxy niet te kunnen troosten als ze verdrietig was, net zoals ik het vreselijk vond om niet mee te kunnen genieten als ze blij was, maar het was toch een hele troost dat ik niet het probleem was. De hemel wist dat ik liever van geen van beide de oorzaak was dan van allebei.

8

Roxy vertrok met nog steeds roodbehuilde ogen en hangende mondhoeken voor haar eerste morgen bij Clifton Merchant. De tweede en de derde dag was het precies hetzelfde. Ik had geen idee wat haar nieuwe werkgevers zouden denken van dat onmiskenbare verdriet en ik voelde me schuldiger dan ooit omdat ik aan die stage had meegewerkt. Als haar ouders niet zo bemoeiziek waren geweest had ze al die ellende in de beslotenheid van haar slaapkamer kunnen verwerken en pas weer tevoorschijn kunnen komen als ze uitgehuild was. Ik hoopte van harte dat Victoria tegenover Alistair haar mond zou houden, zodat hij Roxy met rust zou laten.

Hoewel ik het advies van Tash opvolgde en me nergens mee bemoeide, zat ik er behoorlijk over in. En ik had meer dan ooit het gevoel dat ik er alleen voor stond. Alistair en ik zouden nooit meer een gelukkig stel worden, daar moest ik me nu eindelijk maar eens bij neerleggen. Zijn opvattingen over het ouderschap dwongen mij voortdurend tot het sluiten van compromissen en ik had het donkerbruine vermoeden dat hetzelfde voor hem gold. Daarentegen liet Abi met haar mening regelmatig een frisse wind waaien. Het enige probleem was dat ze zelf ook best wist dat ze niet het beste klankbord was met betrekking tot tienermeisjes. Als ze hen niet afdeed als onmogelijke lastpakken werd ik getrakteerd op allerlei verhalen over wat ze zelf op die leeftijd had uitgespookt: clubs in Soho, drankmisbruik, pillen en een levensstijl die een tien jaar oudere vrouw niet had misstaan. En ze besloot elke anekdote met de een of andere uiting van spijt. 'Ik wou dat ik meer had geleerd, dan zou ik nu verdomme veel meer geld verdienen.'

Wat de logische raadgevers betrof – de andere moeders – ach, die kende ik tegenwoordig nauwelijks, in elk geval niemand van Roxy's schooljaar. De kring waarvan ik in haar kinderjaren deel had uitgemaakt was gaandeweg uiteengevallen toen de kinderen naar verschillende scholen vertrokken en de moeders weer aan het werk gingen. Mijn netwerk bestond nu uit de ouders van Matthews vriendjes, maar de meesten hadden maar één kind of broertjes en zusjes van ongeveer dezelfde leeftijd. Dus waren er geen andere zeventienjarigen in de buurt met wie ik Roxy kon vergelijken. Ik had natuurlijk mijn collega's, maar onze eigen problemen verbleekten per definitie naast die van onze cliënten. Niemand van ons dreigde uit zijn of haar huis gezet te worden of in de gevangenis te belanden. En we werden ook niet achtervolgd door deurwaarders die dreigden alles in te pikken wat we hadden. Een beetje gepieker over standaard tienergedrag was zo onbetekenend dat het lachwekkend was.

Dus was Davis de enige die overbleef. Op de vierde dag klopte ik zonder te beseffen wat ik deed zomaar bij hem op de deur, nadat ik Matthew naar een zwemkamp had gebracht. Hij deed open met een blik waarin zowel blijdschap als berusting te lezen viel. 'Ik ken dat gezicht. Is er weer iets met Roxy?'

Ik knikte. 'Ze heeft ergens ontzettend veel verdriet over. En dat is al dagen zo. Ik ben zo bang dat ze voor deze zomer te veel hooi op haar vork heeft genomen, of dat ze door een vriendje aan de dijk is gezet of zo.'

Hij stapte opzij om me binnen te laten. 'Een vriendje? Ik wist niet dat ze dat had.'

'Daar heeft ze ook eigenlijk niets over gezegd,' erkende ik, terwijl ik achter hem aan naar de bank liep. 'Maar Tash dacht dat ze misschien weer iets met haar ex had.'

'Tash?'

'Mijn zusje. Ik geloof niet dat je haar hebt ontmoet.'

'Ach ja. Roxy had het over haar toen we elkaar onlangs op de trap tegenkwamen.' Hoewel er naast me op de bank genoeg ruimte was, liep hij naar een stoel.

'Maar misschien is het wel helemaal geen jongen,' ging ik haastig verder. 'Ik maak me ook zorgen over drugs. Ik heb in de krant gelezen dat vijftig procent van de kinderen van zeventien al cocaïne heeft gebruikt.'

Davis keek me aan met opgetrokken wenkbrauwen. 'Dat lijkt me hoogst onwaarschijnlijk.'

'Ik klink echt alsof ik met het ene na het andere cliché op de proppen kom, hè? Maar jij kunt zoveel begrip voor hen opbrengen. Ik dacht dat jij me misschien op het goede spoor zou kunnen zetten voordat ik helemaal gek word.'

Hij legde zijn gevouwen handen onder zijn kin en begon weer met dat vingergetik. 'Oké, kom maar op met het hele verhaal.'

Gênant genoeg kostte dat me nauwelijks meer dan vijf minuten, zolang ik me aan de feiten hield tenminste. Ogen die rood waren van het huilen, dat was alles wat ik had, en het ontkennen van een relatie waar ik alleen maar achter was gekomen door een beetje rond te snuffelen. En over dat drugsgebruik had ik eigenlijk niet echt nagedacht, omdat ik ervan uitging dat iemand die het zo druk had als Roxy daar geen tijd voor zou hebben. Niet als ze 's ochtends bijtijds op wilde staan voor haar honderd-en-één afspraken. Als bewijs van haar overladen programma begon ik over de nieuwe digitale agenda van Alistair.

'Eerlijk gezegd wijkt dat volgens mij niet zoveel af van een normaal schoolschema,' zei Davis. Hij had kennelijk zitten werken toen ik kwam, want er lag een stapel papieren op de salontafel met een afgekauwd potlood erbovenop. Zoals we daar tegenover elkaar zaten, voelde ik me een beetje als zijn patiënte tijdens het wekelijkse kalmerende gesprek.

'Het lijkt allemaal zo klinisch en zakelijk,' zei ik. 'Ik bedoel, dit zou haar zomervakantie moeten zijn. Weet je nog hoe wij op die leeftijd onze vakanties doorbrachten? Ik geloof niet dat ik ooit een cursus heb gevolgd, laat staan dat ik werkervaring voor mijn latere carrière ging opdoen.'

'Dat is tegenwoordig anders,' zei hij alleen maar. Hij was zo vriendelijk om me er niet aan te herinneren dat ik de vorige keer dat ik bij hem aanklopte juist had gevraagd om haar over te halen die stage wél te doen.

'Maar hoort ze niet gewoon een dagboek bij te houden om over haar gevoelens te schrijven? In plaats van alleen maar een lijst met afspraken? Je weet wel, een geheim ding met een hangslot...'

Zijn mond vertrok. 'Een geheim ding dat je open kunt breken om te lezen, bedoel je?'

'Dat zou ik nooit doen!' riep ik. Maar in feite was ik daar allesbehalve zeker van. Ik besloot mijn mond te houden over dat andere verhaal dat ik in de krant had gelezen, over de bewakings-apparatuur die sommige ouders tegenwoordig gebruikten om de internetcapriolen van hun kinderen te volgen en het feit dat ik dat soort maatregelen pas na lang aarzelen had verworpen. 'O Davis, ik voel me zo schuldig en zo volstrekt machteloos. Als ik probeer zorgzaam te zijn en te laten merken dat ik van haar hou, geeft ze me het gevoel dat ik haar lastigval.'

Hij keek me aan met een diepe frons in zijn voorhoofd en een bedachtzaam samengeknepen mond, het soort openlijke kritiek waarvan op ons werk altijd werd gezegd dat we die bij onze cliënten moesten zien te vermijden. Toen keek hij naar de krant die op het hoekje van zijn bureau lag, pakte hem en begon erin te bladeren.

'Over verhalen in de krant gesproken, heb je gehoord van die toestanden in Parkbridge?'

'Natuurlijk.'

Hij liet me het artikel zien. Het ging over een schietpartij in een wijk in het noordwesten van Londen, berucht om de hoge misdaadcijfers. Hoewel het een buurt was die niet onder het werkterrein van mijn kantoor viel, was ik toch op de hoogte van alle verhalen die de ronde deden over Parkbridge. Ouders die hun kinderen van acht als drugskoeriers gebruikten, bejaarden die op de stoep voor hun deur voor wat kleingeld werden overvallen, overdadig wapenbezit waardoor een nieuwe generatie criminelen en slachtoffers was ontstaan. Razzia's van de politie werden gevolgd door moorden, die op hun beurt weer werden gevolgd door acties tegen vuurwapens en foto's van bedroefde moeders in de pers. Vorig jaar nog had een schietpartij, waarbij kinderen van twaalf jaar betrokken waren, tot regelrechte oorlogstoestanden en de tijdelijke evacuatie van het politiebureau aldaar geleid. De foto die ik nu voor me had toonde een verlaten viaduct over een brede straat met lage huizen, waarvan sommige waren dichtgetimmerd, en een groepje torenflats aan het eind.

'Het is niet zo erg als het eruitziet,' zei Davis. 'Er vinden veel renovatieprojecten plaats, architectonische ingrepen die in andere wijken goed hebben gewerkt, en er zijn ook wat programma's voor de jeugd.'

De ernst in zijn stem maakte dat ik opkeek, juist toen de zon door de ramen naar binnen viel en de contouren van zijn profiel verlichtte, zodat hij van mij werd gescheiden alsof er in een museum een spot op hem was gericht. Ineens was ik de toeschouwer, de kunstliefhebber.

'Dat is mooi.' Ik legde de krant weer op het bureau en hij boog zich naar voren om nog eens te kijken. Hij was oprecht geboeid, het mankeerde er nog maar aan dat hij er een vergrootglas bijhaalde. Kennelijk begon hij genoeg te krijgen van mijn gezeur over Roxy en zocht iets om van onderwerp te veranderen. Ik kon het hem niet kwalijk nemen. 'Hoe komt het dat jij zoveel over die plek weet?' Maar ik begreep dat het antwoord in zijn laatste opmerking lag. 'Of geef je daar les?'

Hij knikte. 'Ja, aan één leerling, een zekere Jasmina. Ze woont in het blok dat hier links op de foto staat.'

Ik keek hem verbijsterd aan. 'Maar je gaat daar toch zeker niet naar binnen?'

'Nee. Haar moeder en haar broers weten niet eens dat ze les van me krijgt. Uit wat ze zegt, kan ik opmaken dat ze een indrukwekkende clan vormen.'

'Komt ze dan naar je flat?'

'Nee, het is niet verstandig voor haar om hierheen te komen...' Door de manier waarop hij dat zei, begreep ik meteen dat wat hij eigenlijk bedoelde was dat sommige bewoners van het deftige Francombe Gardens misschien bezwaar zouden maken tegen de aanblik van iemand als Jasmina op de stoep. 'Ik ontmoet haar in een bibliotheek in Stonebridge Park. We mogen daar in een rustig hoekje zitten.'

'Maar... Ik bedoel, hoe komt het dat ze bijles in talen nodig heeft?'

'Ze is via een andere leraar bij me gekomen, iemand die betrokken is bij een nieuw centrum daar. Maar dat was alleen voor jongens, computervaardigheden, communicatie, dat soort dingen. Toen iemand over dit meisje begon, heeft het comité mij benaderd. Ze heeft echt ontzettend veel talent. Ze pikt nieuwe talen volstrekt natuurlijk op.'

Ik zag dat hij het haar in zijn nek rond zijn vinger begon te draaien. Het was lang, sinds onze eerste ontmoeting had hij het niet meer laten knippen. 'Hoe oud is ze?'

'Vijftien. Het is eerlijk gezegd al een hele prestatie dat ze nog op school zit. Er zijn mensen die denken dat ze naar de universiteit zal kunnen, maar daar heb ik eerlijk gezegd mijn twijfels over. Om te beginnen wil ze niet ergens heen waar ze zich zo duidelijk niet thuis zou voelen. Talen zijn niet als sport of muziek, ze zorgen niet op dezelfde manier voor verbroedering.'

Ik dacht aan Roxy en haar vriendinnen die volgend jaar naar de universiteit zouden gaan. In auto's die ze voor hun verjaardag hadden gekregen of die door hun ouders werden bestuurd, met op de achterbank en in de bagageruimte allerlei luxe spullen, splinternieuwe boeken en koffers vol kleren als gevolg van vele jaren met royale toelagen. En vooral heel erg overtuigd van hun recht op alle privileges. Het idee dat ze gezelschap zouden krijgen van een meisje uit een huurkazerne in Parkbridge was op zijn zachtst gezegd onvoorstelbaar.

'Waarom laat je me dit zien?' vroeg ik. 'Om me duidelijk te maken dat het leven ook anders kan zijn dan dat in Francombe Gardens? Dat alles betrekkelijk is? Ik denk dat ik dat al weet, alleen al door mijn werk.' Dat was echter maar een deel van de waarheid. Ik werkte in een kantoor in een lommerrijke straat in een redelijk welgestelde buurt. Met een delicatessenwinkel, een biologische slager en pal naast ons een bloemenzaak, gespecialiseerd in 'natuurlijke' boeketten.

'Ik dacht eerder aan je gepieker over Roxy,' zei Davis rustig.

'O?'

'Ik probeer je te laten zien dat ze hoe dan ook een voorsprong heeft, wat ze ook doet. Ze heeft door haar geboorte al heel veel streepjes voor. Misschien kun je je dat nog niet voorstellen, maar jouw werk is al min of meer gedaan. Wat ze verder ook gaat doen, waar ze ook terechtkomt, het is haar eigen keuze. En als ze verdrietig is over iets, zoals nu kennelijk het geval is, is ze oud en wijs genoeg om het zelf op te lossen.'

Ik schrok, zowel van de plotselinge hartstocht in zijn stem als van zijn boodschap. 'Nou, dat is... dat is eigenlijk niet helemaal ... daar overval je me wel een beetje mee.'

Hij glimlachte. 'Ik zeg niet dat ze niet van geluk mag spreken dat ze jou heeft, Kate. Ik zeg alleen maar dat ze je minder nodig heeft dan jij denkt.'

We keken elkaar even aan. Zijn ogen schitterden nog van het zonlicht, mijn ogen waren koel en in de schaduw. 'Ja, ik denk dat ze me nog steeds een beetje nodig heeft.' Hoewel ik het liet klinken alsof ik het met hem eens was, wisten we allebei dat ik eigenlijk protesteerde.

Hij knikte, accepteerde de patstelling. Hij was niet iemand die per se zijn gelijk wilde halen, zoals Alistair dat ongetwijfeld zou hebben gedaan, want hij bezat een ander soort zelfverzekerdheid, een soort waar ik minder ervaring mee had. Ik bracht mezelf in herinnering dat hij dit niet zou hebben gezegd als ik niet op zijn deur had geklopt en erom had gevraagd. 'Trouwens...' zei hij, terwijl hij ging staan. 'We beginnen volgende week met onze Franse conversatie, dus dan wil ik wel proberen iets meer te weten te komen.'

Ik stond ook op. 'Dank je.'

Toen ik naar mijn flat terugging, schaamde ik me opeens. Davis was een hardwerkende man, een nobele man zelfs. Hij had cliënten als dat meisje Jasmina. En ondertussen liep ik te zeuren over mijn uiterst bevoorrechte dochter en wilde dat hij voor mij bij haar spioneerde! Ondanks mijn stellige overtuiging dat ik een evenwichtige kijk op de wereld had en dat ik probeerde goed te doen, brak het klamme zweet me al uit bij de gedachte een voet te moeten zetten in een buurt als Parkbridge. Ik zat even vol vooroordelen als Roxy.

Natuurlijk had hij weer gelijk. Ze loste het zelf op, wat het ook geweest was. De behuilde ogen waren op een morgen gelukkig weer helder en haar lach keerde terug, althans als ze aan de telefoon zat. 'Ik ben zo blij dat die overgangsexamens achter de rug zijn,' was alles wat ze zei toen ik terloops informeerde of ze het allemaal kon bolwerken. Ze liep hele dagen stage bij Clifton Merchant, ging op zaterdag naar de theaterschool en leek geen gebrek te hebben aan sociale contacten. Haar energie was adembenemend.

Met de komst van de zomervakantie veranderde onze dagindeling. Ik had zoals gebruikelijk in deze tijd van het jaar vrij van mijn werk en sjouwde me een ongeluk om Matt naar en van zijn diverse sportkampen en vriendjes te brengen. Het grootste deel van de resterende tijd brachten we in de tuin door. En zoals Davis had voorspeld liep alles weer soepel: iedere donderdagavond arriveerde hij met zijn boeken en dan werkten Roxy en hij aan de keukentafel terwijl ik met Matthew televisie keek of hem binnen probeerde te krijgen voor zijn bad, wat op deze lange, lichte avonden meestal niet meeviel. Als het heel warm was, gingen ze naar de tuin om in de open lucht te werken, waarschijnlijk om een van hen of beiden de kans te geven een sigaret te roken. Roxy kwam dan zonder uitzondering in een uitstekend humeur weer binnen.

'Ik weet niet wat je doet, maar ga ermee door,' grapte ik toen ik Davis op een avond uitliet. 'Ik heb haar al tijden niet meer zo gelukkig gezien.'

Hoewel ik het van ganser harte meende, moest ik erkennen dat ikzelf graag iets meer van Davis had willen zien, en te oordelen naar de manier waarop hij bij het afscheid treuzelde, kreeg ik het gevoel dat hij er net zo over dacht. In de derde week van de vakantie vroeg ik hem te blijven eten. Het was het minste dat ik kon doen, als tegenprestatie voor zijn inspanningen. Weldra werd het gewoonte dat hij iedere keer bleef eten, wat hem twee keer per week tot gast aan tafel maakte, de meest frequente in de geschiedenis van ons gezin. Roxy was opgetogen, dat was duidelijk. Ze domineerde het gesprek, richtte haar aandacht uitsluitend op onze gast en praatte voornamelijk over boeken. Ze behandelde iedere bijdrage van mijn kant met een soort goedmoedige afstandelijkheid die me spinnijdig zou hebben gemaakt als ik niet zo blij was geweest dat we weer wat tijd samen doorbrachten. Tijdens die tafelgesprekken met Davis kwam ik meer te weten over haar werkervaring, haar enthousiasme over de ophanden zijnde reis naar Zuid-Afrika en zelfs over haar gevoelens ten aanzien van de toekomst, dan ik ooit in mijn eentje uit haar had kunnen loskrijgen. Matthew was al opgetogen dat hij zo vaak laat mocht opblijven, het was nog zo gemakkelijk om hem een plezier te doen.

Op een avond zag Davis de uitdraai van de webpagina op het prikbord hangen en hij stond op om de tekst te kunnen lezen. Ik zag dat Roxy dat niet leuk vond. Gewoon omdat ze er niet aan herinnerd wilde worden dat ze nog geen achttien was – en dus

105

niet, zoals wij, volwassen – hoewel het feit dat Davis hier was om haar bij haar eindexamen te helpen ieder bedrog over haar leeftijd zinloos maakte.

'O, Roxana, dus jij mag oorlog gaan voeren?' Ik hield van de manier waarop hij haar soms bij haar volle naam noemde, het klonk zo elegant.

Roxy snoof smalend. 'Ik zou nóóit oorlog gaan voeren. Ik ben geen bloeddorstige imperialist.' Net als de meesten van haar generatie was ze een fervent tegenstander van militaire interventie van welke aard dan ook en moest ze niets van oorlogszuchtige eerste ministers hebben maar gaf ze de voorkeur aan in Hollywood woonachtige vredesambassadeurs. Davis had me verteld dat Marianne in de debatingclub op school een motie had ingediend: 'Angelina Jolie als president van de vs' en hij had gehoord dat ze daar heel overtuigende argumenten voor had aangedragen.

'En hoe zit het met jou, Matt?' vroeg hij. Hij lette er altijd op hem erbij te betrekken, waarbij hij met oprechte belangstelling naar de antwoorden luisterde. 'Wat mag jij doen? Ik geloof niet dat er ook zo'n lijst voor negenjarigen bestaat, hè?'

Matt trok een zuur gezicht. 'Nee, dat duurt nog eeuwen. Pas als ik twaalf ben.'

'En zelfs dan mag hij alleen maar een huisdier kopen zonder dat mama toestemming hoeft te geven,' zei Roxy giechelend. 'Dat zal zijn onafhankelijkheidssymbool zijn: een hamster!'

'Hou je mond!' protesteerde Matt. 'Er zijn ook nog andere dingen.'

'Ja hoor, je mag ook een konijn of een cavia kopen. O, ik weet wat! Goudvissen!'

Davis grinnikte. 'Ja, volgens mij kun je voorlopig nog geen kant op, kleine man.'

'Geniet ervan zolang het nog kan,' zei ik tegen Matt. 'Bij onafhankelijkheid hoort verantwoordelijkheid.'

'Hé, dat zegt Spider-Man ook altijd!' riep Matt uit. Ik hoorde Roxy naast hem spottend lachen.

'O ja?' Ik voelde me een tikje gegeneerd en probeerde dat te verbergen door toegeeflijk naar hem te lachen.

'Ja, maar hij zegt het niet zó. Hij zegt: "Bij veel macht hoort veel verantwoordelijkheid." Het is een heel beroemd zinnetje.'

'O, dan had ik het mis,' zei ik om mee te spelen.

'Je kunt er bij mama van op aan dat ze iets altijd verkeerd citeert,' zei Roxy, en ze voegde er voor Davis aan toe: 'Dat doet ze altijd.' Ik zat me net af te vragen wat er verder nog aan me mankeerde toen iets in haar manier van doen me onmiskenbaar deed denken aan de manier waarop ik Tash vaak afdeed, een soort ontspannen superioriteit, alsof de mindere intelligentie van de ander op de een of andere manier een algemeen bekend feit was. En aangezien ik vond dat Roxy niet erg aardig voor me was als ze zo deed, moest dat ook betekenen dat Tash dat helemaal niet leuk zou vinden. Ik nam me voor haar te bellen om haar te bedanken dat ze tijdens haar laatste bezoek zoveel tijd aan de kinderen had besteed. Per slot van rekening had ze dat helemaal niet hoeven te doen.

Davis keek met enig leedvermaak van Roxy naar mij. 'Onjuiste citaten zijn soms zinniger dan het origineel. Net zoals onjuist gedrag soms leuker kan zijn dan goed gedrag.'

Roxy schoot in de lach. 'Mag een leraar zulke dingen eigenlijk wel zeggen?' Ze wachtte even voordat ze er 'meneer Calder' aan toevoegde.

Terwijl ze elkaar grijnzend aankeken, begon ze te spelen met de armband aan haar linkerpols, een dun zilveren schakelbandje met een hangertje van een vlinder. Ik had het nog nooit gezien. 'Is dat een nieuw armbandje, Roxy? Laat eens zien.' Toen ik nauwkeuriger keek, zag ik dat het afkomstig was van Tiffany's, wat betekende dat het een heel duur nieuw sieraad moest zijn. 'Hoe kom je daaraan?'

'Van Marianne gekregen omdat ik mijn rijbewijs had gehaald. Mooi, hè?'

Het antwoord kwam een beetje te snel, een beetje te gretig, om nog maar te zwijgen van het feit dat ze dat rijbewijs inmiddels enkele weken geleden had gehaald. Ik moest direct aan dat laatste gesprek met Tash denken. Dit was toch zeker een duidelijk bewijs dat er een jongen in het spel was? En als het Damien niet was, wie dan wel? Maar ik kon het onmogelijk zeker weten nu ze zo heimelijk en gesloten door het leven ging. Het was als het raden van de naam van Repelsteeltje, ik zou er nooit achter komen.

Ik probeerde Davis' blik te vangen en mijn vermoedens over te seinen, maar hij zat te druk met Matt over cricket te praten om iets in de gaten te hebben.

'Dat is heel gul van Marianne,' zei ik voorzichtig. 'Het moet een heel duur cadeau zijn geweest.'

Roxy keek ongeduldig. 'Ik zou het niet weten. Het is niet mijn gewoonte te vragen hoeveel een cadeau heeft gekost.'

Ik glimlachte omdat ik de avond niet wilde bederven en keek nog eens naar het bedeltje dat zilverwit glansde tegen haar gebruinde pols. Zou Marianne een vlinder kiezen? Het leek me te jong voor haar, te lief. Haar eigen bedelarmband bevatte, als ik het me goed herinnerde, een reeks puntige stiletto's die eruitzagen alsof ze gevaar konden opleveren als iemand te dichtbij kwam. Ze kon het zich wel veroorloven, daar twijfelde ik niet aan. Het meisje zat uitermate royaal bij kas. Naast haar moeder, een personeelsmanager bij een softwarebedrijf, kon ze ook nog terugvallen op vader, een of andere ondernemer wiens exacte bezigheden niet nader werden gespecificeerd, en op Rob (uit de losse opmerkingen van Roxy had ik opgemaakt dat hij een 'behoeftig' musicus met familiekapitaal was), om nog maar te zwijgen van haar eigen incidentele werk als model.

Ik besloot de armband voorlopig uit mijn hoofd te zetten. Want wat zou het, als Roxy een nieuwe vriend had die zo attent was dat hij haar bij gelegenheid een leuk cadeautje gaf? Moest ik niet juist opgelucht zijn dat ze iemand had die haar zo goed behandelde en niet iemand die maakte dat ze haar ogen uit haar hoofd huilde? (Hoewel het er dik in zat dat de schuldige een en dezelfde persoon was.) Ik dacht aan Davis' pupil Jasmina, aan wie ik zo vaak had moeten terugdenken sinds dat ongemakkelijke gesprek. Met wie zou zíj omgaan? Wat voor cadeautjes zou zíj krijgen? Háár moeder had waarschijnlijk dwingender, misschien zelfs levensbedreigender dingen aan haar hoofd dan de dagelijkse verrichtingen van een tiener.

Ik zou het wel weer veel te zwaar opvatten. Davis had helemaal gelijk gehad, net als Tash. Of ik het leuk vond of niet, Roxy was inmiddels bijna volwassen. Ze mocht soldaat worden en er was niets dat ik kon doen om haar tegen te houden.

9

De man in de stoel naast me bezorgde me zo langzamerhand een onbehaaglijk gevoel. Newman, heette hij, Grant Newman. Het was me in eerste instantie niet opgevallen omdat ik er minder bij was dan anders. Ik zat steeds aan mijn kinderen te denken, die nu drie nachten met Alistair op reis waren. Maar het was duidelijk dat hij woest was. Net als veel andere mensen die hier langskwamen, ergerde hij zich over een onrechtvaardigheid, in dit geval een burenruzie die was geëscaleerd in een aanklacht wegens pesterij, een besluit van het gemeentebestuur tegen hem, en een oproep om later die week voor de rechter te verschijnen.

Ik bekeek de aantekeningen over zijn zaak. 'Waar gaat het precies om? Is er een probleem met uw advocaat?'

'Nee, dat niet. Ik wil een klacht indienen tegen de mensen van de gemeente. Die gast die ze me op mijn dak hebben gestuurd was een racist, hij heeft me racistisch bejegend.'

'Juist ja.' Ik keek hem onbewogen aan. Ik wist uit zijn gegevens dat hij achtendertig was, maar hij leek minstens tien jaar ouder. De beproevingen van zijn leven hadden fysieke littekens op zijn gezicht achtergelaten. 'Tja, ik kan u de procedure uitleggen voor een klacht over een gemeenteambtenaar, maar ik raad u toch aan om dat de komende week uit uw gedachten te zetten en u te concentreren op het vóórkomen van uw zaak. Luister heel goed naar uw advocaat en doe precies wat hij zegt.'

Hij knikte, voor dit moment gekalmeerd, maar toen schoot hem nog iets te binnen en hij keek weer woest. 'Ik heb u toch verteld over die stank van boven, hè? Het is een smerige, chemische lucht. Er is daar iets gaande, cocaïne denk ik. Ik heb haar vriendje gezien, hij is vast een dealer. Schorremorrie. Zíj horen voor de rechter te komen, niet ik.' Hij snoof smalend, een bijna dierlijk geluid. Ik was bang dat hij in de rechtszaal een slechte indruk zou maken.

Ik probeerde het nog eens. 'Richt u gewoon op deze zaak en

bewaar uw andere zorgen tot na afloop. Als u de indruk wekt dat u een vete met het gemeentebestuur wilt uitvechten, wordt de zaak alleen maar nog gecompliceerder en zal het lijken of u het type bent dat iedere situatie hoog laat oplopen.'

'Hmm. Maar het is toch zeker zo dat zíj de situatie hoog laten oplopen?' Hij verkeerde zichtbaar in tweestrijd. Hij kon zien dat ik hielp, dat ik zinnige dingen zei, maar iedere keer dat ik hem erop wees hoe anderen tegen zijn positie aan zouden kijken, laaide zijn oorspronkelijke woede weer op.

'Ik wil wedden dat u een perfect leven heeft, hè?'

'Wat?' Ik was enigszins uit het veld geslagen, zowel door de woede in zijn stem als door de ongepastheid van de opmerking. Hij keek me aan, voldaan over het effect, en zag me opeens met mijn mond vol tanden staan. 'Maar jij hebt vast geen rottig Pools wijf boven je wonen, hè?'

Hij was inmiddels zo vaak over de streep gegaan dat ik nauwelijks wist waar ik moest beginnen: het vloeken, de beschuldiging van racisme, de vraag naar mijn privéleven – alles druiste in tegen de gedragscode zoals die werd verlangd van degenen die gebruik maakten van onze dienst. Ik hoorde hem hieraan te herinneren en verder te gaan met het gesprek. Als het weer gebeurde, moest ik het gesprek beëindigen en de hulp inroepen van Ethan of van zijn plaatsvervanger, Jocelyn. Beiden hadden vandaag dienst.

Newman wachtte, met uitdagende ogen, om te zien hoe ik zou reageren. Op de een of andere manier had hij zijn huiselijke machtsstrijd overgebracht op een derde vijand: mij. Ik zag in gedachten al hoe hij me opwachtte en naar huis volgde, met geweld de flat binnendrong. Ik moest instinctief aan Roxy denken. Hoezeer ik haar ook de ruimte gunde, ik wist zeker dat ik alles zou doen om te verhinderen dat ze met zo iemand in aanraking zou komen.

Maar mijn fantasie ging weer eens met me aan de haal. Er zou helemaal niets gebeuren. De cliënt was alleen maar een beetje nerveus omdat hij voor moest komen. 'Ik woon op de bovenste verdieping,' zei ik rustig, 'dus woont er niemand boven me, maar ik kan me voorstellen dat uw situatie heel vervelend is. Buren kunnen moeilijk zijn, er zijn voortdurend meningsverschillen, dus u bent echt niet de enige. Maar in dit geval is het een kwestie van uw woord tegen het hare, en dat is altijd problematisch. U moet zich zo kalm mogelijk zien te gedragen, meneer Newman. Begrijpt u? Probeer uw zelfbeheersing te bewaren. Dat is echt het enige dat ik u kan aanraden.'

Gelukkig staarde hij me niet meer aan toen hij zijn laatste opmerking mompelde: 'D'r zal nog een hoop gelazer van komen. Wacht maar eens af.'

Het was geen dreigement, hij leek het niet eens meer tegen mij te hebben. Waarschijnlijk dacht hij aan de omstandigheden die tot deze crisis hadden geleid. Maar toch klonk het als een waarschuwing.

Het was in het begin altijd vreemd als de kinderen met hun vader op vakantie waren. Het was heel anders dan de weekends bij hem, die altijd in een flits voorbijgingen en die ik was gaan beschouwen als een welkom respijt van de schoolweek. Om de veertien dagen zesendertig uur vrij betekende een kans om allerlei klusjes in huis te doen, om af te spreken met Abi of met andere vriendinnen, of om, mijn favoriete tijdverdrijf, een roman van begin tot eind te lezen, om even het leven van een ander te leiden en pas enkele ogenblikken voor de komst van Roxy en Matthew weer naar mijn eigen leven terug te keren.

Ik nam altijd het eerste deel van de schoolvakantie vrij, met als gevolg dat ik extra diensten moest draaien als de kinderen weg waren. En in deze tijd van het jaar, wanneer de hele gemeenschap met uitzondering van onze cliënten vakantie vierde, was een dagelijkse verplichting een welkom gegeven. Toch strekten de dagen zich nu voor me uit als één lange file, auto's die bumper aan bumper op de snelweg stonden. Er was niets speciaals om naar uit te kijken, niets om bang voor te zijn. Ik moest toegeven dat ik de voorgaande jaren een eentonig bestaan als het summum had beschouwd, maar dit keer was er iets veranderd. Wat? Waarom was de stilte meer dan alleen de afwezigheid van de kinderen?

Ik stond in de keuken te strijken, waarbij me weer zoals gewoonlijk opviel hoe weinig kleren van mezelf ertussen zaten, vergeleken bij kennelijk de volledige inhoud van de klerenkasten van de kinderen. Ik besefte dat ik de radio niet had aangezet, zoals ik dat meestal deed. Ik had evenmin de keukendeur dichtgedaan om te voorkomen dat de etensluchtjes van het ontbijt doordrongen tot in alle hoeken van de flat, ook zo'n regel die gewoonlijk in acht werd genomen. De reden was duidelijk: ik kon mezelf echt niet voor de gek houden. Davis. Ik luisterde of ik hem hoorde. Hij was een paar dagen de stad uit geweest en zou vandaag terugkomen. Ik had hem niet meer gezien sinds zijn laatste Franse les met Roxy, ongeveer een week geleden. Ik miste zijn rol in ons bestaan bijna evenveel als de kinderen, de manier waarop hij zich zo gemakkelijk, zo minzaam, aan ons wereldje had aangepast. De manier waarop hij bij Roxy om de haverklap voor advocaat van de duivel had gespeeld, de manier waarop hij haar plagerijen van Matt in aanmoediging wist om te zetten, de manier waarop hij ons amuseerde met al zijn geestige opmerkingen. Ja, natuurlijk miste ik mijn kinderen, maar ik was gespannen en opgewonden bij het idee dat Davis en ik met ons tweeën zouden zijn als we elkaar weer zagen.

Toen ik het geluid van zijn sleutel in het slot en daarna het dichtvallen van de deur hoorde, was ik nergens op voorbereid en liep ik nog steeds rond in de badjas die ik uren geleden na het douchen had aangetrokken. Ik besloot dat ik even langs zou gaan om hem gedag te zeggen, maar niet voordat ik het schone wasgoed over de drie slaapkamers had verdeeld en mezelf toonbaar had gemaakt. Eerst de kamer van Matthew. Het was typisch het domein van een jongetje van zijn leeftijd, waarin alle kaskrakers uit Hollywood van het afgelopen jaar vielen af te lezen aan de superhelden op de posters, het dekbedovertrek en de doosjes van computerspelletjes. In een hoek lagen zijn schooltassen: een voor boeken, een voor sport, een voor zwemmen, een voor zijn lunch. Als hij naar school ging, zag hij er af en toe uit alsof hij een trektocht ging maken.

In Roxy's kamer ernaast hing haar aanwezigheid nog als een soort bewakingsagent tussen al haar spullen: de laptop, de stapels en stapels papier, de tijdschriften en de boeken, het 'Uitgang'-bord aan de muur dat ooit uit een openbare gelegenheid gestolen was door pre-Marianne vriendinnen, zoals ik ze in gedachten noemde, en als kerstcadeau aan Roxy was gegeven. De kamer was opgeruimd en duidelijk van alle echt persoonlijke details ontdaan. Het leek bijna op een toneeldecor dat was ontworpen door iemand die niet veel van tienermeisjes af wist. Ze had kennelijk alles opgeborgen of meegenomen wat van emotionele betekenis was. Ik rook een vleugje verbena, van de eau de toilette die ze van Tash had gekregen toen die hier was. Tegelijk met de geur werd glitterpoeder verstoven, die voor highlights op haar huid zorgde. Ik stelde me voor hoe Alistair er bij het kampvuur een opmerking over zou maken en ik voelde iets van spijt dat ik er niet bij was om samen met hen te lachen en nog deel uit te maken van zijn leven. Zodat we met ons vieren zouden zijn, in plaats van zij met hun drieën.

Het was niet mijn gewoonte in Roxy's kleerkast of laden te snuffelen. Meestal legde ik haar kleren in een stapel op haar bed of op een ander schoon oppervlak en soms hing ik jurken aan de deur van de kleerkast. Ik schoof een hangertje in de schouders van haar blauw met geel gebloemde jurk (een jurkje uit grootmoeders tijd, had ze het genoemd, hoewel het waarschijnlijk nog maar enkele weken voor het in de winkel verscheen in China in elkaar gezet was) terwijl ik me terloops afvroeg hoe ik eruit zou zien in zo'n flinterdun geval, ontworpen voor jonge en slanke vrouwen. Ik deed mijn badjas uit, stapte in de jurk en schoof mijn armen in de fladderende mouwtjes. In de spiegel van de kleerkast zag ik er verbluffend leuk uit. Het jurkje leek wat korter dan bij Roxy, omdat het door mijn welvingen op de heupen bleef hangen. Vanuit de spiegel keek mijn gezicht me aan, een beetje verhit, schoongeboend door de douche. Ik leek jonger, veel jonger dan ik was, en ik voelde iets van spijt opwellen, zowel om mezelf als om Roxy. Haar laatste jaar op school zou haar laatste jaar thuis zijn en als ze eenmaal op de universiteit zat, zou er weer een nieuwe bladzijde in het logboek van het moederschap worden opgeslagen, zou er weer een stuk tijd worden geschoven tussen mezelf en het meisje dat ik ooit was geweest. Maar ik vermoedde dat iedereen dat gevoel kreeg, iedereen die met een leeg nest kwam te zitten.

Ik schrok op toen er op de voordeur werd geklopt. Dat kon alleen Davis zijn, want alle andere bezoekers zouden aan de voordeur of via de intercom bellen. Ik wilde hem niet mislopen, misschien was hij alweer op weg naar buiten, maar de rits aan de achterkant van de jurk wilde niet omhoog en ik bleef even hulpeloos voor de spiegel staan. Toen greep ik de stof met één hand op mijn rug vast en deed met de andere hand de deur open.

'Davis, ik dacht al dat jij het was...' Hoewel hij net was thuisgekomen zag hij er even fris uit als altijd, met zijn lichte shirt, zijn keurig geperste broek en zijn gladgeschoren gezicht.

'Hallo, ik wilde even weten hoe jij het had zonder...'

Hij zweeg toen hij de jurk zag. Hij zou hem vast herkennen als een jurk van Roxy. Zou het raar klinken als ik hem vertelde waarmee ik bezig was geweest?

'Ik zie dat je je op de hittegolf hebt gekleed. Het is warmer dan ooit. Ben je al buiten geweest? Het moet over de dertig graden zijn.'

Dus hij herkende de jurk niet. Ik voelde me opgelucht, maar ook een beetje ongerust bij de gedachte dat hij zou denken dat ik zoiets bloots voor mezelf had gekozen. En stel dat hij Roxy er in de toekomst mee zou zien en een opmerking zou maken over dat ze mijn kleren leende? Ik moest er niet aan denken.

'Het is eigenlijk niet mijn jurk,' zei ik haastig. 'Ik wilde alleen maar... Hoor eens, Davis, kan ik...' Ik wilde vragen of ik later naar hem toe kon komen, of dat hij me tenminste een paar minuten de tijd wilde gunnen om me te fatsoeneren, maar hij liep al langs me heen naar de keuken, inmiddels op vertrouwd terrein, zelfs als het om de inhoud van onze kastjes ging. Ik liep achter hem aan, greep een vest van de kapstok in de hal en trok dat over mijn blote rug. Het was een roze en strak geval, eveneens van Roxy. Verdorie. 'Hoe is het met je werk in de provincie gegaan? Waar ben je ook alweer naartoe geweest?'

Hij leunde tegen de deurpost en keek toe hoe ik met de koffiebekers in de weer was. 'De Cotswolds. De ouders van een leerling van me hebben daar een huis. Ze zitten erbovenop vanwege een aantal herexamens. We hebben er vijf uur per dag aan gewerkt, maar de rest van de tijd had ik voor mezelf. O, behalve toen de moeder besloot dat zij haar Franse conversatie ook eens moest oppoetsen.'

Wonderlijk genoeg voelde ik een steek van jaloezie. 'Maar het was toch leuk om uit Londen weg te zijn?'

114

'Ja en nee. Het is daar natuurlijk heel mooi, maar het is me een beetje te netjes. Zelfs de schapen zien eruit alsof ze met zorg door het toeristenbureau zijn uitgezocht.'

'Wat grappig...'

Hoewel ons gebabbel op zich heel ontspannen was, gedroeg hij zich toch anders tegenover me, een beetje op zijn hoede, en ik kon alleen maar bedenken dat de jurk het probleem was. Hoe kort hing dat ding van achteren? Het vestje kriebelde en ik kon niet wachten om het uit te trekken. Aan het begin van de week was de temperatuur tot boven de dertig graden gestegen en daar leek voorlopig geen verandering in te komen.

We gingen op de bank in de woonkamer zitten en ik trok mijn blote benen onder me.

'Heb je al iets van Roxy en Matt gehoord?' vroeg hij. 'Zijn ze veilig in Kaapstad gearriveerd?'

'Ja, hoewel ze een vrij onrustige vlucht hebben gehad. En Matt is gauw bang. Het is een lange reis in je eentje met twee kinderen.'

'Is Alistairs vrouw er dan niet bij?'

Ik wist zeker dat hij dat al eerder had gevraagd, we hadden het tijdens het eten vaak over de reis gehad. 'Nee, ze is te ver in verwachting om nog te vliegen en ze zou zeker niet in een jeep op safari mogen. Bovendien heb ik begrepen dat ze wat extra werk wil doen, om langer vrij te nemen als de baby er is. Het is niet ongewoon voor Alistair om alleen met hen op stap te gaan, hij is daar heel goed in.'

'Ze hebben een hechte band, geloof ik? Uit wat Roxy zegt, valt niet veel op te maken.'

'Redelijk hecht, de omstandigheden in aanmerking genomen. Ik heb niet de indruk dat Roxy snel haar hart bij hem zal uitstorten, maar ze kunnen wel met elkaar overweg. Hij is hun vader. En ze mogen Victoria graag, dat scheelt.'

Ik besefte dat ik alleen met Davis op deze terloopse manier over Alistair en Victoria praatte, zonder bitterheid en afgunst of, veel erger voor een willekeurige toehoorder, regelrecht verdriet. Ik bedacht dat hij me had geleerd om ook tegenover andere familieleden dan Roxy wat meer geduld te tonen, wat meer gevoel voor de juiste verhoudingen.

'Ja, ik zal dus voorlopig wat meer tijd voor mezelf hebben...'
'Hmm.' Hij bleef maar naar die jurk kijken. Ik droeg geen beha, helemaal geen ondergoed, en ik vroeg me af of dat voor hem even duidelijk was als voor mij. De stof was zo dun dat hij bijna doorzichtig leek op de plekken waar het patroon lichtgeel was. Als ik naakt was geweest had ik me niet opgelatener kunnen voelen en het hielp ook al niet dat ik geen make-up droeg om mijn blos, die met de minuut heviger werd, te verbergen. Ik kneep mijn dijen samen, waardoor ik een soort kniebroek vormde van de rok. Davis zat nog steeds te staren. Ik begon een combinatie te voelen van angst en opwinding, want eindelijk was het moment aangebroken dat ik wist dat ik mezelf niet meer zou kunnen beheersen. Ik voelde me hevig tot hem aangetrokken, dat wist ik als geen ander, maar ik zou er nooit en te nimmer naar kunnen handelen. Het ging niet alleen om het stellige voornemen dat ik al zo lang had gekoesterd om nooit meer aan een relatie te beginnen (het is niet alleen jouw leven, Kate, het is ook het leven van de kinderen!), maar eveneens om het meer directe risico van een afwijzing. Dat zou ik nooit overleven.

Hij zette de koffiebeker op de salontafel en zakte weer terug. Was het verbeelding of was hij dit keer iets dichter naar me toe geschoven? Ik was me bewust van het rijzen en dalen van zijn borst, alsof ik degene was die door zijn longen ademde.

'Nogmaals bedankt dat je Roxy zo met haar Frans hebt geholpen,' zei ik glimlachend. 'Ik weet zeker dat het een groot verschil zal maken. En ik ben je ook erg dankbaar voor al je andere adviezen.' Het was allemaal erg overdreven en ik voelde me bijna een kind, vooral toen hij geen antwoord gaf. 'Ik vond het gezellig dat we die keer iets zijn gaan drinken,' ratelde ik verder. 'Dat zouden we nog eens moeten doen.'

'Ja, dat zouden we nog eens moeten doen.' Daarna pakte hij, zonder verder iets te zeggen de koffiebeker uit mijn handen en zette deze zorgvuldig naast de zijne op de salontafel. En toen hij zich omdraaide om me aan te kijken, hield hij niet op met bewegen tot hij zich plat tegen me aan had gedrukt en me begon te kussen. Ik slaakte een gesmoorde kreet. Met één enkele manoeuvre, binnen één seconde, waren we in plaats van volledig gescheiden tot volledig lichaamscontact gekomen, alsof we samengeknepen werden in een pers. Ik voelde mijn linkertepel hard worden toen zijn overhemdknoopje ertegenaan drukte en de schok die ik voelde toen ik zijn kus beantwoordde, maakte de spanning die door me heen ging alleen maar groter. Ik kon mezelf horen kreunen.

Hij kuste mijn hals, terwijl zijn vingers over mijn blote dijen en onder de jurk gleden en hij mompelde: 'Lieve hemel', toen hij besefte dat ik er niets onder aan had. Toen ging hij met een ruk op me liggen, zo heftig dat het bijna woest leek, en mijn adem stokte van opwinding. Even later had hij me schrijlings op zijn schoot getrokken terwijl hij zijn portefeuille tevoorschijn haalde en aan de verpakking van een condoom rukte.

Ik begon de jurk over mijn hoofd te trekken, maar zijn handen hielden me tegen. 'Nee, hou aan.' Hij legde me weer op mijn rug en in eendrachtige samenwerking slaagde hij erin zich bij me naar binnen te schuiven. Daarna hield híj met één hand allebei de mijne vast en duwde ze boven mijn hoofd omlaag, terwijl hij zijn andere hand opnieuw onder de jurk schoof en mijn borsten bijna plat drukte. Ik staarde naar zijn gezicht en kon me nauwelijks voorstellen dat hij het was, Davis, dat dit echt gebeurde. Zijn ogen waren stijf dicht en ik volgde dat voorbeeld, doordrenkt van zijn geur en van de herinneringen aan Alistair die ineens door die geur en zijn kreten van opwinding boven kwamen drijven. Ik werd bijna verpletterd door zijn gewicht en mijn eigen genot. Toen hij voelde dat ik klaar begon te komen, begon hij harder te rammen, op het randje van pijn, en hield me daar. Ik was geschokt door zijn bedrevenheid en de manier waarop hij mijn lichaam las alsof we al jaren geliefden waren. Even later zakte hij op me neer en bleef met zijn gezicht in mijn hals liggen.

Ik hoorde mezelf zeggen: 'Dat was ongelooflijk.'

Hij richtte zich op met een rood gezicht van inspanning en toen hij me aankeek, waren zijn ogen teleurstellend ondoorgrondelijk. Wat had ik verwacht? Aanbidding, bewondering, een weerspiegeling van mijn eigen vreugde? Ik had weinig ervaring, maar ik wist zeker dat hij niet op mijn deur had geklopt met de bedoeling me te verleiden. Dit was bij toeval gebeurd, bijna vanzelf. 'Ongelooflijk'. Ik had nu al spijt van dat woord, zo fantasieloos en kinderachtig.

'Je...' begon hij, nog steeds buiten adem. 'Je hebt me overvallen.' Hij keek me nu heel even aan en pas toen ik mijn borst voelde dalen, besefte ik dat ik mijn adem had ingehouden.

Ik schoot in de lach. 'Ik dacht eigenlijk dat jij míj hebt overvallen.'

'Dat klopt.' Hij trok de jurk over mijn dijen omlaag en streek de stof met zijn vlakke hand glad, en ik voelde weer een rilling van opwinding door mijn lichaam gaan. Hij trok zijn rits dicht en prutste met de knopen van zijn overhemd.

Ik volgde zijn voorbeeld, ging weer zitten en streek mijn haar glad. Ik voelde me alsof ik een rol had in een toneelstuk van school, waarin ik zojuist intimiteit met een klasgenoot had moeten simuleren. Wat nu? Terug naar de koffie, die nog steeds redelijk warm in de bekers voor ons op de tafel stond? Kijken of er nog koekjes waren? Ik was het liefst gaan giechelen. Door het raam keek ik recht in de flat van de overburen. De twee flats waren elkaars spiegelbeeld, wat betekende dat de kamer waarin ik keek ook hun woonkamer was. Het raam was omhooggeschoven en de jaloezieën waren halfdicht, maar de kamer was godzijdank leeg.

Davis zuchtte. 'Het spijt me, maar ik moet er echt vandoor. Ik heb om halfeen een leerling en ik moet eerst nog iets ophalen. Ik kwam eigenlijk alleen maar even kijken hoe het met jou was.'

Hij kuste me op mijn mondhoek en bleef me aankijken tot hij met de nagel van zijn linkerduim over zijn linkerooglid krabde en fronste. Ik had hem nog nooit zo bedremmeld gezien.

'Met mij gaat alles goed,' zei ik glimlachend. 'Kan niet beter.'

Ik wachtte op het voorstel om elkaar later weer te zien, maar dat bleef uit.

10

Terwijl ik luisterde naar de deuren die tussen ons open en dicht gingen, en naar zijn voetstappen die wegstierven op de trap, bleef ik een paar minuten verbijsterd zitten voordat ik de telefoon greep om Abi's kantoor te bellen. Ik moest dit meteen aan iemand kwijt, anders zou ik straks aan mijn eigen geheugen gaan twijfelen.

'Hallo, met Abigail Thorpe.'

'Abi, er is zojuist iets ongelooflijks gebeurd.' Ik raakte opnieuw buiten adem, alleen maar door te vertellen wat er was gebeurd, maar op de een of andere manier lukte het me toch.

'Wat fantastisch voor je, Kate. Alleen lag het natuurlijk wel voor de hand. Seb en ik hebben meteen al gezegd dat het tussen jullie wel iets zou worden.'

'Echt waar?' Ik was opgetogen bij de gedachte dat de aantrekkingskracht tussen ons beiden zo tastbaar was, dat anderen het zelfs in de gaten hadden. 'Maar wat moet ik doen als ik hem weer zie? Moet ik dan doen alsof er niets is gebeurd?'

Ze grinnikte. 'Doe niet zo mal. We zijn toch geen zestien meer?'

'Toe, Abi, ik weet dat ik belachelijk klink, maar ik weet het echt niet.'

Ze zuchtte toegeeflijk. 'Nou ja, ik denk dat het afhangt van de vraag of je een herhaling wilt. Is dat zo?'

'Ik weet het niet.' Ik geneerde me een beetje vanwege de intimiteit van ons gesprek, maar tegelijkertijd genoot ik ervan. Het was een vreemd gevoel.

'Hè toe, wees nou eens voor één keer eerlijk tegenover jezelf.'

Ik aarzelde en hoorde mezelf fluisteren: 'Ja, ik wil...' Ik zweeg even. 'Je weet wel.' Ik kon het geluid van stemmen in haar kantoor horen. Ze noemde haar collega's vaak haar broers en zusters, omdat ze dezelfde haat-liefdeverhoudingen hadden als binnen een gezin. Ze had een heel druk sociaal bestaan, dus geen wonder dat ze mijn gehechtheid aan privacy als een zwakheid beschouwde, als excentriek gedrag. Ze moest voortdurend over andermans verhoudingen en bevliegingen praten en dan maakte ik zoveel ophef over die van mij. Toen ving ik met mijn andere oor het geluid van een grasmaaier buiten op en het geluid klonk geruststellend. Ik was nog steeds hecht verankerd in de veiligheid van Francombe Gardens. 'Wat moet ik nou zeggen?'

'Nou,' zei ze, 'het is voor mij al heel lang geleden, dat begin van een "verkering", als die ouderwetse uitdrukking nog van toepassing is, maar als ik het me goed herinner, hoef je niets speciaals te zeggen. Doe gewoon hetzelfde als wat je nu hebt gedaan.'

'Oké.' Ik keek omlaag naar het kleine blauwe jurkje. Misschien moest ik dan ook hetzelfde aantrekken.

Davis kwam 's avonds laat terug en loodste me regelrecht naar mijn slaapkamer. Mijn hoofdeind stond onder het raam, gericht naar de hal, en als de deur openstond, kon ik in Roxy's kamer kijken, met de deur van haar klerenkast waaraan het jurkje dat ik droeg had moeten hangen. Ik probeerde de deur dicht te schoppen, maar Davis hiel me zo stevig vast dat ik mijn been niet ver genoeg uit kon steken. Het enige dat ik kon doen was mijn positie dusdanig wijzigen dat hij en niet ik in de kussens lag.

De jurk bleef de hele nacht aan.

Routine en structuur waren uitermate belangrijk voor me, dus was het geen verrassing voor me dat er een patroon ontstond in mijn affaire met Davis. Na die eerste keer – in gedachten had ik het als een tiener over 'de dag dat het gebeurde' – ging ik iedere morgen naar mijn werk en daarna, als ik halverwege de middag naar huis ging, stapte ik meteen onder de douche. Het was zweterig werk, het rechtzetten van onrecht, en het kantoor had geen airconditioning. Bovendien mochten we van geluk spreken wanneer we een dag hadden dat er geen man of vrouw langskwam om wie zo'n overweldigende zweetlucht hing, dat iedereen in de omgeving begon te kokhalzen. Ethan noemde het de lucht van leven dat slecht was geworden en we merkten allemaal dat het in onze kleren trok en aan onze huid bleef hangen tot we het fysiek wegspoelden.

Als ik mijn post had bekeken en het werk in huis had gedaan, at ik, maakte soms nog iets voor later klaar en ging zitten wachten. Rond negen uur klopte Davis dan aan. Ik deed de deur open en viel rechtstreeks in zijn armen of liet me tegen de muur duwen of naar mijn slaapkamer sleuren. Als we een paar uur samen waren geweest en ik slaperig begon te worden ging hij weer terug naar zijn flat.

'Je vraagt nooit of ik wil blijven slapen,' zei hij een keer, op een toon die liet doorschemeren dat het ontbreken van die vraag een hoogst ongewone ervaring voor hem was.

Ik knikte. 'Ik denk dat het beter is dat je teruggaat.' Maar eigenlijk vroeg ik me af waarom. De mogelijkheid dat de kinderen een week eerder terugkwamen en om zes uur in de ochtend zouden binnenvallen met een opgezette giraffe in hun armen? Gedeeltelijk, hoewel de kans daarop bijzonder klein was. Nee, de waarheid was minder overzichtelijk en zeker niet iets wat ik aan Davis kon uitleggen. Ik wist zo zeker dat ik me bijzonder ongewoon gedroeg dat ik eenvoudig niet kon geloven dat het de mensen die ik regelmatig zag, zoals mijn collega's, niet zou opvallen. Maar als Davis veilig terug was naar zijn eigen vertrekken, kon ik elke morgen gewoon net als altijd wakker worden: alleen. Ik kon me aankleden, ontbijten, deze uitzonderlijk nieuwe nachtelijke versie van mezelf van me afschudden en mijn ware ik hervinden. Ik gebruikte zelfs een ander parfum. Op die manier was ik tegen de tijd dat ik de deuren van het adviescentrum openduwde precies zoals ik moest zijn: boven alle kritiek verheven. Dat was althans het streven.

Ik keek naar zijn gezicht, omdat ik niet wist waarom hij daarover begonnen was. Wilde hij dat we samen wakker zouden worden? 'Weet je wat ik een beter idee vind?' zei ik ten slotte. 'Als ik bij jou kom logeren.'

Hij schudde zijn hoofd. 'Nee, ik kom liever hier.'

'Waarom? Hou je daar soms iets verborgen?' Ik wierp hem een begerige blik toe, want wanneer we samen waren, verkeerde ik voortdurend in een smeulende staat van opwinding. 'Heb je daar een ander liefje verstopt? Of ben je alleen maar bang dat ik zal zien wat voor puinhoop je ervan hebt gemaakt? Eigenlijk heb ik de slaapkamer nooit meer gezien sinds jij er je intrek hebt genomen.'

Hij gaf geen antwoord maar liet in gepeins verzonken zijn handen over mijn rug en mijn billen glijden, omlaag naar mijn dijbeen.

Ik was niet verbaasd over dit verzet. Hoe gestructureerd dit avontuurtje ook mocht zijn, er bestonden wonderlijke conflicten tussen ons die snel deel van het spel waren geworden. (Al was spel eigenlijk niet het goede woord, het was eerder een obsessie, een betovering. Ja, dat was het, hij had me betoverd.) Ik had bijvoorbeeld gehoopt op meer ontmoetingen overdag, zoals die eerste keer – de adem stokte me nog steeds in de keel wanneer ik terugdacht aan de erotische wending die ons kopje koffie van buren onder elkaar had genomen – maar hij gaf er de voorkeur aan onze ontmoetingen tot de avond te beperken. Ik wilde nuchter blijven om iedere sensatie van dit alles goed te kunnen ondergaan, hij had er liever royaal alcohol bij, net als zijn geliefde sigaretten. Ik wilde naakt zijn, hij had liever dat ik iets aan hield. Hij had herhaaldelijk naar de blauwe jurk gevraagd, en hoewel ik die na de eerste avond had opgeborgen, concludeerde ik uit zijn gehechtheid eraan dat mijn kleren niet helemaal goed waren. Wat leken die overhemdjurken nu praktisch en gezapig: de keuze van een vrouw die niet aan seks deed. Ik vond wat jurkjes, rokken en topjes in de goedkope boetiekjes waar Roxy vaak naartoe ging en zorgde dat ik die aan had. Eén keer schakelde ik over op de meer traditionele uitmonstering van verleiding – zwart ondergoed, kousen, een lage halsuitsnijding – en hij maakte onmiddellijk bezwaar. 'Is dat het soort dingen waar Alistair van hield?' Zijn stem liep over van minachting en ik voelde me gevleid dat hij Alistair kennelijk als een soort rivaal beschouwde.

Maar verder deed niets bij deze toestand me aan het begin van mijn relatie met Alistair denken. Het voelde hoe dan ook niet als het begin van enige relatie. De manier waarop Davis naar me keek en me behandelde als we met ons tweeën waren, was volslagen anders dan de ontmoetingen die we in het openbaar hadden, zoals onverwachts op straat of in de tuin. Dan gedroeg hij zich weer net als eerst, minzaam en hoffelijk, en verviel ik in babbelzieke vriendelijkheid – zo keek ik tenminste nu aan tegen mijn vroegere manier van doen.

Onze gesprekken 's avonds waren voornamelijk onpersoonlijk. Hij vertelde me iets over een tekst die hij had gelezen of ik over een geval op mijn werk. Er waren geen wederzijdse bekentenissen van toenemende gehechtheid of behoedzaam gissen naar de gevoelens van de ander, geen confidenties over de verschrikkingen van de mislukte relaties in ons verleden, inclusief onze respectievelijke huwelijken.

Eigenlijk was Davis nooit bijzonder nieuwsgierig geweest naar Alistair. Hij had het meestal alleen over hem in relatie tot de kinderen en zelfs dan nog op afstandelijke toon, alsof hij gegevens verzamelde voor het een of andere onderzoek. Hij vroeg bijvoorbeeld of Alistair altijd zo ambitieus was geweest ten aanzien van zijn kinderen. Hij bespeurde geen enkele eerzucht bij hen, althans niet bij Roxy. En was ik er blij mee of juist niet dat Matthew zo opvallend op zijn vader leek?

Slechts één keer vroeg ik hem naar zijn ex-vrouw. Camilla heette ze, had ik begrepen uit de terloopse opmerkingen die hij in het verleden over haar had gemaakt.

'Hoe hebben jullie elkaar ontmoet?'

Hoewel de vraag onverwacht kwam, vertrok zijn gezicht niet. Hij lag op zijn rug en bleef naar het plafond kijken terwijl hij antwoord gaf. 'Ze was een leerling van me. Ik was bij haar familie aanbevolen door een vriend van haar oudere broer die ik bijles had gegeven.'

Toen hij zijn hoofd opzij draaide om me aan te kijken, voelde ik dat ik mijn wenkbrauwen fronste. 'Dat wist ik niet. Hoe groot was het leeftijdsverschil?'

'Tien jaar.' Hetzelfde als bij Alistair en Victoria. Wat toevallig. 'Ze was nog veel te jong toen we trouwden.'

Nou, daar kon ik moeilijk commentaar op hebben. 'Wij ook. Ik was pas twintig toen we ons verloofden, ik studeerde nog. Pure waanzin, als ik er nu op terugkijk. Volledig tegen alle trends in. Al onze vrienden zeiden dat ze nooit zouden trouwen, dat was nergens voor nodig.'

Maar Davis leek niets te horen, hij was verzonken in zijn herinneringen. 'De verhoudingen waren vanaf het begin een beetje scheef, denk ik, omdat haar familie zo rijk was. Ik had het gevoel dat ik een van hun lijfeigenen was.' Hij kwam op zijn ellebogen overeind en keek om zich heen, zoekend naar zijn sigaretten. Maar die lagen in de keuken waar we eerder wijn hadden zitten drinken. In plaats daarvan pakte hij mijn haar en begon ermee te spelen. 'Ik heb het spelletje een paar jaar meegespeeld. Nou ja, meer dan een paar jaar, ruim tien jaar uiteindelijk.'

'Tot ze je ontrouw werd?' viste ik behoedzaam.

'Ja, ze had afspraakjes met een kunstenaarsvriend. Nou ja, ik gebruik de term "kunstenaar" in de breedste zin, want hij had niet bepaald talent, maar dat weerhield haar er niet van een tentoonstelling voor hem te organiseren.'

'Werkte ze in een galerie?'

'Ja, een heel bekende, in Chelsea. Hij maakte heel slechte sculpturen, die kerel, met een eikel als thema, als ik het me goed herinner. Reusachtige eikels van klei in verschillende stadia van rust.' Hij trok een wenkbrauw naar me op. 'Ik weet wat jij nu wilt vragen: uitrusten van wat? Het zijn toch eikels!'

Ik lachte, gevleid bij de suggestie dat ik zijn superieure esthetische inzicht deelde.

'Ik vermoed dat ik blij mocht zijn dat ze niet naakt voor hem poseerde.'

Dat herinnerde me eraan dat hij ooit over Camilla had gezegd dat ze zichzelf als zijn 'muze' beschouwde, maar die 'fragmenten' van hem waren sinds dat gesprek niet meer genoemd en ik had het gevoel dat het niet verstandig zou zijn om er nu over te beginnen. Ik vermoedde dat Davis momenteel even geen tijd had om te schrijven. Hij had het toch al zo druk met lesgeven en verder was hij om de haverklap bij mij, al durfde ik dat zelfs tegenover mezelf nauwelijks toe te geven.

'Het zal wel een heel bittere scheiding zijn geweest,' zei ik.

'Hoe kom je daar zo bij?'

'Dat is het meestal als iemand ontrouw is geweest.'

Davis wierp me een slaperige blik uit halftoegeknepen ogen toe. 'Nou, laten we zeggen dat we elkaar niet meer hebben gesproken sinds de dag dat ik ben vertrokken. De scheiding is volledig via de advocaten geregeld, we hebben elkaar zelfs niet meer aan de telefoon gehad.'

Ik keek hem afwachtend aan. Het duurde even voor hij verderging. 'Weet je, liefje, je eigen situatie is uitermate geciviliseerd vergeleken bij die van mij, hoe wanhopig jij je ook mag hebben gevoeld.'

Ik bloosde. 'Dacht je dan dat ik wanhopig was toen we elkaar ontmoetten?'

Opnieuw verblikte of verbloosde hij niet. Eigenlijk had ik, na de geroutineerde manier waarop hij mij verleid had, niet verbaasd moeten zijn over zijn koele houding. Hij begreep vrouwen kennelijk van A tot Z, tot en met de valstrikken die we in onze gesprekken inbouwden. 'Helemaal niet, natuurlijk niet. Maar ik dacht dat je misschien behoefte had aan een soort... reddingsboei.'

Ik dacht aan hoe hij me op de bank met één onbedwingbare beweging had vastgegrepen. Ik was zo verslaafd aan die herinnering – het kwam er immers in feite op neer dat hij me min of meer had verkracht – dat ik er zelfs over fantaseerde als we met elkaar neukten. (Wat zou Abi daarvan vinden? Een seksuele aantrekkingskracht die zo volmaakt was dat zelfs mijn geheime fantasieën over hem gingen!)

'Nou ja, iedereen heeft op zijn tijd wel eens behoefte aan een reddingsboei,' beaamde ik ten slotte, op de lijzige toon die ik voor het laatst uit de mond van de zeventienjarige Marianne Suter had gehoord.

Ik vroeg niet of we hiermee zouden ophouden als Roxy en Matthew terugkwamen en ik zei ook niet tegen hem dat het niet anders kon. Het was onvoorstelbaar dat ik deze rol zou blijven spelen als ik ook weer moeder moest zijn. Die twee waren immers gewoon niet verenigbaar?

Op de zesde dag belde Tash, die ongewoon terneergeslagen klonk. Ze was ontslagen uit haar baantje als serveerster, want ze was op de een of andere manier betrokken geraakt bij het verbreken van de relatie tussen het paar dat het café beheerde. Het klonk alsof ze een kwalijke rol had gespeeld en zich een tijdje schuil moest houden.

'Ik vroeg me af of ik weer een paar dagen bij jou zou kunnen komen logeren. Gewoon om er even tussenuit te zijn. Mama maakt me stapelgek met al haar adviezen voor een baan en ik weet dat jij in je eentje zit. Ik dacht dat ik je misschien gezelschap kon houden en naar een baan in Londen zou kunnen uitkijken.'

Dat waren zoveel onderwerpen op een rij dat ik gewoon niet wist waar ik moest beginnen. Om nog maar te zwijgen van de voldoening over het feit dat ze eindelijk genoeg had gekregen van het thuis wonen. Als ik bedacht hoe gretig Roxy was om het nest te verlaten, verbaasde het me dat Tash tot achter in de twintig bij onze ouders kon blijven wonen. Maar het allerbelangrijkste was de noodzaak om haar af te wijzen, de behoefte om alleen te kunnen zijn met Davis. De gedachte dat we hier met ons drieën aan de keukentafel over koetjes en kalfjes zouden zitten praten maakte me bij voorbaat panisch. Ik zou verteerd worden door frustratie als ik hem niet aan mocht raken, dat zou ik echt niet voor haar verborgen kunnen houden. Even schoot er een angstaanjagende gedachte door me heen. Zou ik hoe dan ook na dit alles in staat zijn hem in gezelschap van derden te ontmoeten? Maar die gedachte verdrong ik meteen weer.

'Het spijt me ontzettend, Tash, maar ik zal voor deze ene keer nee moeten zeggen. Het komt me nu niet uit.'

'Waarom niet?'

Er schoot me van alles door het hoofd: het had geen zin te zeggen dat ik het druk had op mijn werk omdat dat alleen maar onderstreepte dat de flat leeg was en ze best kon komen logeren. Verbouwing, of schilder aan het werk? Tja, iedereen wist dat ik daar geen geld voor had, vooral na de verbouwing van de voorkamers. Ziekte misschien? Maar dan zou ze alleen maar aanbieden voor me te komen zorgen en voorlopig klonk ik zo fris als een hoentje. Wat dan?

'Ik heb even wat tijd voor mezelf nodig,' zei ik ten slotte.

Er volgde een stilte en een schuifelend geluid, alsof ze van verbazing onderuit was gegaan. 'Voor jezelf? Ik dacht dat je juist heel alleen zou zijn, zo zonder de kinderen.'

Ik zuchtte. 'Ik heb ook een eigen leven, Tash, ik ben niet alleen maar moeder. Ik heb ook andere dingen aan mijn hoofd...'

'Wat voor dingen?' Dit ging niet goed, niet in het minst omdat het binnen de kortste keren aan onze moeder zou worden doorgeklept en dan ongetwijfeld zou worden geïnterpreteerd als het verborgen houden van een terminale ziekte.

'Is het een vent?' Tash liet haar stem dalen tot gefluister. 'O lieve hemel, echt waar? Is hij er nu?'

Dan had ik de telefoon niet eens opgenomen, dacht ik, en dat bracht meteen een ander ongemakkelijk besef in herinnering, namelijk dat ik inmiddels de gewoonte had om de telefoon te negeren wanneer Davis en ik samen waren. Dat had tot gevolg dat ik 's ochtends alle vormen van communicatie moest controleren op bericht van de kinderen.

'Wie is het? Toch niet die buurman, die we wilden meenemen naar...'

Ik viel haar in de rede. Mijn geduld was op. 'Hoor eens, dit gaat je geen moer aan, Tash. Heb alsjeblieft begrip voor mijn behoefte aan privacy. Is dat te veel gevraagd?'

Ze liet een ietwat beledigd 'Hm' horen. 'Oké, oké. Je hoeft niet zo'n toon tegen me aan te slaan. Ik ben Roxy niet.'

'Dat deed ik ook niet,' zei ik verbaasd. Wat bedoelde ze? Wat voor toon sloeg ik tegen Roxy aan?

We namen afscheid en verbraken de verbinding. Het gesprek was net kort genoeg geweest om het ver weg te stoppen in een hoekje van mijn geest waar ik het niet meer kon horen.

De dag voordat de kinderen zouden terugkomen van vakantie kwam ik eindelijk weer bij mijn positieven. Ik liep 's ochtends naar de keuken om water op te zetten voor de thee, en voor de eerste keer werd ik me bewust van de puinhoop die er lag. Alles was smerig en groezelig, als de attributen van iets onwettigs: wijnglazen met kleverige restjes op de bodem die er zelfs niet uit gingen wanneer ze ondersteboven werden gezet voor de vaatwasser; asbakken vol peuken, rondslingerende kleren, verpakkingen van condooms, zelfs haren. Ik herinnerde me iets wat Davis had gezegd toen we elkaar voor het eerst ontmoetten, over het vinden van haren in een motelkamer, van de gast die er de vorige nacht had geslapen, en mijn reactie: je laat het klinken als het toneel van een misdrijf. Nu vormde mijn hele flat het toneel van een misdrijf en ik zou alle bewijzen van deze vreemde erotische schemerwereld moeten uitwissen voor ik werd betrapt.

Eerst mailde ik Davis: 'Kan je vanavond niet ontmoeten, kinderen komen morgen thuis.' En daarna begon ik schoon te maken. Ik boende en sprayde en poetste tot alles schoon en kuis was, het parket blonk en de lakens even fris en stevig ingestopt waren als in een ziekenzaal. Roxy's blauwe jurk was gewassen en hing met haar andere jurken aan de deur van haar kleerkast. Een voorjaarsschoonmaak in de broeierigste tijd van het jaar. Roxy en Matthew zouden denken dat het speciaal voor hen was, als ze het al opmerkten. Maar ik had het voornamelijk voor Alistair gedaan, voor het geval ik hem er niet van kon weerhouden de flat binnen te komen en hij de restanten van al die vleselijke lust zou bespeuren. Hij was tenslotte niet zomaar iemand, hij was de laatste met wie ik naar bed was geweest, de persoon die, ook al had hij me jaren geleden verlaten, nog steeds het idee had dat hij wist wat het beste voor me was.

De normale gang van zaken bij zulke thuiskomsten was dat Victoria het drietal van het vliegveld haalde, hen naar Francombe Gardens bracht en in de auto bleef wachten terwijl Alistair de kinderen met hun bagage naar boven hielp. Omdat ik vastbesloten was hem ervan te weerhouden vandaag boven te komen, begon ik al minstens een uur voor ze er redelijkerwijs konden zijn naar de auto uit te kijken. En toen ze voorreden zat ik bij de hoofdingang op de stoep te wachten. Alistair draaide het raampje omlaag en riep: 'Wat doe jij hier buiten, Kate?'

Ik sprong overeind. 'Op jullie wachten, wat dacht je dan?' Ik tuurde over zijn schouder naar de achterbank. 'Hoi jongens, ik heb jullie gemist!'

Matthew sprong er het eerste uit en ik knuffelde hem stevig, waarbij ik even al het andere in de wereld vergat. Hij rook naar muffe vliegtuiglucht en naar pepermunt. Ik hield hem op een armlengte afstand om hem beter te kunnen bekijken. Zijn ogen schitterden, zijn haar hing bijna tot op zijn schouders, en op zijn kin zat een korstje van een schram. Een kleine wilde, terug van het leven tussen de dieren. 'Heb je een fijne vakantie gehad, lieverd?'

Hij straalde en ik zag dat de zon sproeten op zijn neus had getoverd. Op een wat grotere neus, als ik me niet vergiste. Twee weken bij elkaar vandaan en hij was al gegroeid! 'Super, het was echt vet cool. Ik heb heel veel te vertellen!' Lange vlucht of niet, hij zat vol verhalen. 'Papa zal de foto's later mailen, we hebben er meer dan duizend gemaakt. We hebben de grote vijf gezien, weet je. Olifanten, luipaarden, leeuwen...' Hij telde ze af op zijn vingers. 'Heb je mijn kaart gekregen?'

'Nog niet. Wat jammer. Maar misschien komt hij morgen.'

'Er staan leeuwen op, net zulke als we hebben gezien. Hè, pap?'

Alistair was nu uit de auto en woelde even door Matts haar voor hij me oppervlakkig op de wang kuste. Het portier stond open en achter hem boog Victoria opzij om naar mij te zwaaien. Ze was gigantisch zwanger en leek bijna twee keer zo dik als de vorige keer dat ik haar had gezien. Ik probeerde niet te bedenken of dit zou betekenen dat Alistair juist wel of niet mee naar boven zou willen, of allebei – misschien moest ze wel naar de wc!

'Hoi mam.'

'Roxy! Heb jij het ook leuk gehad?'

Ze liep om de auto heen naar het trottoir. Aan haar schouder bungelde een gele bedrukte tas die ik niet herkende. Haar blote armen waren diepgebruind, haar lippen glommen van de gloss. Ze had haar haar in vlechtjes gedaan, maar ze leek nog steeds ouder dan ze was, in alle opzichten een wereldreizigster, en keek recht omhoog naar de ramen aan de voorzijde van onze flat – nu die van Davis, natuurlijk – alsof ze wilde zeggen: Ik dacht dat ik dit was ontgroeid, maar nee, ik ben weer terug.

'Grote hemel, wat een ellendige vlucht. Het vliegtuig zat mudvol en op de stoelen voor ons zaten twee rotjochies die maar niet wilden gaan slapen...'

'Lieverd!' Ik drukte haar tegen me aan en toen ze zich in mijn omhelzing ontspande, voelde ik dezelfde steek van pure liefde die ik een moment geleden voor Matt had gevoeld. Alleen werd dat gevoel dit keer bijna onmiddellijk vermengd met dankbaarheid, dankbaarheid dat ze zich mijn omhelzing hoe dan ook liet welgevallen, en in die ene seconde kwam alles weer boven: de ruzies en de achterdocht, de stemmingswisselingen, mijn argwaan met betrekking tot haar houding tegenover mij in het bijzijn van mensen als Victoria, mensen als... Ik bande het beeld van Davis uit mijn geest voordat hij in volle gedaante kon opdoemen. Streng verboden. Ik had me in gedachten goed voorbereid op deze hereniging op de stoep, ik had mijn prioriteiten juist gesteld. Ja, het samenzijn met hem had me geholpen mijn geest vrij van zorgen te maken in de tijd dat de kinderen weg waren, maar nu moest ik hem weer uit mijn hoofd zetten. Iedere keer dat ik aan hem dacht als mijn nieuwe minnaar, moest dat beeld onmiddellijk plaatsmaken voor een ouder beeld van hem: hoe hij wegfietste op weg naar zijn lessen, of met een gefronst voorhoofd in de tuin zat te lezen. Als ik dat maar vaak genoeg deed, zou ik mezelf vast wel voor de gek weten te houden. Zolang ik de stem van Abi in mijn oor maar kon negeren: *Wees voor één keer eens eerlijk tegenover jezelf, Kate...*

'Kate? We gaan meteen naar huis,' zei Alistair. 'Victoria is afgepeigerd. Red jij het met de bagage?'

'Natuurlijk, geen probleem.'

'Ik kan mijn eigen koffer wel dragen,' protesteerde Matt, maar Roxy liet me graag voor kruier spelen.

'En nogmaals bedankt voor de leuke cadeaus, jongens,' riep Victoria hen na. Mijn normale reflex was nijdig worden bij de gedachte dat mijn kinderen cadeaus kochten voor hun stiefmoeder, maar vandaag was die reactie opmerkelijk afwezig – vermoedelijk omdat ik blij was dat ik zo gemakkelijk van Alistair en haar afkwam.

Toen we naar boven liepen en langs de deur van Davis kwamen, kromp mijn maag opeens van wellust en verlangen in elkaar. Als ik wilde dat dit lukte, moest ik kennelijk nog veel vastberadener worden. Ik móést weer gewoon doen, er zat niets anders op. Goddank had hij in geen enkel opzicht laten blijken dat hij dwars zou gaan liggen, want hij had op dat laatste bericht van mij alleen maar instemmend gereageerd: 'Oké.'

Toen ik de deur opendeed, kneep ik even in Matts hand, maar hij gaf me nog maar enkele seconden voor hij uit mijn greep glipte en naar zijn kamer verdween. Roxy was al in haar kamer. 'Ik heb jullie gemist,' zei ik in de lege gang tussen hun deuren. 'Ik laat jullie nooit meer zo lang weggaan.'

Daarna bleef ik nog even met mijn rug tegen de voordeur staan, alsof ik de wereld kon buitensluiten.

11

Het eerste dat ik ontdekte was dat de vakantie Roxy's humeur niet had verbeterd, althans niet tegenover mij. In de loop van de volgende weken praatte ze steeds vaker en openlijker over hoe ze zich erop verheugde naar de universiteit te gaan (ze had nog niet eens een aanvraag ingediend!) en alleen maar omdat ze dan zonder toezicht haar eigen leven kon leiden. 'Gewoon in staat te zijn de kleur van mijn eigen rol wc-papier te kiezen,' zei ze, alsof het om kunst met een grote K ging. Ik vroeg me af of ze besefte dat ze dan ook zelf wc-papier moest kopen en betalen.

Ik wist dat ik haar met rust moest laten, maar dat lukte me niet. Ik was prikkelbaar door mijn scheiding van Davis en probeerde voortdurend onze vriendschap weer nieuw leven in te blazen, alsof het op de een of andere manier helemaal aan mij was om haar terug te winnen. (Als dit een afspiegeling was van mijn gedrag nadat Alistair was vertrokken, de afgewezen geliefde die een tweede kans probeerde te krijgen, dan verkoos ik dat niet in te zien.)

'Hoi Rox! Alles goed?'

'Mmm, best.' Ze lag in de woonkamer op de bank te lezen, een lange gestalte onder een plaid, de onvermijdelijke beker zwarte koffie naast haar op de tafel. Op het omslag van het boek was een bleek meisje in een hooggesloten zwarte jurk te zien, met alle narigheid in haar leven duidelijk op haar gezicht afgetekend. Op Roxy's gezicht stond daarentegen helemaal niets te lezen.

'Leuk om je weer eens in de "gemeenschappelijke vertrekken" te zien,' zei ik, haar ironische term voor de zitkamer en de keuken. Ze bracht minstens negentig procent van haar tijd thuis in haar slaapkamer door.

Ze gaf geen antwoord en ik ging op de stoel bij de deur zitten, alsof ik net voorbijkwam, op weg naar de keuken. Ik keek weer naar het omslag. 'Ben je *Effi Briest* aan het lezen?'

'Ja, dat heb ik van Davis geleend. Het is echt heel goed.'

'Hij zei dat het een beetje op *Madame Bovary* leek.'

'Misschien.' Ze stond op het punt nog iets te zeggen, maar bedacht zich. Ze wilde haar literaire kritiek niet aan mij verdoen. Ik was veel te slecht belezen.

Ik bekeek haar gezicht, op zoek naar aanwijzingen van geheime kennis. Hoewel de Franse sessies met haar vakantie officieel waren geëindigd en het nieuwe semester op school was begonnen, had ze nog steeds contact met Davis. Ik hoorde hen vaak in de hal staan praten en ze ging graag even langs om over boeken te praten. Ik had hun gelach gehoord, die van haar schaterend, van hem laag en hees, als een soort vrolijk duet. Er kon onmogelijk een oorzakelijk verband bestaan, maar toch kreeg ik de indruk dat hoe meer ik hem meed, hoe meer Roxy hem opzocht. Ik had me zelfs af en toe afgevraagd of hij degene was die de band tussen hen in stand hield, opzettelijk, als een manier om indirect contact met mij te hebben.

'Roxy, begrijp me niet verkeerd, maar vind je niet dat je misschien een beetje te vaak bij hem zit?'

Ze keek op, met scherpe blik. 'Bij wie?'

'Bij Davis natuurlijk. Je moet wel bedenken dat hij tientallen leerlingen in zijn agenda heeft staan, misschien heeft hij niet eens tijd om zo vaak met jou te praten nu het semester is begonnen.'

Ze legde de roman plat op haar borst en begon haar paardenstaart in een strakke knot te draaien, terwijl ze mij geërgerd aankeek. 'Heeft hij dat gezegd?'

'Nee, nee, maar ik… nou ja, ik maakte me alleen zorgen dat jij misschien een beetje verkikkerd op hem was geworden.' Ik had al spijt van mijn woorden voordat ik het afschuwelijke grimas van minachting op haar gezicht zag verschijnen.

'Niet te geloven,' zei ze kribbig. 'Verkíkkerd? Denk je nog steeds dat ik twaalf ben?'

'Ik wilde alleen maar…' Ik hield mijn mond, verstrikt in mijn eigen woorden. Hoe kon ik me zo in de nesten werken? Ik staarde haar aan, zonder te weten of ik mijn excuses moest aanbieden of door moest zetten. Enkele centimeters onder haar smalende blik keek het kleinere gezicht van Effi Briest smekend naar me omhoog en ik kreeg de neiging om de plaid over het boek te trekken, zoals je het gezicht van een lijk bedekt. 'Hij zou je alleen maar met je Frans helpen, Roxy.'

'Ja, en daar hebben papa en jij sinds God mag weten wanneer over lopen zeuren. Ben je vergeten dat hij me klaar moet stomen voor Cambridge?'

'Maar je bijlessen zijn toch afgelopen? Bovendien weet ik niet eens zeker of dat zijn opdracht was.'

Daar moest ze hard om lachen. 'Natuurlijk wel. Je snapt het écht niet meer. Welke opdracht zou hij anders hebben?' En met de robotstem die Matt en zijn vriendjes gebruikten als ze *Doctor Who* speelden: '"Roxy moet naar Cambridge. Als missie mislukt, vernietigen." Dat is het enige waar jullie je om bekommeren.'

Ik knipperde verschrikt met mijn ogen. 'Roxy, dat is niet waar. Ik wil dat je naar de universiteit gaat waar jij je het gelukkigst voelt. Dat meen ik.'

Ze haalde haar schouders op. 'Nou ja, papa dan. Weet je, jullie zouden blij moeten zijn dat ik bereid ben om bijles te nemen. Of heb je soms liever dat ik met een stel coke-hoofden ga rondhangen?'

'Doe niet zo raar.' Ik staarde haar verbijsterd aan. 'Ja, hij is leraar, maar hij is ook onze huurder en we moeten zijn privacy respecteren.' Dit klonk zelfs in mijn oren heel onoprecht. Zou ik dat ook tegen haar zeggen als ik niet werd achtervolgd door mijn eigen recente verleden met hem, zo recent dat mijn lichaam nog steeds naar hem smachtte? Kwam deze aanpak van mij niet deels voort uit de behoefte om met iemand over hem te praten, om erachter te komen of hij had laten doorschemeren wat hij voor mij voelde? Als dat zo was, had ik de verkeerde persoon uitgekozen om mijn hart bij uit te storten en ik was absoluut niet voorbereid op wat ze daarna zei.

'Je bent jaloers.' Ze klonk kalm maar venijnig. 'Jaloers dat hij tijd aan mij besteedt. Je bent jaloers omdat hij de voorkeur geeft aan mij omdat ik jong ben en jij dor en oud!'

Ik hapte naar lucht, duizelend van de klap die haar woorden me toebrachten. Het was op zich al een schok om op zo'n manier door iemand te worden toegesproken, maar te moeten accepteren dat mijn dochter en ik misschien rivalen waren, laat staan rivalen om Davis' genegenheid, dat was echt niet te geloven. Verbijsterend en onnatuurlijk. Het ergst van alles was nog dat er een spoortje waarheid in school. Ik was inderdaad jaloers, alleen niet op de manier die zij dacht. Ik was jaloers op de ontspannen kameraadschap die zij met hem had en die ik tot voor kort ook had gehad en nooit terug zou krijgen: het gewone dagelijkse leven zonder te hoeven piekeren over dingen die onuitgesproken waren gebleven. Dat was de prijs die ik voor die bedwelmende tiendaagse zotheid had moeten betalen. Onze vriendschap was erdoor weggevaagd.

'Je moet echt niet denken dat ik me zelfs maar zal verwaardigen daar een antwoord op te geven.' Ik probeerde een onbewogen gezicht te trekken, maar het lukte me niet. Mijn adem was heet en snel. Ze zou ongetwijfeld merken dat ze een gevoelige snaar had geraakt. 'Ik raad je aan om nu onmiddellijk je excuses aan te bieden, anders...'

'Anders wat?' Ze hield haar hoofd scheef en keek me uitdagend aan. 'Anders hol je naar papa om te klikken dat ik onbeschoft ben? Alsof hem dat één mallemoer kan schelen.'

'Roxy, hou op! Je doet me echt verdriet.' Maar haar laatste opmerking zette me wel aan het denken. Wat was dit in 's hemelsnaam voor idee dat het Alistair niets kon schelen? Ze had dat nu al twee keer gezegd in een gesprek dat nog geen vijf minuten had geduurd. Waarom, dacht ik, waarom nu, terwijl ze net twee weken met hem had doorgebracht? Was dat niet bij uitstek de gelegenheid voor vader en dochter geweest om gezellig bij elkaar te zijn?

Omdat de nieuwe baby binnen een maand zou worden geboren, daarom. Omdat ze diep in haar hart bang was dat ze aan de kant zou worden geschoven. Ik herinnerde me nog mijn eigen angstige gevoelens over de komst van Tash, nota bene mijn volle zusje, terwijl het huwelijk van mijn ouders boven alle twijfel verheven was. Had Alistair het daar tijdens de vakantie met Roxy over gehad? Hij had het vaak over 'sleutelherinneringen' en 'unieke ervaringen', alsof deze losse stukjes kinderjaren opwogen tegen de aanzienlijk langere perioden waar de rest van het leven uit bestond. Hij vond het leuk om voor mooie dromen te zorgen, terwijl ik de lunchpakketten en de schone was voor mijn rekening kon nemen. Ja, het was best mogelijk dat hij met opzet niet over de nieuwe baby had gepraat omdat hij hun laatste grote gezamenlijke avontuur door niets wilde laten bederven. In die context was de link met Davis niet moeilijk te doorgronden; hij was voor Roxy een soort tijdelijke vaderfiguur geworden, terwijl haar echte vader zich opmaakte om de rest van zijn leven met een ander gezin door te brengen.

'En mam?' vroeg Roxy, ongeduldig van het wachten. 'Had je nog wat?' Ze hees zich wat verder overeind, voldoende geprikkeld om me haar volle aandacht te geven.

Maar ik droop af. Ik was al opgestaan en naar de deur gelopen. 'Ik heb geen zin om met je te kibbelen, Roxy. Ik wilde alleen maar weten of alles goed met je is. Dit is zo'n belangrijke tijd voor je...'

'Bla, bla, bla.' Ze liet zich vermoeid weer onderuitzakken. 'Jij bent degene die begon. Ik lag gewoon te lezen.'

Hoe schokkend dit incident ook was, het vertelde me in elk geval dat ze niets over Davis en mij wist. Ze kon echt geen enkele reden hebben om met zoiets persoonlijks als dat te komen. Toch moest ik zorgen dat hier een eind aan kwam. Het was al erg genoeg dat ik mijn gevoelens voor Davis moest onderdrukken terwijl mijn dochter met hun groeiende vriendschap liep te pronken.

Frustrerend genoeg duurde het een paar dagen tot ik hem weer zag zonder dat Roxy of Matthew in de buurt waren en tegen die tijd waren mijn emoties zo verhit dat ik niet langer stil kon zitten en urenlang door de flat liep te ijsberen, in een staat van opwinding die extra kwellend was omdat ik die zelf had opgeroepen. Toen deed het moment zich eindelijk voor. Het was halverwege de middag en hij was in de tuin. Ik zag hem vanuit de keuken op een van de parkbanken niet ver van Abi's terras zitten, verdiept in zijn boek. Zelfs dat maakte me woedend: was ik dan de enige hier die geen tijd had om lui met een boek te gaan zitten?

Ik daverde de brandtrap af, bijna zonder te kijken waar ik mijn voeten neerzette, en begon met grote passen over het gras te lopen. Ik haatte hem omdat hij er zo onschuldig uitzag, de minzame professor met zijn hoofd in zijn boek, terwijl hij in een schrift aantekeningen maakte, omwille van de plaatselijke jeugd. En ik haatte hem om zijn aantrekkingskracht, die zelfs in zijn alleenzijn duidelijk was: in de tijd die ik nodig had om bij hem te komen, had hij twee keer gereageerd op een zwaai of een groet van iemand buiten mijn gezichtsveld. Wat was hij hier in Francombe Gardens populair geworden. De mensen voelden zich van nature net zo tot hem aangetrokken als ik, en hij kende al meer bewoners dan ik! In gedachten zag ik hoe Abi hem cappuccino en biscotti bracht, hoe andere mensen hem te eten vroegen of hem kaartjes voor het theater aanboden zonder dat iemand op het idee kwam mij uit te nodigen.

Bij het geluid van mijn voetstappen (of misschien mijn gehijg en gepuf) keek hij op en glimlachte. Toen legde hij zijn rechterarm over de rugleuning van de bank, in een uitnodigend gebaar. 'Kate! Wat leuk. Dat is lang geleden...'

'O, begin nou niet zo! ' Ik ging helemaal op het uiteinde van de bank zitten, buiten het bereik van zijn hand en lachwekkend opzij gedraaid, als een spion die informatie moet doorgeven schijnbaar zonder contact te maken. Ik had me nooit eerder zo gedragen en hij begreep er dan ook niets van.

'Wat is er in 's hemelsnaam aan de hand?' Hij trok zijn arm weg en boog zich naar voren. 'Is er iets gebeurd?'

'Wat er aan de hand is,' siste ik, niet langer in staat me te beheersen en hem recht in de ogen kijkend, 'is dat ik niet wil dat jij iets tegen Roxy zegt. Over ons.'

Hij trok zijn wenkbrauwen bezorgd op. 'Waarom zou ik dat willen doen?' In tegenstelling tot mijn houding was zijn toon redelijk, zijn lichaamstaal open en natuurlijk. Ik was bang dat hij zijn arm misschien weer uit zou steken en mijn hand of mijn haar zou aanraken, zodat ik volledig zou instorten.

'Nou, ze komt anders wel erg vaak langs, hè?' zei ik. 'Je zou misschien iets tegen haar kunnen zeggen zonder dat je het zelf in de gaten hebt...'

Hij zuchtte. 'Toe zeg, vertrouw me alsjeblieft nog een beetje.'

Ik kneep mijn lippen zo stijf op elkaar dat het bijna pijn deed, alsof ik niet wilde dat ze zich zouden herinneren dat hij ze ooit had gekust. 'Nee Davis, ik kan dat risico niet nemen. Kun je niet tegen haar zeggen dat je geen tijd hebt om te praten? Haar gewoon een beetje ontmoedigen tot ze vanzelf ophoudt?'

Davis ging zachter praten en ik vroeg me af of hij me op die manier dichterbij wilde lokken. 'Tja, dat zou ik kunnen doen. Maar ik moet zeggen dat het een heel vreemde indruk op haar zal maken als ik alle contact verbreek. Ze heeft nog steeds bijles nodig in verband met haar toelating tot Cambridge. En wat zal haar vader zeggen als ik onze overeenkomst zonder enige toelichting verbreek?'

Ik staarde hem aan. 'Wat voor overeenkomst? Alistair weet dat die bijles alleen maar voor de zomer was.'

Davis fronste zijn wenkbrauwen opnieuw. 'Ik dacht dat je dat wel wist... Hij heeft me vorige week gebeld om te vragen of ik met haar verder wilde gaan tot haar toelatingsgesprek voor Cambridge – als ze daarvoor wordt uitgenodigd, natuurlijk, hoewel ik er niet aan twijfel dat ze graag...'

Ik viel hem met een verschrikte kreet in de rede. 'Dit is niet te geloven! Hoe is hij aan je nummer gekomen?'

'Ik veronderstelde dat jij het hem had gegeven.'

'Grote hemel.' De vlammen sloegen me aan alle kanten uit. Alistair wist het! Hij moest het van Davis en mij hebben ontdekt en zich ermee bemoeid hebben om Davis in zijn macht te krijgen. Toen ontspande ik me een beetje. Dat was onzin en ik was dankbaar dat ik het niet hardop had gezegd. Elk idee dat Alistair mijn emotionele leven zou blijven volgen sproot voort uit mijn heimelijke wens in die richting. Toch beviel dit me niets, ik vond het niets dat het kleine beetje autoriteit dat ik nog binnen mijn gezin bezat me werd afgenomen, dat er zonder mijn medeweten besluiten werden genomen en discussies plaatsvonden.

'Dat is hij dan kennelijk vergeten,' zei ik ten slotte. 'Iedereen vergeet wel eens iets te vertellen.'

'Ja, natuurlijk.'

'Maar Roxy had me dat horen te vertellen.' Dat was alweer niet waar, want het was heel begrijpelijk dat ze dat niet had gedaan. Ze had immers de opzet van de bijlessen van die zomer heel terloops genoemd. 'O, trouwens, Davis zegt dat hij me nog wat extra zal bijspijkeren...' Bij nader inzien was ik daar ook niet over geraadpleegd.

Davis ging verder. 'Als ik nu weiger haar te ontmoeten, zal ze echt weten dat er iets is gebeurd. Ze is niet op haar achterhoofd gevallen.'

'Weet ik.' En haar vader ook niet. Davis had gelijk. Alistair zou zeker willen weten waarom die geweldige bijlesleraar van zijn dochter opeens niet meer beschikbaar was. Ik zag hem in gedachten Davis een tweede keer bellen, om hem over te halen weer 'aan de slag te gaan', hem nieuwe financiële lokkertjes bieden om Roxy over de laatste hindernis te helpen.

Davis boog zich naar me toe, toen hij mijn capitulatie bespeurde. 'Het spijt me als je je hierdoor overvallen voelt, Kate, maar je kunt ervan verzekerd zijn dat ik Roxy niets over ons zal vertellen.'

'Jij misschien niet.' Ik dacht opeens aan Abi en de telefoontjes waarin ik haar om raad had gevraagd en had gepocht over mijn nieuwe seksuele avonturen. Ik had haar gevraagd discreet te zijn, maar ze had alles natuurlijk wel aan Seb doorverteld. Aan wie anders in het gebouw zou een van hen het nog meer kunnen hebben verteld? Een afgeluisterd gesprek in de tuin – Matthew bracht zijn halve leven op de speelplaats door; wat geroddel in de hal – Roxy liep diverse keren per dag in en uit. Ja, ze leefden in hun eigen wereld, maar dat betekende niet dat ze doof waren. En als bovendien een van hen op de volgende aflevering had zitten wachten, dan bracht ik die nu, door me zo zot te gedragen in de gemeenschappelijke tuin. Ik had niet méér op een afgewezen minnares kunnen lijken.

'Het bevalt me helemaal niets dat we elkaar niet meer spreken,' flapte ik eruit. 'Het is zo'n raar gevoel.'

Davis schudde hulpeloos zijn hoofd. 'Kate, mag ik je eraan herinneren dat jij degene was die een punt zette achter onze...' – hij zweeg even om het woord te zoeken – '...liaison.'

Belachelijk genoeg voelde ik dat mijn lichaam geprikkeld reageerde op het woord, op de manier waarop hij de tweede lettergreep iets langer uitrekte dan nodig was. Alsof hij hem op zijn tong wilde proeven, mij wilde proeven... Ik wist niet zeker of ik me, als hij me daar ter plekke voor de ogen van een stuk of honderd buren had vastgegrepen, niet op slag zou hebben overgegeven.

'Ik heb er geen púnt achter gezet,' zei ik terwijl ik omlaag keek, maar toen ik weer opkeek zag ik de bezorgde frons van een vriend, niet van een minnaar. Ik had kunnen janken van teleurstelling.

'Nou, ik dacht dat het was wat jij wilde,' zei hij. 'We hebben sindsdien geen twee woorden met elkaar gewisseld en elke keer als ik je zie, ga je er als een haas vandoor. Ik dacht zelfs dat je me meed.'

'Natuurlijk mijd ik je!' riep ik onredelijk. 'Je weet dat ik niet de een of andere stiekeme affaire kan hebben als mijn kinderen in de kamer ernaast zitten. Dat is walgelijk!'

Nu keek hij een beetje gekwetst. 'Ik kan dat niet echt "walgelijk" noemen, hoor. Twee volwassenen die er allebei mee instemmen...'

'Maar als Matthew iets zou horen van wat wij...' Ik zweeg, sloeg mijn handen voor mijn gezicht bij het idee van een jongetje dat zijn moeder met haar minnaar betrapt, met de man van wie hij dacht dat het een buurman was, een vriend van de familie.

'Goed,' zei Davis. Hij gooide het over een andere boeg en nam de sussende toon van een therapeut aan. 'Ik begrijp het volledig, uiteraard. Het is precies wat ik ook dacht.'

'Goed,' herhaalde ik. Dat was een wel heel snelle instemming van zijn kant, bijna wreed door de gemakkelijke manier waarop. Al die veronderstellingen! Had hij niet iets tastbaars gewild, iets reëler? Hij had mij er toch ook naar kunnen vragen? Maar ik besefte ineens dat ik in alles mijn zin wilde hebben. Ik wilde dat hij zich gekwetst zou voelen door mijn terugtrekken, dat hij me zou smeken door te gaan, dat hij me nog steeds zou begeren. Hoe dit ook af mocht lopen, of hij Roxy nu wel of niet zou blijven coachen, ik wist dat ik er niet gelukkig mee zou zijn. Ik had de greep op de situatie verloren. En dit was precies waarom ik mezelf al die jaren had verboden een nieuwe relatie te beginnen, om ervoor te zorgen dat ik niet opnieuw in zo'n verwarde en machteloze positie zou belanden.

Davis fronste opnieuw zijn voorhoofd. 'Hoor eens, Kate, natuurlijk moeten we met elkaar praten. We zijn tenslotte volwassen, we kunnen vriendelijk zijn. Maar ik zal me op een afstand houden als jij dat wilt. Bovendien komt Roxy tegenwoordig naar mij toe voor haar lessen, dus zul je mij niet zo vaak hoeven zien.' Toen hij me aankeek met een meelevende blik, met een blik van oprechte verloochening, had ik het liefst tegen hem gegild: 'Het laatste dat ik wil, is jou nooit meer zien! Snap je dat dan niet?'

Ik moest hier weg voordat ik helemaal instortte. De waarheid werd doordrenkt van ieder nieuw woord vol protest, een waarheid te schokkend om tegenover een ander dan mezelf te erkennen. Wat ik wilde was dat schemerleven terug, weer die persoon zijn, vergeten dat er een dochter was om ruzie mee te maken, een zoon om te beschermen en een ex-man om te missen. Onbewust kunnen handelen, met geen ander doel dan het genot van mijn lichaam, weer zijn minnares kunnen zijn. Dat was wat ik wilde en ik had geen idee hoe ik mijn gevoelens op dit punt onder de duim moest houden.

Ik keek hem smekend aan, dwong hem in gedachten me te begrijpen. Nu maakte hij eindelijk fysiek contact, door mijn hand teder in de zijne te nemen en er een vaderlijk kneepje in te geven. 'Misschien kun je beter weer naar boven gaan om wat te kalmeren. Je trekt alles helemaal uit het verband. Er is echt niets om je zorgen over te maken.'

Terug in de flat liep ik regelrecht naar de keukenla die ik voor persoonlijke papieren had gebruikt sinds ik mijn studeerkamer aan Davis had afgestaan. Daar lag het, precies zoals ik dacht, in een blauwe plastic map met 'Verhuur flat' erop: een kopie van de huurovereenkomst die door de makelaar was opgesteld en eerst door Davis en daarna door mij was getekend. Mijn ogen zochten snel, bedreven na jaren ervaring met documenten die cliënten me onder de neus duwden. (Ze konden er zelf geen touw aan vastknopen en verwachtten toch dat ik binnen een paar seconden de vinger op de zere plek kon leggen.) Ik vond de clausule die ik zocht op de derde pagina. Dacht ik het niet: er was een clausule om het contract na zes maanden open te breken. Ieder van ons kon nu met de termijn van een maand de huur beëindigen na zes maanden. Hij was er in april in getrokken, vlak na Pasen. Het was nu september. Ik telde de maanden op mijn vingers: april, mei, juni...

Daarna, zonder mezelf de tijd te gunnen om van gedachten te veranderen, pakte ik pen en papier en begon te schrijven:

Beste Davis,
Het spijt me heel erg dit te moeten doen, maar na lang overwe-
gen lijkt het me beter als jij vertrekt. Beschouw dit alsjeblieft als
het bericht dat je Francombe Gardens 8 op zaterdag 13 oktober
dient te hebben verlaten.
Ik hoop ten zeerste dat deze kwestie op minnelijke wijze kan
worden afgehandeld.
Ik zal uiteraard met alle genoegen een referentie ten aanzien
van de huur willen verschaffen.
Met vriendelijke groet, Kate

Ik vouwde het briefje dubbel en schoof het onder zijn deur. Het
was grof, hoogst onredelijk, maar ik verkeerde in een onmogelijke situatie. Dit te moeten doen schonk me geen voldoening, het
was eerder kiezen tussen twee kwaden. En ik wist dat ik, nadat
hij was vertrokken, verpletterd van verdriet zou zijn en in mijn
kussen zou liggen huilen, net zoals ik had gehuild toen Alistair
was vertrokken. Dat afschuwelijke stille huilen dat niet volledig
kon worden geventileerd voor het geval de kinderen het hoorden
en bang zouden worden. Voor de duizendste keer verwenste ik
mezelf omdat ik in deze val was getrapt, omdat ik me aan al
deze begeerte had overgegeven. Het was precies zoals ik had gevreesd: ik had mijn zelfbeheersing verloren en daarmee het risico
gelopen de kinderen pijn te doen. Nou, deze keer zou ik er in elk
geval voor zorgen dat het een betrekkelijk kortstondige kwelling
zou zijn. Davis zou verdwijnen, Roxy zou het allemaal niets kunnen schelen. Alistair zou op de een of andere manier wel het
zwijgen worden opgelegd en morgen zou ik de school vragen om
aanbevelingen voor een nieuwe Franse bijlesleraar.

Ik was naar de supermarkt toen hij terugkwam uit de tuin,
maar toen ik langs zijn deur naar mijn deur liep, hoorde ik de
vertrouwde geluiden van huishoudelijke bezigheden, de ketel en
de radio, het doortrekken van de wc. Ik stapte mijn huis binnen
en begon de boodschappen uit te pakken, waarbij ik elk pak, elk
blik en iedere fles beurtelings beetpakte en me afvroeg welk artikel ik in mijn vingers zou houden als hij het briefje eindelijk
had gelezen en op de deur zou kloppen.

Smoothies, dat was mijn antwoord, de flesjes die ik voor Roxy kocht. Een kilo bessen samengeperst tot een vingerhoedje vloei-stof, zoiets. Hersenvoedsel. Ik liep naar de deur om open te doen en knipte onderweg het licht in de hal uit. Ik wilde zijn gezicht niet verlicht door een spotje voor me zien, niet zijn gerechtvaar-digde woede om mijn verraad.

Hij hield de brief in zijn vingers terwijl zijn voeten en ogen ge-agiteerd heen en weer gingen. 'Wat heeft dit te betekenen, Kate? Ben je nou helemaal gek geworden?'

Ik sloeg mijn armen beschermend om me heen en had de grootste moeite om de emotie uit mijn stem te weren. 'Davis, ik moet je vragen te gaan. Het is de enige uitweg.'

'Uit wat? Ik dacht dat we zojuist waren overeengekomen deze zomer te vergeten?' Hij zag er oprecht verbijsterd uit, maar ook vermoeid, vreselijk vermoeid, alsof hij maar al te goed op de hoogte was van de ingewikkelde mysteries in de omgang met vrouwen. Misschien moest hij aan zijn ex-vrouw denken en ik voelde een nieuw verdriet omdat ik in hetzelfde vakje zou wor-den ingedeeld als zij, omdat ik van heden naar verleden werd overgeplaatst.

'Ik kan het niet vergeten,' zei ik kalm, 'dat is het probleem. Ik kan het niet vergeten zolang jij hier woont. En zelfs als je weg-gaat wil ik niet dat je enig contact hebt met ons, met wie dan ook van ons. Ik zal een andere bijlesleraar zoeken voor Roxy.'

'Dit is krankzinnig!' riep hij uit.

'Ik weet dat het onredelijk van me is, maar ik moet zelfzuchtig zijn, voor deze ene keer moet ik doen wat het beste is voor mij.'

'Maar waarom, Kate? Waarom is dit het beste voor jou?' Zijn stem klonk nu wanhopig. 'Ik wil hier niet weg, dat weet je. Ik ben hier erg gelukkig. Kunnen we hier niet over praten? Ik dacht dat we zo goed met elkaar overweg konden, jij en ik.'

Ik deed mijn ogen dicht, met pijn in mijn buik en een droge keel. Zelfs in dit schemerlicht wist ik niet of ik het kon verdragen zijn reactie te zien op wat ik ging zeggen, om er getuige van te moeten zijn hoe hij me voor eens en voor altijd zou afwijzen. Maar hij zou weggaan, hij zou weggaan, herhaalde ik in mezelf. Ik zou het zeggen en dan zou hij weggaan en dan zou ik mezelf nooit meer hoeven verwijten dat ik een lafaard was. Voor ie-mand als ik, die zichzelf na afloop zo kwelde, moest het beter zijn om waarachtig te zijn. 'Het punt is, Davis, dat jij het "goed overweg kunnen" noemt, dat het voor jou dat is, en dat is natuurlijk mooi. Maar ik... ik denk dat ik verliefd op je ben geworden.' Mijn stem stierf weg, stierf weg van ellende.

De vingers die de brief vasthielden werden slap en zijn mond viel open. 'Verliefd?'

Ik knikte, opeens in staat mijn hoofd hoog te houden en contact te maken. Mijn ontreddering had me even verlaten, althans voor dit moment. Er school een soort kracht in eerlijkheid, hoe ongemakkelijk die ook werd ontvangen. 'Ja, het is pathetisch, dat weet ik, dat hoef je me niet te vertellen. We zijn alleen maar een paar keer met elkaar naar bed geweest, ik zou het moeten accepteren voor wat het was. Maar dat kan ik niet, en het maakt het voor mij onmogelijk om verder te gaan zoals de dingen nu zijn. Het punt Roxy is van geen belang. Ik kan je niet hiernaast hebben wonen, dat zul je toch moeten begrijpen.'

Er viel een stilte. Ik wachtte tot hij zich zou omdraaien en zou verdwijnen. Het is maar een paar weken, zei ik tegen mezelf, een kwestie van dagen eigenlijk, om af te strepen op de keukenkalender voordat hij gaat en ik kan beginnen met vergeten dat hij hier ooit is geweest. Er zal iemand anders komen wonen, iemand als die advocate die ik meteen had moeten nemen. Het leven zal weer normaal worden, dat moet.

'Er is een andere manier, weet je.' Davis' stem klonk nu heel anders, lief, intiem, waardoor mijn volle aandacht werd getrokken, op dezelfde manier als wanneer we samen naar bed waren geweest. Onwillekeurig boog mijn lichaam zich naar hem toe.

'Wat dan?' Ik durfde nog steeds niet op meer te hopen dan op een discreet terugtrekken, een belofte dat hij zou doen wat ik vroeg en nooit meer terug zou komen om mij te herinneren aan mijn val.

Hij schraapte zijn keel en probeerde een kleine glimlach. 'Je zou met me kunnen trouwen.'

'Met je tróúwen?' Nu was ik degene die met open mond stond. 'Dat is krankzinnig!'

Ik dacht dat ik hem zag slikken, hem de beheersing over zijn keelspieren zag verliezen.

'Wil je?' vroeg hij, op dringende toon, en hij deed een stapje in mijn richting. 'Je hebt zojuist gezegd dat je van me houdt.' Zijn arm viel naast zijn lichaam en toen de brief uit zijn hand viel, keek ik er vol verbazing naar, alsof ik wachtte tot een vlinder op zijn uitgestrekte vingers zou landen.

En toen hoorde ik mezelf ja zeggen.

12

Het leek volmaakt passend in mijn situatie dat Victoria, na mijn oorspronkelijke huwelijk van me te hebben gestolen, ook alle aandacht opeiste bij de aankondiging van mijn tweede huwelijk, door drie weken te vroeg een meisje ter wereld te brengen. In de afgelopen maanden had ik me voortdurend afgevraagd of er vanuit het standpunt van mijn kinderen enige voorkeur voor een jongen of meisje zou zijn en ik had uiteindelijk besloten tot een meisje. Matthew, die zoveel jonger was dan Roxy, zou ongetwijfeld meer uit zijn evenwicht worden gebracht door de komst van weer een jongen, terwijl zij, reeds volwassen (ik begon me, technisch gesproken tenminste, aan dat gegeven aan te passen) een pasgeborene toch niet als een directe rivale zou kunnen zien. Met een leeftijdsverschil van bijna achttien jaar zou ze zich hoogstwaarschijnlijk eerder een tante dan een zusje voelen.

Toen was er dat akelige gesprek over Davis geweest en haar opmerkingen over Alistair die het allemaal niets kon schelen, waardoor ik op de valreep een ommekeer had gemaakt: een jongen, alsjeblieft, Victoria. Dat zou veel beter zijn. Matthew en ik waren hecht genoeg om mij in staat te stellen hem te verzekeren dat hij nog steeds nummer één was, maar Roxy en ik waren dit duidelijk niet en iedere geruststelling die ik bood zou misschien juist als bemoeizucht worden uitgelegd.

Maar uiteraard voldeed Victoria niet aan deze wens en zette toch een meisje op de wereld. Ze heette Elizabeth. Elizabeth Susan Easton. Ik stelde me voor dat Alistair zei: 'Ik heb onze dochter een "artistieke" naam gegeven. Deze keer doe ik het goed.'

De kinderen hoorden het nieuws eerder dan ik. Het was de dinsdagavond nadat Davis me ten huwelijk had gevraagd en de eerste keer dat ik die twee langer dan een halve minuut bij elkaar had. Ik had nu de perfecte gelegenheid. Ik had Matthew uit school opgehaald en we waren vlak voor Roxy thuisgekomen, die van plan was de hele avond thuis te blijven om een werkstuk te maken. Maar toen, juist op het moment dat ik aankondigde dat ik hun iets belangrijks te vertellen had, ging de telefoon – Ethan, van het werk, die iets over het rooster van de volgende week wilde bespreken – en ik stuurde het tweetal weg om iets in de keuken te drinken te nemen en daar op me te wachten. Voor deze keer werkten ze mee en waren aan de keukentafel gaan zitten met warme chocola.

Ik haalde diep adem. Ik had het heel moeilijk gevonden mijn nieuws voor me te houden, maar ik had het van groot belang gevonden hun dit gelijktijdig te vertellen. Als een van hen (Roxy) dit van de ander (Matthew) te horen zou krijgen, of van wie dan ook behalve van mij, zou het op zijn best als onattent van mijn kant worden beschouwd en in het ergste geval zou het catastrofaal uitpakken. Davis had aangeboden het nieuws samen met mij te vertellen, uiteraard voor het geval er problemen zouden rijzen, maar ik had dat afgeslagen. Wonderlijk, hoeveel zelfvertrouwen onze verloving me had geschonken. Hoe onverwachts het ook allemaal was, ik zou de juistheid ervan te vuur en te zwaard hebben verdedigd. Het was niet zo dat ik alleen Davis liefhad, ik wist dat Roxy en Matthew ook erg op hem gesteld waren. (Anders had ik toch zeker nooit met hem willen trouwen?) Toch was hij pas een paar maanden geleden in ons leven gekomen en zou deze ontwikkeling wel veel verbazing bij hen wekken. Dit was het belangrijkste jaar in Roxy's leven, zoals iedereen op het westelijk halfrond inmiddels wel moest weten, en er moest heel voorzichtig met timing en andere punten van logistieke aard worden omgesprongen. Het zou wel eens een lang en moeizaam gesprek kunnen worden.

'Jongens, er is iets wat ik jullie wil vertellen...' begon ik, maar Roxy viel me onmiddellijk in de rede, aanzienlijk levendiger dan toen ik hen een kwartier geleden alleen had gelaten.

'Laat maar, mam, we weten het al.' Ze hield haar mobieltje omhoog en mijn maag kromp ineen. Had Davis ondanks mijn wensen toch iets laten doorschemeren? Maar toen ontspande ik me weer. Ze vonden het kennelijk best, wat hij ook mocht hebben gezegd, zoals ze daar in hun chocolademelk zaten te blazen en enthousiaste gezichten naar elkaar trokken.

'Echt?' vroeg ik voorzichtig.

'Ja, pap heeft me een sms-je gestuurd toen jij aan de telefoon was. Hij zei dat ik het aan Matt moest vertellen. We hadden het er nu net over.'

Ik staarde hen niet-begrijpend aan terwijl Matt bevestigend knikte. 'Heeft pápa het jullie verteld?'

Roxy glimlachte. 'Ja, wie anders? Je dacht toch niet dat de vroedvrouw zou bellen?'

'Die heeft haar handen nog onder het bloed,' voegde Matt eraan toe en Roxy trok een vies gezicht en schopte met haar blote voet tegen zijn been onder de tafel. 'Getver, hou je mond, wat smerig!'

Eindelijk viel het muntje. 'O, ik begrijp het, de baby is geboren. Nou, dat is vroeg.'

Ik ging aan de tafel zitten en zette snel alle gedachten aan mijn eigen zorgvuldige scenario van me af en richtte me in plaats daarvan op het beoordelen van hun reactie op deze andere, al even schokkende mededeling. Roxy probeerde zich kalm voor te doen, maar ik kon zien dat ze opgewonden was. Ze had een felle blos op haar wangen en in haar hals, een uiterlijk teken van haar emoties. Dit was een groots gebeuren, dit was iets wezenlijks voor ieder mens. Zelfs zij was gevoelig voor een primaire reactie op een nieuw leven. Maar toen ik wat aandachtiger keek, leek me dat Matthew een beetje uit zijn evenwicht was gebracht, wellicht geschokt door het feit van de vroegtijdige geboorte, of waarschijnlijker, dat Alistair hem niet rechtstreeks had bericht. Hij had nog geen eigen mobieltje.

'Heb jij papa gesproken?' vroeg ik hem zacht.

'Nee.'

'Misschien probeerde hij ons zojuist te bereiken, net toen ik voor mijn werk aan de telefoon was.'

Matt fronste zijn voorhoofd. 'Zal hij ons vanavond meenemen om bij Elizabeth te kijken?'

Ik greep zijn hand en had het liefst met mijn andere hand die van Roxy gepakt, maar zij hield haar handen stevig om de beker geslagen en ik zou het bovendien niet hebben gedurfd.

'Misschien is het nog een beetje te vroeg, lieverd, als ze net is geboren. Weten we hoe de geboorte is verlopen?'

147

'Een keizersnede,' zei Roxy, met een enigszins afkerig gezicht. Ik moest inwendig even lachen: ze verschilde niet zo veel van haar broer waar het gruwelijke details betrof. 'Nog geen zes pond. Vrij klein. Maar in papa's bericht stond dat ze het allebei goed maken.'

Ik knikte. 'Oké, nou, bel hem anders nu maar even en vraag wanneer we je nieuwe zusje mogen komen bekijken. Morgenavond misschien, na schooltijd.'

'We?' vroeg Roxy op scherpe toon. 'Bedoel je dat jij meegaat?'

'Ik zou jullie in elk geval naar het ziekenhuis kunnen brengen en bij de receptie wachten of zo. Maar we moeten nu bedenken wat we als cadeautje voor de baby mee kunnen nemen. Enig idee?'

Het tweetal wisselde een ongelovige blik. Dit was niet de benadering die ze van mij hadden verwacht en ik schaamde me dat ze in plaats daarvan misschien op een soort zenuwinstorting hadden gerekend of op zijn minst een moeizaam bedwongen aanval van verbittering. Voor de eerste keer kwam het in me op dat ik een complicerende factor moest zijn in het verwerken van hun eigen emoties over de baby. Ze waren uiteraard enthousiast en blij – het natuurlijke begin van een nieuwe liefde – maar ze wilden mijn gevoelens niet kwetsen door dit te duidelijk te tonen. Ik moest hun laten weten dat ik niet van plan was moeilijk te doen.

'Dit is fantastisch, jongens, jullie hebben een zusje! Kom, laten we papa nu meteen bellen.' Ik zette alle voorzichtigheid overboord en greep ten slotte toch naar Roxy's hand en zij liet me die beetpakken. De glimlach die volgde was oprecht en ik voelde me absurd blij bij het zien ervan.

'Voorzichtig,' zei Matt. 'Misschien is hij bij de baby en we moeten haar niet wakker maken als ze slaapt.'

'Je hebt gelijk, of misschien heeft hij zijn telefoon uitgezet. Dan kunnen we een bericht achterlaten. Als jíj nu eens wat inspreekt, lieverd? Zeg gewoon maar dat je graag zo gauw mogelijk op bezoek wilt komen.'

Matt grijnsde en boog zich naar me toe, met zijn hoofd over het scherm van mijn mobieltje terwijl ik het nummer opzocht. Ik besefte dat die opgewekte houding van mij minder toneelspel

was dan je zou denken. Ik was nog steeds opgetogen bij de gedachte aan mijn verloving met Davis en daardoor kon ik oprecht
in Matts enthousiasme delen, om nog maar te zwijgen van het
begrip opbrengen voor Roxy's voorzichtige blijdschap. Ik sloeg
mijn arm om Matts rug. Hij verdiende niet minder en zij ook
niet. Misschien was Victoria's timing toch wel heel goed geweest.

'Wat wilde jij ons gaan vertellen?' vroeg Roxy opeens. 'Toen je
binnenkwam? Je wist toch nog niets van de baby voordat wij het
je vertelden?'

Ik drukte op 'bellen' en gaf de telefoon aan Matt. 'O, pieker
daar maar niet over. Dat kan wachten.'

De hal van het ziekenhuis was een door architecten ontworpen
weelde van met bladgroen pluche bekleed meubilair en geuren
van etherische oliën – slechts enkele discrete veiligheidsaanpas-
singen wezen erop dat dit wel degelijk een medische instelling
was – en ik besloot dat ik het geen punt vond om hier een uur in
mijn eentje te moeten doorbrengen terwijl de kinderen hun nieuwe zusje gingen bekijken.

'Wauw, dit lijkt wel een hotel. Ik denk dat ik maar eens een
cocktail ga bestellen,' grapte Roxy. 'Waar is de serveerster?'

'Bestel er dan ook een voor mij,' deed ik mee en genoot van
haar zeldzame lach. Sinds het bericht over de baby gisteren hadden we met ons drieën een saamhorigheid ervaren die ik dolgraag
vast zou willen houden, maar ik wist uit ervaring dat zoiets met
tieners nooit lang kon duren.

We wilden net gaan zitten toen Alistair uit een geruisloze lift
links van de receptie tevoorschijn kwam en naar ons riep. Ik
werd helemaal slap in mijn knieën toen ik hem zag. Hij zag eruit
zoals ik hem slechts twee keer eerder had gezien: de dag na de
geboorte van onze kinderen, met op zijn gezicht een mengeling
van vermoeidheid en vreugde. Hij bleef maar glimlachen en toen
hij de kinderen omhelsde, kreeg hij tranen in zijn ogen.

'Gefeliciteerd,' zei ik, en ik gaf hem de cadeaudoos met bad-
spullen die we voor de baby hadden uitgezocht. 'We hebben geen
bloemen meegenomen omdat Roxy had gelezen dat sommige
patiënten daar allergisch voor zijn en ziekenhuizen het liever niet
hebben.'

'We dachten dat Elizabeth misschien hooikoorts zou hebben,' viel Matt me bij. 'Maar dat weet je nu misschien nog niet.'

Alistair woelde door zijn haar. 'Heel verstandig, makker.' Hij keek mij aan en aarzelde. 'Dank je wel dat je ze hebt gebracht.' Hij wist uiteraard dat Roxy inmiddels haar rijbewijs had. 'Wil je... wilde jij ook mee naar boven?'

Ik glimlachte. In gedachten zag ik Victoria's gezicht al. 'Nee, dank je, ik wacht hier wel. Jullie moeten maar even onder elkaar zijn. Misschien een volgende keer.'

Hij keek me even doordringend aan, alsof hij getuige was van een wonder en knipperde toen met zijn ogen, mogelijk omdat hij zich herinnerde dat het echte wonder zich gisteren in de operatiekamer had voltrokken.

'Kom mee, jongens, waar wachten we nog op?'

Ze liepen samen naar de lift, Roxy slank en modieus in een strakke rode spijkerbroek en een zwart jasje, een lange zijden sjaal wapperend over haar schouders, Matt in een nieuwe kaki broek, lang en elegant. Was het mijn verbeelding, of begonnen zijn schouders al breder te worden? De receptioniste keek op toen ze voorbijkwamen en volgde hen onwillekeurig met haar blik terwijl ze ongetwijfeld bedacht wat voor knap gezin dit was. Als ze me had opgemerkt en hoe dan ook nog aan mij had gedacht, zou ze me waarschijnlijk voor een ongetrouwde tante aanzien. Nou, dacht ik, dan heeft ze het mis. Ik heb ook een eigen leven.

Ik bladerde door een reistijdschrift en peinsde wat over huwelijksreizen. Door het oponthoud in het vertellen van het nieuws begon mijn nieuwe huwelijk snel in een privédroomwereld te veranderen, als een fantasie uit mijn puberteit, die in afleveringen voort kon gaan als een soapserie. Ik moest steeds weer aan Davis' aanzoek denken, aan zijn nerveuze ogen en verkrampende hals, zijn plotselinge overgave aan de gevoelens die hem moesten hebben gekweld, net zoals ze mij hadden gekweld. Door het nieuws van Alistair en onze eigen drukke bezigheden hadden we elkaar sindsdien nauwelijks meer gezien, hoewel ik er meer dan wat ook ter wereld naar verlangde bij hem te zijn. We hadden eerder vandaag twee uur samen weten te regelen en hij had gedaan alsof hij moest lachen om de gretige manier waarop ik rechtstreeks naar bed wilde.

'Misschien moeten we eerst op ander gebied wat inhalen? Ik zal even koffiezetten.'

'Ga me nou niet vertellen dat je van gedachten bent veranderd,' zei ik, bij wijze van grap, want zijn aanzoek was zo plotseling gekomen dat het alleen maar als door een raketinslag van ware liefde kon zijn veroorzaakt. Het was heerlijk om zo openlijk en speels te kunnen zijn, na alle weken van spanning.

'Helemaal niet.' Hij liep terug om mijn voorhoofd te kussen. 'Het is alleen dat ik het niet volledig durf te geloven tot ik weet dat iedereen blij is met het nieuws.'

Met iedereen bedoelde hij uiteraard de kinderen. Ik voelde me geroerd, zowel door deze erkenning van onzekerheid als door zijn zorgzaamheid. 'Maak je maar geen zorgen, het komt wel goed,' zei ik, terwijl ik de beker aanpakte. 'O, heb je misschien wat melk voor me?'

'Natuurlijk.' Hij grinnikte. 'Ik zal dit soort dingen moeten leren onthouden, hè?'

Ik stond even bij zijn woorden stil en zag ons in gedachten al als oude man en vrouw, met onze cryptogrammen en pantoffels, voordat ik zei: 'Het is in elk geval niet zo dat ze je niet mogen. Integendeel zelfs, ze vinden je geweldig.'

'Toch is het nu niet het beste moment om het nieuws te vertellen, vind je wel? Nu die nieuwe baby er is? Ze hebben veel te verwerken. Ik vraag me af of we het niet beter even kalm aan moeten doen.'

Ik verwierp dit idee meteen. 'Er zal nooit een moment zijn dat er niet iets belangrijks gebeurt. We zouden kunnen wachten tot na Roxy's toelating tot de universiteit, of tot na haar examen, of tot ze het huis uit is. Maar tegen die tijd moet Matt toelatingsexamen voor de middelbare school doen en begint alles weer van voren af aan. We kunnen het eerlijk gezegd net zo goed meteen doen.' Ik zei er niet bij dat ik voor een deel ook genoot van deze wervelwind, van alle opwinding dat we in het diepe waren gesprongen. Ik wilde gewoon geen gas terugnemen.

'Kate?'

Ik knipperde met mijn ogen toen ik uit mijn dagdromen werd opgeschrikt. Alistair stond voor me, met zijn handen in zijn zakken, zijn benen een eindje uit elkaar. Even was hij alles

wat ik kon zien. 'Hallo. Is alles goed? Waar zijn de kinderen?'
'Boven, bij Victoria. Ik wilde alleen maar even...' Hij kwam
bij me zitten, helemaal in de hoek van de bank, zodat de oranje
pluchen kussens hem aan weerszijden omringden, als een stel
stijve bloembladeren. Ik trok mijn wenkbrauwen vragend op en
hij zuchtte. 'Wat heeft dit allemaal te betekenen, Kate? Ik bedoel, begrijp me niet verkeerd, ik vind het geweldig dat je er zo
ruimhartig over doet, maar je kunt me niet kwalijk nemen dat ik
iets meer...'
'Verzet had verwacht?' vulde ik aan.
'Precies. Ik had eerlijk gezegd verwacht dat Roxy vanavond
zelf met Matt in de auto hierheen zou komen en dat jij je er helemaal buiten zou willen houden.'
'Ik dacht dat je hun misschien champagne zou geven,' zei ik
praktisch. 'En het laatste dat ik bovendien wil, is het voor hen
bederven. Het is belangrijk dat ze het gevoel hebben hier deel
van uit te maken en niet buiten te worden gesloten. Elizabeth is
hun zusje en ze moeten zich geen zorgen hoeven maken over het
"half".'
Hij knikte. 'Natuurlijk, dat ben ik helemaal met je eens.'
We keken allebei even verbaasd op bij deze laatste zin. Alistair
en ik die het volledig met elkaar eens waren, niet op een sarcas-
tische manier, niet mokkend, niet persoonlijk.
Hij keek me onderzoekend aan. 'Maar er ís wel iets, hè? Je ziet
er zo anders uit. Gelukkiger dan anders, als dat niet onbeleefd
klinkt.' Hij wierp een blik op het tijdschrift op mijn schoot, dat
opengeslagen lag op een artikel over de meest exclusieve vakan-
tiebestemmingen van de wereld. 'Je hebt toch zeker niet de lote-
rij gewonnen?'
Ik schoot in de lach. 'Ben je gek? Ik koop nooit loten. Ik heb
te veel mensen gezien die aan gokken verslaafd raken. Ze raken
alles kwijt, hun huis, hun gezin. Het is een afschuwelijke versla-
ving. We hebben een keer een vrouw gehad die haar hele kinder-
bijslag aan krasloten verspilde...'
Hij wachtte tot ik verderging, met zichtbare moeite om zijn afkeer te verbergen. Hij was nooit helemaal gewend geraakt aan
mijn 'groezelige' keuze van baan. Hoewel hij blij was dat de
werktijden en de locatie voor zijn kinderen een immer beschik-

bare moeder mogelijk maakten, was hij oprecht verbijsterd over hoe iemand uit vrije wil bereid kon zijn tijd door te brengen met de 'onderkant van de samenleving' – zijn benaming. (Het was onmogelijk zijn houding níét te vergelijken met die van Davis, die het geen punt vond om naar een van de ergste achterbuurten van Londen te fietsen om het zusje van een cocaïnedealer gratis bijles te geven.) 'Oké, wat is het dan wel?'

Ik aarzelde. Onwillekeurig genoot ik ervan zijn aandacht zo vast te houden. Hij was een en al belangstelling en ik begreep dat hij geen flauw idee had wat voor nieuws ik zou hebben. 'Er is wel iets, maar dat kan ik je niet vertellen want ik heb het zelfs nog niet aan Matt en Roxy verteld.'

Hij schoof een eindje naar voren, klaar om de uitdaging aan te gaan. 'Nou, ik heb jóú anders het eerst over de baby verteld, voordat ik het hun vertelde. Je weet wel, toen we het net wisten.'

Op dezelfde dag dat hij had voorgesteld om een huurder te nemen, dezelfde huurder die mijn tweede man zou worden. Wat grappig dat ik deze wending van het lot te danken had aan dezelfde persoon die de vorige wending had veroorzaakt. En dat telefoontje dat hij met Davis achter mijn rug om had gepleegd, om hem als Roxy's bijlesleraar te behouden, dat had ook een rol gespeeld om ons samen te brengen tot dit gelukkige punt. Op dat punt was Alistairs ego gerechtvaardigd.

'Goed,' zei ik, 'maar je moet plechtig beloven dat je niets zult zeggen, want dit moet heel voorzichtig worden behandeld.'

'Oké.'

'Ik ga trouwen.'

Hij hield geschokt zijn adem in. 'Wát? Met wie in 's hemelsnaam?'

Ik schoot in de lach, veel te gelukkig om hier aanstoot aan te nemen. 'Met Davis. Het is inmiddels al een tijdje gaande.'

'Met Davis? Bedoel je je huurder? Roxy's leraar?'

'Die bedoel ik.'

'Grote hemel, Kate, dat is wel erg snel.' Hij staarde me verbijsterd aan. 'Je kent hem nog geen halfjaar. Heb je zelfs maar enig idee wat voor iemand hij is?'

Hoewel ik het van ergernis overal voelde prikken, wist ik mijn stem heel vriendelijk te houden. 'Natuurlijk weet ik dat. Het is een goed mens. Goed genoeg voor ons om hem toe te staan tijd aan onze dochter te spenderen.'

'Dat is waar.'

'Bovendien, hoe lang heb jij ervoor nodig gehad om te weten wat voor mens Victoria was?' Ik zweeg even. 'Of ik? Hoe lang kenden wij elkaar voordat het iets tussen ons werd?'

'Wij waren nog kinderen,' zei hij afwerend. 'Nauwelijks ouder dan Roxy.'

'Maar wel oud genoeg, hè?'

Hij keek me strak aan, en ik was verbaasd oprechte ongerustheid in zijn blik te zien. 'Dit is ongelooflijk. Ik bedoel, hebben ze enig idee dat dit gaande is?'

'Ik denk het niet. Ik wilde het hun gisteren vertellen, maar toen werd Elizabeth geboren en leek het me beter om te wachten. Dit is belangrijker.' Dat was groots van me, vond ik, maar hij scheen me niet te hebben gehoord, hij bleef zijn hoofd maar schudden.

'God, dit zal hun wereld ondersteboven zetten.'

'Dít heeft hun wereld al ondersteboven gezet,' zei ik, en ik gebaarde naar de ruimte om ons heen. 'Hun vader die een kind krijgt met iemand die niet hun moeder is.'

Aangezien ik enkele minuten eerder had verklaard dat "half" niet relevant was, had ik misschien verwacht dat Alistair deze inconsequente opmerking zou aangrijpen om me op mijn nummer te zetten, maar voor deze ene keer liet hij zich niet afleiden. 'Ja, maar ze hadden nog even de tijd om aan het idee gewend te raken, nietwaar? We hebben het hun een halfjaar geleden verteld.'

'Er kan veel gebeuren in een halfjaar.'

'Kennelijk.'

Ik besloot niet in te gaan op zijn veronderstelling dat Davis en ik onmiddellijk een romance waren begonnen zodra hij zijn intrek had genomen in onze flat. De waarheid – een tiendaagse seksuele marathon voorafgegaan door een paar glaasjes wijn en een tiental gezinsmaaltijden – was een heel korte periode volgens alle maatstaven en begrijpelijkerwijs twijfelachtig voor hen die nog niet hadden gezien hoe uitstekend wij bij elkaar pasten. Wat Victoria betrof, was het niet de moeite waard parallellen te trekken, want Alistair had nooit toegegeven dat hun relatie was begonnen met gelegenheidsseks toen ik in verwachting was van Matthew.

'En, ga je me niet feliciteren?' vroeg ik opgewekt.

Hij trok een zuur gezicht. 'Heb jij mij gefeliciteerd toen ik me met Victoria verloofde?'

Dus verdere parallellen waren wél de moeite van het trekken waard. Ik besloot dat deze nieuwe lijn van mij toch zijn beperkingen had, en toen ik daarna sprak was mijn stem een stuk killer. 'Je mag van geluk spreken als íemand je heeft gefeliciteerd, Alistair, gezien het feit dat we nog niet eens officieel waren gescheiden.'

Hij keek op zijn horloge en stond op. 'We hebben twee kinderen, Kate. We zullen nooit volledig van elkaar gescheiden zijn, hè?' Hij wierp me een blik toe die kennelijk was bedoeld om aan te geven dat hij zojuist iets heel belangwekkends over menselijke relaties had gezegd. Het laatste woord was altijd aan hem, altijd. Maar toen hij naar de lift terugliep, naar zijn sinds kort uitgebreide gezin, besloot ik dat de ontmoeting redelijk goed was verlopen, in elk geval beter dan ik had durven verwachten.

En het kan verbeelding zijn geweest, maar ik kreeg de indruk dat de receptioniste me nu met nieuwe belangstelling bekeek.

13

Uiteindelijk sprak ik de kinderen apart. Matthew was de eerste. Ik haalde hem op vrijdag van school en stelde voor om een ijsje te gaan eten. Ik durfde niet te snel op succes te rekenen, maar met het septemberzonlicht, een traktatie in de hand en het vrije weekend voor de deur hadden de omstandigheden niet beter kunnen zijn.

'Matt, ik moet iets met je bespreken, ik wil je mening horen.'

'Ja?'

'Je weet toch dat ik heel goed bevriend ben met Davis?'

'Ja hoor.'

'Nou, dan heb ik groot nieuws. We willen gaan trouwen.'

Hij scheurde het papier in een cirkel van de bovenrand van zijn ijsje en keek grijnzend naar me op. Ik vroeg me even af of hij het verkeerd had verstaan en dacht dat ik een soort grap vertelde. Ik zag dat hij het papier uitstak terwijl hij zoekend om zich heen keek naar een prullenbak en ik pakte het van hem aan, een oude gewoonte. Ik zou tot mijn laatste snik afval van mijn kinderen blijven aanpakken.

'Maar alleen als jullie het een goed idee vinden,' voegde ik er haastig aan toe. 'Ik wil dat Roxy en jij het leuk vinden, anders doe ik het niet.'

Hij nam een hap chocola en nootjes. 'Blijf je dan wel bij ons wonen?'

'Natuurlijk blijf ik bij jullie wonen, lieverd. Ik zal altijd bij je blijven, tot het moment dat je volwassen bent en weg wilt. Je zult voor mij altijd prioriteit nummer één blijven.'

'En Roxy?'

'En Roxy. Jullie zijn samen nummer één. Maar zij gaat volgend jaar naar de universiteit, weet je nog? Dan kunnen we bij haar op bezoek gaan in haar studentenflat, of waar ze ook woont. Maar ze zal hopelijk wel in de vakanties naar huis komen.' Ik deed het deksel op het begin van een onaangename nieuwe zorg: zou Roxy thuis willen komen in de vakanties? Zouden we ooit weer tijd samen doorbrengen of was dit het dan, net als bij sommige andere zoogdieren, zou ik haar gewoon gedag zwaaien, klus geklaard, en haar in de toekomst slechts aan haar geur herkennen? Toen schoot me de nieuwe tegenhanger die ik had bedacht weer te binnen, het positieve denken: we zouden tegen die tijd een onlineverbinding hebben, ik zou haar regelmatig e-mailen, teksten sturen, om in contact te blijven op de manier waaraan haar vriendinnen en zij de voorkeur leken te geven.

'Zal Davis dan bij ons komen wonen?' vroeg Matthew. Hij had een sliert roomijs op zijn wang, nog een echt kind.

'O, dat denk ik wel. Getrouwde mensen wonen meestal bij elkaar.'

'Doen we de flats dan weer bij elkaar? Ik kan helpen de muren af te breken.'

Ik glimlachte. 'Dank je, dat is heel lief van je. We moeten daar nog eens goed over nadenken. Maar het belangrijkste is dat er voor jou niets zal veranderen, dat beloof ik. Het leven zal gewoon op dezelfde manier doorgaan.'

'Gaaf.'

'Weet je dat zeker, lieverd?'

'Ja.' Ik wachtte tot hij nog wat had opgelikt. 'Heb ik je verteld dat ik Davis heb laten zien wat ik met mijn tong kan? Je weet wel, hoe ik hem om kan krullen, net als papa.'

'O ja. Vond hij het knap?'

'Heel erg knap. Híj kan dat niet.'

'Mooi. Het is echt een kunst. Alleen bijzondere mensen kunnen het.'

'Dat heb ik ook gezegd.'

En dat was het. We liepen tevreden zwijgend naar huis, hij met al zijn aandacht bij het ijsje, terwijl ik de aandrang moest bedwingen om hem om de paar passen vast te pakken en zo stijf tegen me aan te drukken dat hij doormidden zou kunnen breken.

Gelukkig kwamen we Ruben bij de poort van de tuin tegen en vond ik het goed dat Matt met hem buiten ging spelen, anders weet ik niet hoe ik Roxy's verdriet aan hem had moeten uitleggen als we samen naar boven waren gegaan. Haar kreten waren buiten de voordeur al te horen, een dierlijk ritme van gejammer en gekreun, het intense huilen van iemand die weet dat er niemand binnen gehoorsafstand is. (Davis was kennelijk niet thuis, anders had hij het wel in zijn flat gehoord en was haar te hulp geschoten.) Ik bleef even staan met de sleutel in mijn hand, Matts blazer over mijn arm en zijn schooltassen zwaar aan mijn schouder, onzeker over wat ik moest doen. Het meest tactvolle zou zijn als ik weer wegging, om haar de privacy te gunnen en over een uur terug te komen zonder over het incident te beginnen. Het meest natuurlijke was echter naar binnen te hollen, uit te zoeken waar mijn lieverd zo verdrietig over was en weer naar buiten te hollen om die persoon met mijn nagels te villen.

Zodra ik de sleutel in het slot omdraaide hield het gejammer abrupt op en bespeurde ik dat ze achter de dichte deur van haar slaapkamer luisterde. Ik zette de tassen neer en klopte zachtjes. 'Roxy, ik ben het. Is er iets gebeurd?'

Stilte, en toen het geluid van een neus die gesnoten werd op enkele meters bij me vandaan. 'Nee, het is goed.'

'Het spijt me, ik wil je niet overvallen. We kwamen net terug van school. Matt is in de tuin.' Hoewel ze me niet kon zien, ging ik haar broers blazer aan de haak naast de voordeur hangen, als om te demonstreren hoe normaal de wereld buiten haar deur was. Toen werd het huilen weer luidkeels hervat en ik snelde terug naar haar deur. 'Wat is er, liefje? Laat me alsjeblieft binnen.'

'Nee. Ga weg.'

Ik zweeg, nu bijna zelf in tranen. Wat kon er toch zijn gebeurd? Het moest een soort vertraagde reactie op de baby zijn. Ik had moeten weten dat de kortstondige gezinsharmonie geen lang leven beschoren zou zijn. Die verhipte Alistair en Victoria maakten het deze kinderen wel heel moeilijk. Hadden ze zich niet bij hun oorspronkelijke besluit kunnen houden om geen kinderen te willen? 'Is het om de baby? Wil je erover praten?'

'Nee.'

'Laat me alsjeblieft binnenkomen...'

'Nee!'

Ondanks herhaalde verzoeken had ze nooit een slot of een grendel op haar deur mogen hebben, maar de afspraak was dat als ze in haar kamer was met de deur dicht, Matt en ik moesten kloppen en wachten tot we binnen werden gelaten. Tot dusver was ik dit, zelfs in woede of bezorgdheid, steeds nagekomen, maar dit was anders. 'Toe Roxy, anders kom ik écht binnen.'

Ik besloot haar zwijgen als instemming te duiden en duwde de deur open. Ze zat op de rand van haar bed met haar handen naast zich, haar hoofd gebogen. Haar gezicht was een grote, ovale, rode vlek en toen ze opkeek stak het lichte bruin van haar irissen fel af tegen het roodbehuilde oogwit. Ik ging naast haar zitten en probeerde haar hand te pakken, maar ze sloeg die onmiddellijk weg.

'Liefje, vertel het me alsjeblieft. Is er vandaag iets op school gebeurd?'

Ze schudde haar hoofd.

'Is het dan om de baby?'

Ze kneep haar ogen dicht en kreunde, alsof het geluid van het woord op zich al ondraaglijk was.

Ik haalde diep adem. 'Hoor eens, ik weet dat dit een rare tijd zal zijn, maar alles zal wennen en je zult haar lief gaan vinden. Weet je nog hoe geweldig je was toen Matt nog heel klein was? Je was als een tweede moeder voor hem, je was geweldig, heel natuurlijk.' Toen ik deze woorden sprak, realiseerde ik me hoe weinig ik haar de laatste tijd had geprezen. Eigenlijk helemaal niet sinds het toneelstuk van school en haar rijexamen, allebei nu maanden geleden. 'Jij zette zijn flesjes altijd in de magnetron, weet je nog? En je zong urenlang liedjes voor hem. "Slaap, kindje, slaap" en "Suja, suja kindje".'

Ze snoof.

'Hij vond het heerlijk als je voor hem zong. En Elizabeth zal dat ook leuk vinden. Victoria zal je er graag bij betrekken, daar moet je je geen zorgen over maken. Dit zal iedereen dichter bij elkaar brengen, een nieuwe start voor ons allemaal.'

Het werkte niet. Ik staarde naar haar verhitte, gezwollen gezicht en wist echt niet wat ik moest doen. Ik wilde haar zo graag opvrolijken met goed nieuws, met iets wat niets met de baby te maken had. En toen viel me de gedachte in: wat was er beter dan het enige nieuws dat ik had, het nieuws dat ik haar beter kon vertellen voor ze haar broer weer zag? Ze aanbad Davis. De ge-

159

dachte dat hij misschien een gat kon opvullen dat een drukke vader achterliet, tja, zoiets zou toch moeten helpen. En hoe vaak had ik niet gezien hoe het vooruitzicht van een groot feest haar stemming deed omslaan?

'Rox, ik heb nog ander nieuws dat ik je moet vertellen, iets waardoor je je misschien een beetje beter zult voelen.'

Ze verstrakte. 'Wat dan?'

'Nou, het komt misschien een beetje als een verrassing, maar Davis en ik hebben besloten te gaan trouwen.'

Ze staarde me aan, nog steeds met ogen vol verdriet. 'Waarom?' vroeg ze, fluisterend als een klein kind. 'Waaróm?' Toen begon het gehuil opnieuw. Tot mijn ontzetting zag ik dat ik het alleen maar erger had gemaakt.

'O Roxy, maak je alsjeblieft geen zorgen, er zal niets voor je veranderen, echt niet. We zullen de trouwdatum zo plannen dat je schoolwerk niet in het gedrang komt. Jullie zijn nog steeds mijn prioriteit nummer één, dat beloof ik.' Maar de woorden die bij Matthew succes hadden gehad, met behulp van zonneschijn en een ijsje, waren hier machteloos, niet meer dan gladde clichés. Ik moest iets beters bedenken dan dit, iets veel beters.

'Hoor eens, ik begrijp dat je het gevoel moet hebben alsof alles tegelijk gebeurt. Zo gaat het nu eenmaal vaak in het leven. Maar vertel me nou eens precies wat je dwarszit, dan zal ik…'

Ze viel me in de rede. 'Alsjeblieft, mam, ik wil alleen maar dat je me met rust laat.'

'Maar ik kan je niet zomaar alleen laten. Je bent helemaal overstuur, ik wil je helpen.'

'Je kunt me niet helpen.'

We bleven daar naast elkaar zitten, allebei even hulpeloos. Ik probeerde, voor de zoveelste keer, te begrijpen wat er in haar omging door herinneringen aan mezelf op die leeftijd boven te halen en te zoeken naar overeenkomsten. 'Jij was net zo,' had mijn moeder gezegd. Wat had mij dan twintig jaar geleden zo doen instorten? Er waren diverse incidenten geweest waarbij ik de ogen uit mijn hoofd had gehuild en had geweigerd mijn slaapkamer uit te komen. (Mijn moeder had gereageerd door eten voor mijn deur te zetten, sandwiches en drinken op een dienblad, soms wat snoepgoed van Tash, een chocolademunt of een

160

kinderbiscuitje, een zoete verwijzing dat ik net zozeer haar kind was als mijn kleine zusje.) Het was altijd over liefde geweest, of wat ik dacht dat liefde was. Liefde en de bijbehorende vernederingen, al die teleurstellingen en afwijzingen die generale repetities vormden voor het ware volwassen partnerschap. Ik voelde opeens een bliksemschicht van inzicht. Natuurlijk! Wat belachelijk om te denken dat een nieuw halfzusje de oorzaak kon zijn geweest. Dat was niet schokkender dan mijn eigen nieuws. Nee, dit ging over een relatie van haarzelf, dat moest wel. Misschien had het iets te maken met de jongen die haar de bedelarmband had gegeven. Toen ik er een steelse blik op wierp, zag ik dat hij niet langer om haar pols zat. Ik was ervan overtuigd dat hij er nog was geweest op de avond van het bezoek aan het ziekenhuis.

'Is dit om een jongen, Roxy? Ben je terug bij Damien? Je kunt met mij over hem praten, hoor. Ik heb daar begrip voor.'

'Nee!' Ze sloeg haar armen over haar buik en er viel me opeens iets vreselijks in.

'Grote hemel, Roxy, je bent toch niet... Je bent toch niet zwanger, hè?'

Ze lachte nu luid, op een minachtende manier die troostvol vertrouwd was. Dus ik had het mis, goddank. Maar ze was nog niet opgehouden met lachen of de blik van wanhoop verscheen weer op haar gezicht, bijna alsof ze opeens bedacht dat een ongeplande zwangerschap te verkiezen viel boven wat zij nu doormaakte.

'Vertel me dan tenminste hoe hij heet,' probeerde ik, en trachtte me haar recente schema's voor de geest te halen. 'Misschien die van de toneelclub? Hoe heet hij ook alweer, Jacob of zo?'

Ze drukte haar handen tegen haar oren. 'Nee, hou alsjeblieft op! Ik wil er niet over praten.'

Ik wachtte tot ze haar handen weghaalde en zei: 'Oké, ik begrijp het. Je wilt er niet over praten en dat is goed. Hoor eens, zullen we er een gezellige avond van maken, een dvd kijken? Of had je plannen om vanavond met Marianne uit te gaan?'

Opnieuw dat wanhopige hoofdschudden. 'Ik ga niet weg.'

'Zal ik dan iets lekkers te eten maken?'

'Ik heb geen honger.'

Ik dacht opnieuw aan mijn moeder en aan haar dienbladen.

'Kan ik je dan tenminste iets te drinken brengen? Warme chocolademelk of cola?'

'Nee.'

'Wil je dan Marianne bellen om te vragen of ze hier komt? Ik beloof je dat ik jullie alleen zal laten. Misschien zou ik met Matt naar de bioscoop kunnen gaan, zodat jullie het rijk alleen hebben?'

'Nee, het gaat wel, echt waar.'

Ik moest het opgeven, er zat niets anders op. Toen Matt bovenkwam voor de thee, vertelde ik hem dat zijn zusje zich niet erg lekker voelde en vroeg naar bed was gegaan. Om de haverklap liep ik door de gang om voor haar deur te blijven staan. Ten slotte ging ik naar binnen en zag dat ze met haar kleren aan in slaap was gevallen, dus trok ik de deken over haar heen, liet de jaloezieën zakken en liep op mijn tenen weg.

Ze bleef het hele weekend in haar kamer en mijn dienbladen kon ik onaangeroerd weer ophalen. Ik wist echt niets meer te bedenken.

'Je hebt geen idee hoeveel gesprekken beginnen met dat jij zegt: "'Ik weet niet wat ik met Roxy moet doen",' zei Abi tegen me toen ik even langsging. Ik deed het in een poging wat afleiding te zoeken, maar het bleek al snel dat ik mijn gedachten niet kon bevrijden van de onverklaarbare instorting van mijn dochter.

'Echt? O lieve help. Wat moet dat vervelend voor je zijn!'

'Gaat wel. Maar ik maak me zorgen dat jij het je te veel aantrekt. Meisjes van haar leeftijd zijn heel taai en ze moeten een beetje eelt op hun ziel kunnen krijgen. Hoe eerder hoe beter, als je het mij vraagt. Tegen de tijd dat ze naar de universiteit gaat, heeft ze voldoende ervaring gehad.'

'Dat is waar.' Het was een verstandig advies, een variatie op het thema dat zowel door Tash als door Davis was aangedragen. Maar als ik dacht aan hoe ik me op mijn negenendertigste ten aanzien van Davis had gevoeld en hoe ik me had gedragen, nou, dan vroeg ik me toch af of sommige harten gewoon geen eelt kónden krijgen en hun hele leven zacht en gevoelig bleven. Roxy moest die tekortkoming van mij hebben geërfd. Wat betekende dat niet alleen haar verdriet aan mij te wijten was, maar dat ik ook de enige was die het kon begrijpen.

'Wat zegt Alistair ervan?' vroeg Abi. 'Hij is toch de man van alle oplossingen, nietwaar?'

'Ik heb hem er nog niet over gesproken,' zei ik met een scheef gezicht. Ik wilde hem er niet mee lastigvallen en niet alleen omdat ik het vervelend vond om mijn nederlaag te erkennen, iets wat ik tegenwoordig veelvuldig onderging waar het Roxy betrof. Nee, de man had een nieuwe baby om zich zorgen over te maken en Elizabeth was pas onlangs thuisgekomen uit het ziekenhuis. Met Victoria's moeder erbij en ook nog een kraamverpleegster op de loonlijst, zouden Alistairs huis en hoofd heel vol zitten. Bovendien voelde ik, sinds hij van alles achter mijn rug om was gaan regelen, ook niet de behoefte om iedere schermutseling aan hem te melden.

Ik besloot mijn moeder te bellen. Ze was begrijpelijk te zeer overdonderd door mijn nieuws om zich veel zorgen te maken over de romantische verwikkelingen van de volgende generatie en net als ieder ander verklaarde ze dat ik gewoon vertrouwen moest hebben. 'Vertrouw erop dat ze dit zelf weet te verwerken. Ze komt heus wel naar je toe als ze je nodig heeft.'

'Oké.' Ik vroeg Tash aan de lijn, omdat ik me nog steeds een beetje schaamde voor mijn gedrag tijdens ons laatste telefoonge-sprek, maar mama meldde dat ze voor een week naar Ibiza was, omdat ze bij een spelletje poker de prijs van de vlucht van mijn vader had gewonnen. 'Ik hou je echt niet voor de gek,' zei mijn moeder, hoewel ik dat geen moment had gedacht.

Na diverse mislukte pogingen om Roxy te troosten kon ik zien dat zelfs Davis door mijn nervositeit werd aangestoken. 'Ze voelt zich wat bedrukt door alles wat er tegelijk gebeurt,' zei hij. 'Volgens mij moeten we een paar maanden wachten voor we ver-dergaan met onze trouwplannen.'

Ik schudde mijn hoofd. 'Ik denk niet dat het is omdat wij gaan trouwen, echt niet. Ze wil dolgraag het huis uit, ze beschouwt zichzelf als onafhankelijk. Het wordt echt niet veroorzaakt door de gedachte dat ze mij zal moeten delen.'

'Maar je zei wel dat je dacht dat je het erger maakte toen je over ons probeerde te praten.'

'Ik vermoed dat het er op de een of andere manier verband mee houdt.'

'Waarom denk je dat?' Hij luisterde aandachtig naar mijn antwoord.

'Tja, het enige dat ik kan bedenken is dat het contrast haar schokt.'

'Het contrast?'

'Je weet wel, mijn situatie als uit een sprookje...' – ik trok mijn wenkbrauwen op om te laten zien dat dit ironisch was bedoeld, hoewel de waarheid was dat als ik met hem samen was, ik het gevoel had alsof ik in een sprookjeswereld was beland – '...vergeleken bij haar mislukte verliefdheid. Ik bedoel, er móét een relatie of iets zijn waar wij niets van weten. Dat denkt iedereen.'

Hij knikte langzaam. 'Ik denk dat je gelijk hebt. Maar wie?'

Ik kon opnieuw alleen maar mijn hoofd schudden. 'Tja, dat is het punt. Ze heeft het nooit over zulke dingen, ze is uitermate zwijgzaam. Maar iemand heeft haar een paar weken geleden die armband gegeven, die een paar honderd pond moet hebben gekost, en ik kan me niet voorstellen dat het Marianne was. Vind je dat ik eens met haar moet praten? Misschien kan zij me enig idee geven wat er gaande is.'

'Marianne? Dat zou ik niet doen,' zei Davis snel. 'Als Roxy erachter zou komen dat jij achter haar rug om met Marianne hebt gekletst, zou ze dat als een zware inbreuk op haar privacy beschouwen.' En daar zou ze dan alle recht toe hebben, hoewel Davis veel te tactvol was om dit hardop te zeggen.

Hij kwam achter me staan en begon mijn schouders met zijn vingertoppen te masseren. 'Je moet je niet schuldig voelen, hoor. Jij hebt niets misdaan.'

'Weet ik. Maar het is zo moeilijk...' Terwijl hij mijn stramme plekken bewerkte, voelde ik hoe hij naar een oplossing zocht. Wat was hij toch lief om mijn zorgen zo trouw te willen delen, om zoveel om mijn kinderen te geven, terwijl hij zelf zo heerlijk ongecompliceerd bleef. Hij had geen kinderen van zichzelf, zijn ouders waren gestorven toen hij in de twintig was, en de enige familie die hij nu nog had bestond uit een broer die al lang in Canada woonde, en een bejaarde oom en tante in Bristol. 'Zou jij misschien eens met haar willen praten, Davis? Je hebt het zo schitterend gedaan die keer over die stage. En ze heeft veel respect voor je.'

Hij bukte zich en plantte een kus op mijn hoofd. 'Nou lieverd, als het jou een beter gevoel zal geven, zal ik het zeker proberen.'

Hij was echt een soort tovenaar, de 'fluisteraar', zoals Abi hem noemde toen ik dit vertelde, zijn laatste triomf op het gebied van overreding. 'Misschien nemen ouders hem helemaal niet in de arm om hun kinderen talen bij te brengen, maar om ze zo ver te krijgen dat ze hun kamer opruimen en doen wat hun gezegd wordt.' Het zou me helemaal niets hebben verbaasd.

Ik wist zelfs niet dat er een afspraak was geregeld tot ik hen samen buiten zag, op weg naar de ommuurde tuin, met Davis die zijn hand onder Roxy's elleboog hield, als een galante heer uit de negentiende eeuw. Wat slim van hem om haar mee te nemen buiten de flat, maar ook weer niet te ver, naar een mooi, vredig plekje waar ze rustig konden praten. Ze bleven ongeveer een uur weg en toen ze terugkwamen was ze zo vrolijk als wat. Ze kwam me zelfs haar excuses aanbieden, waarbij ze haar hoofd schaapachtig gebogen hield.

'Ik wilde het je niet vertellen, maar ik ben weer een paar keer met Damien uit geweest...'

'Dat dacht ik al!' riep ik uit.

'Gewéést!' Ze kneep haar ogen halfdicht. 'Hij heeft me vorige week de bons gegeven.'

'O Roxy!' Ik deed een stap naar voren en trok haar naar me toe. 'Waarom heb je niets gezegd?'

'Ik wilde gewoon geen gedoe...'

'Maar lieverd, begrijp je niet dat het veel meer gedoe geeft als ik moet proberen je gedachten te lezen? Ik vond het vreselijk je zo overstuur te zien.'

'Sorry,' mompelde ze tegen mijn schouder.

Ik deed mijn ogen dicht. Haar haar op mijn wang was warm en rook naar zonneschijn en buitenlucht. Het had precies dezelfde zachtheid als mijn haar. 'Je hoeft echt geen sorry te zeggen, mallerd.'

'Oké.' Ze maakte zich van me los nu de knuffel voorbij was en verdween naar haar kamer.

Ik ging Davis zoeken. 'Heeft ze je over die jongen verteld?' vroeg hij meteen.

'Ja. Wat heb je gezegd dat ze opeens zo mededeelzaam werd?'
Er krulde één mondhoek omhoog tot een glimlach. 'Ik heb
alleen maar gezegd dat ze moet ophouden met zo verdomd egoïstisch te doen.'
'Egoïstisch?' Ik was even uit het veld geslagen.
'Ja. Ik heb gezegd dat wat haar probleem ook was, ze wel
moest bedenken dat jij ook recht hebt op een eigen leven.'
'Sjonge.' Ik kon me niet voorstellen dat ik dat zelf tegen haar
zou zeggen, niet als ik hoopte ooit nog normaal met haar te kunnen praten. 'Geloof je het?' vroeg ik abrupt. 'Ik bedoel, dat ze
weer wat met Damien heeft gehad? Waarom moest ze daar zo
geheimzinnig over doen terwijl ik hem in het verleden heb ontmoet en we uitstekend met elkaar overweg konden?'
Davis wreef over zijn rechterooglid en zuchtte. 'De hemel mag
het weten. Maar maak je maar geen zorgen, liefje. Wat hun ongenoegen ook was, het is nu voorbij.'
Hij liet het zo gemakkelijk klinken, als een tekst uit een film
waar een scène zo snel mogelijk moet worden afgehandeld om
het verhaal verder te laten gaan. Het was bijna te gemakkelijk.
En hoewel het laatste wat ik wilde was haar opnieuw op de kast
te jagen, wilde ik toch nog één keer, voor ik de datum van de
trouwerij bevestigde, van haar horen dat we haar zegen voor het
huwelijk hadden.
'Ik moet er volmaakt zeker van zijn dat dit voor jou oké is,
Rox. Het is nog niet te laat voor ons om alles af te blazen. Het
laatste dat ik wil is jou ongelukkig maken, op welke manier dan
ook.'
Het was heel moeilijk om dat gezicht te doorgronden, die
steeds wisselende stippels in haar ogen leken een camouflage.
Was er een glimp van droefheid te zien, of alleen van ergernis?
'Echt, het is oké.'
'Mooi zo. En ik weet zeker dat er in het budget ruimte is voor
een nieuwe jurk voor jou. Wat je maar wilt.'
Ze keek blij. 'En mag ik Marianne uitnodigen voor het feest?'
'Natuurlijk. Je mag vragen wie je wilt.' Het lag op het puntje
van mijn tong om eraan toe te voegen: 'En ook een jongen, als
je dat wilt.' Maar ik besefte nog net op tijd dat het daar nu niet
echt het moment voor was.

14

Davis en ik trouwden op dezelfde dag die ik had genoemd voor zijn vertrek uit de flat, zaterdag 13 oktober. Eigenlijk heel toepasselijk, want hij zou er binnenkort uit gaan en bij mij en de kinderen gaan wonen. We hadden besloten de scheidingswanden op hun plaats te laten en van zijn woonkamer en slaapkamer weer de studeerkamer en logeerkamer te maken. Wij zouden zijn badkamer in gebruik nemen, zodat Roxy en Matt de grote badkamer konden delen. Daar zou zij in elk geval blij mee zijn. Zodra we terug waren van onze huwelijksreis zouden de sloten van de deuren worden gehaald.

De huwelijksdatum bleek om diverse redenen gelukkig te zijn gekozen. Een afzegging bij de burgerlijke stand, terwijl de wachtlijst voor zaterdagen meestal enkele maanden lang was; het eerste weekend van de herfstvakantie, en daarom de aangewezen tijd voor Alistair om Matthew te hebben terwijl Davis en ik op huwelijksreis gingen. We hadden afgesproken dat Roxy mocht kiezen of ze thuis zou blijven of naar haar vader of naar Marianne zou gaan. En het was nog net vroeg genoeg in de herfst om de receptie in de ommuurde tuin te durven houden, zoals ik zo graag wilde. We hadden geen van beiden geld, dus hielden we het op champagne voor familie en vrienden, met hapjes die door de plaatselijke delicatessenwinkel werden geleverd. Het aantal genodigden was klein genoeg om met gemak in de flat te kunnen worden ondergebracht als het weer het zou laten afweten.

Hoe bescheiden onze plannen ook waren, Davis was weldra uitgeput door de drukte van de voorbereidingen. Ik trof hem op een dag zittend op de bank aan, met zijn hoofd in zijn handen. Hij was bijna in tranen.

'Wat is er, lieverd?'

'O, al dit… al dit krankzinnige gedoe!' Hij probeerde zich te beheersen en deed zelfs zijn best om een glimlach te produceren, maar ik had zo zelden meegemaakt dat hij in de put zat dat ik dit toch wel heel serieus nam. Hij had de houding van iemand die net wakker was geworden en zich midden in een crisis bleek te bevinden die een ander had veroorzaakt.

'Het wordt echt maar een heel simpele bedoening, hoor,' zei ik, terwijl ik tegen hem aan kroop.

'O, dat weet ik ook wel.' Zijn eerste huwelijksfeest, geregeld en betaald door Camilla's ouders, was een aanzienlijk luxueuzere gebeurtenis geweest, met honderden gasten en een fotograaf van de societypagina van een bekend tijdschrift. Kennelijk werd hij nog naar als hij eraan dacht.

Ik haalde mijn vingers door zijn haar, vol verbazing over het feit dat ik – en niemand anders – dit mocht doen. 'Maak je geen zorgen, dit wordt een fluitje van een cent. Je hoeft echt niets te doen.'

Ik had de uitnodigingen al verstuurd naar de mensen van wie ik verwachtte dat ze zouden komen. Ik hoopte dat de bescheiden presentatie en het algehele gebrek aan uiterlijk vertoon zou verhinderen dat er reacties kwamen op het onverwachte karakter van deze gebeurtenis (voor de meeste gasten was de uitnodiging tevens de aankondiging). Davis had verbazingwekkend weinig gasten uitgenodigd, alleen maar wat mensen uit de omgeving, die ik inmiddels had ontmoet en heel aardig vond. De rest, verklaarde hij, had na hun scheiding partij voor Camilla gekozen. Voor zijn broer was het veel te kort dag om met zijn gezin uit Canada over te komen.

Een paar weekends voor de bruiloft ging Davis naar York om een oude studievriend op te zoeken die hij wilde vragen als getuige. Maar dat bleek ook al te laat te zijn. De vriend had al een herfstvakantie met zijn schoolgaande kinderen geboekt en hoewel het tweetal een heel genoeglijke reünie had gehad kwam Davis met lege handen naar Londen terug.

'Misschien is het zo ook maar beter,' zei hij. 'Graham is de eerste keer mijn getuige geweest, dus waarschijnlijk had hij het toch een beetje raar gevonden. Het was een stom idee.'

Maar een nacht van huis had hem goed gedaan, zag ik. Hij zag er fris en verkwikt uit. Hij was heel gespannen weggegaan en kwam losser terug, als iemand die plotseling zijn draai weer heeft gevonden. Nu pas besefte ik hoe bezorgd hij moest zijn geweest over zijn bijdrage aan dit alles, om steeds zijn beste beentje voor te moeten zetten. En dan ook nog eens al dat gedoe met Roxy! Ik moest erop letten hem niet op te laten slokken door mijn wereld, zoals ik me ooit door Alistairs wereld had laten opslokken.

Ik boog me naar voren om hem te kussen en mijn neus in zijn haar te steken. Zijn geur was nog nieuw genoeg voor me om een onmiddellijk fysiek effect op me te hebben. 'Heus, Davis, het geeft niet. Hoe minder mensen, hoe beter, wat mij betreft. We willen zo min mogelijk officieel gedoe, zelfs geen speeches. Wat valt er te zeggen dat mensen niet zelf kunnen zien? Ik vind het juist zo'n leuke gedachte dat iedereen opstaat, net als iedere andere dag, even naar de tuin loopt om een paar glaasjes te drinken en daarna weer naar huis gaat.'

Hij grinnikte. 'O Kate, wat kun jij toch heerlijk idealistisch zijn.'

Er lagen papieren aan zijn voeten, hij keek proefwerken na, maar ik kon me er niet van weerhouden mijn mond gretig op de zijne te drukken, met een hart dat al bonsde van verwachting in de seconde voordat zijn lippen antwoordden.

Na alle tumultueuze verwikkelingen rond de komst van een zusje – om van een stiefvader nog maar te zwijgen – leek het Roxy ineens allemaal voor de wind te gaan. Haar cv voor Cambridge was klaar (met alle bijdragen van Alistair, Davis en haar school was het proces voor mij betrekkelijk pijnloos verlopen) en ze had nog maanden de tijd voor ze zich zorgen hoefde te maken over gesprekken of examens. Haar mobieltje rinkelde voortdurend en ik hoorde haar vaak lachen. Ik kreeg de indruk dat er een toename in belangstelling was geweest. Volgens Marianne zaten ze in een groep waarin persoonlijk drama hoog op de agenda stond en aan drama had Roxy de laatste maanden geen gebrek gehad. Ze had onlangs een weekend bij Marianne doorgebracht, tussen twee weekenden bij Alistair in, en die afwezigheid had ons allebei goed gedaan. Als ze thuis was, probeerde ik wat tijd te vinden om samen leuke dingen te doen: winkelen om voor haar een jurk voor de trouwerij te vinden; pizza eten of koffiedrinken, samen naar een pedicure. Ik vroeg me af of dit leek op wat Marianne volgens zeggen met haar moeder deed. ('Ze zijn meer als zussen,' zei Roxy soms. Ik was altijd een beetje achterdochtig als ik dat hoorde, alsof de verhouding tussen zussen te verkiezen was boven de meer prozaïsche moeder-dochterdynamiek.) Onze verhouding was misschien niet zo vredig als de eerste dagen na Elizabeths geboorte, maar het was beslist een hele verbetering vergeleken bij het vijandige gedrag tijdens de zomer.

'Wacht je vol spanning op bericht uit Cambridge?' vroeg ik, toen we een keer bij Eli's koffiedronken.

Ze glimlachte en kneep haar ogen half dicht. Ik begreep dat ze mijn belangstelling voor dit onderwerp irritant begon te vinden, maar ze deed in elk geval haar best om dat te verbergen. 'Nee, helemaal niet. Eigenlijk zou ik zelfs liever in Londen blijven, dus ik zou het niet erg vinden als ik niet word toegelaten.'

Mijn mond viel open van verbazing. 'Londen? Na alle moeite wil je misschien toch liever niet?'

'Ik heb er "alle moeite" voor gedaan, ja. Maar dat betekent nog niet dat ik word toegelaten. Heb je enig idee hoeveel aanvragen ze hebben gekregen?'

Zoals bij alles wat met Roxy's toekomstige opleiding te maken hadden, zat ik ook nu met gemengde gevoelens. Ik was heimelijk opgetogen dat ze misschien toch in Londen naar de universiteit wilde, misschien zelfs thuis zou willen blijven wonen hoewel me dat niet erg waarschijnlijk leek, gezien haar voortdurende gemopper over het gebrek aan privacy. Daar zou het met een broertje van negen moeten delen van een badkamer niets aan veranderen. Ik vroeg me ook af of de keuze van Cambridge wellicht niet te hoog gegrepen zou zijn, zelfs voor haar. Zou een eenvoudiger alternatief geen evenwichtiger kansen kunnen bieden, met iets meer ruimte voor pret? Er viel iets te zeggen voor het principe van het bestaan van een grote vis in een kleine vijver. Maar aan de andere kant bleef ik aan Alistair denken, aan de noodzaak om in zijn geest te redeneren. En als het aan hem lag, was er geen sprake van een bestaan in een vijver, alleen de grootste, diepste oceaan zou voor zijn nageslacht goed genoeg zijn. Die aanvraag voor Cambridge – of het nu voor rechten, Frans of de zin van het leven was – betekende voor hem net zoveel als voor haar. Misschien had hij zich dat nog niet gerealiseerd, maar ik wel.

'Ach,' zei ik, 'volgens mij moet je gewoon afwachten wie je iets aanbiedt en dan beslissen.'

'O ja. Zeker.' Voor deze ene keer deed ze niet spottend alsof ik een open deur intrapte, maar roerde met een voldaan gezicht in haar koffie. De bedelarmband was terug aan haar pols, maar ik zei er niets over. 'Misschien wil niemand me wel hebben,' voegde ze eraan toe, terwijl ze het schuim van haar lepel likte.

'Dat lijkt me niet erg waarschijnlijk,' zei ik. Niet na een klein fortuin aan schoolgeld. Willoughby Girls stond praktisch altijd garant voor een goede universiteit en als dat niet lukte, achtte ik Alistair er best toe in staat het schoolgeld voor de volle zeven jaar terug te eisen. Nee, alleen een natuurramp zou kunnen voorkomen dat Roxy's toekomst zich ontwikkelde zoals wij allen voorspelden. 'En je weet dat Davis bereid is je met die toelatingsgesprekken te helpen.'

'Mmm.'

Ik aarzelde. 'Ik ben blij dat je het zo goed met hem kunt vinden, Rox, dat maakt een groot verschil, vooral voor Matt.' Ik was niet helemaal eerlijk, maar er scheen de laatste tijd toch een soort afkoeling te zijn in de relatie tussen die twee. De gesprekken over boeken waren nagenoeg gestopt en hoewel ze braaf naar haar bijlessen ging en in ons bijzijn heel beleefd tegen hem deed, was er toch iets veranderd. Het was net of er een meer formele afstand was ontstaan, juist nu Davis op het punt stond lid van het gezin te worden. Typische tienerdwaasheid, veronderstelde ik, maar misschien was het toch het gevolg van dat gesprek dat ze in de tuin hadden gehad. 'Ik zei tegen haar dat ze moest ophouden met zo verrekte egoïstisch te doen...' Hij had zijn punt over weten te brengen. Hij had de situatie gered, maar niemand hield van kritiek, hoe behoedzaam die ook werd geleverd. Ik zei tegen mezelf dat ik eens moest ophouden met zeuren, dat het nog niet zo lang geleden was dat ik hem had gesmeekt juist deze afstand tussen hen te bewerkstelligen.

Nee, een beetje wrok van Roxy's kant was heel gewoon, niet meer dan waar iedere moeder mee te maken kreeg als ze haar nieuwe partner met haar tienerkinderen moest delen. Alle boeken en kranten meldden hoe rijk en liefdevol en afwisselend het leven binnen een stiefgezin kon zijn, maar niemand beweerde dat het gemakkelijk was.

De ommuurde tuin van Francombe Gardens beschikte in oktober niet meer over het schitterende kleurenpalet van voorjaar en zomer, maar voor mij was het nog altijd de mooiste plek van de wereld.

Het ontbreken van bloemen in het najaar accentueerde alleen maar de fleur van de vrouwelijke gasten die zich in hun vrolijk gekleurde jurken tussen de perken bewogen. Davis droeg een opvallend lichtgrijs pak, ik een lichtblauwe jurk, en terwijl we onze gasten bij de poort begroetten, was het duidelijk dat iedereen vond dat we een knap paar vormden. In elk geval waren we een gelukkig paar.

Het was voor mij belangrijk dat Alistair en Victoria naar de receptie zouden komen. Ik wilde dat de kinderen, vooral Matthew, zouden zien dat deze nieuwe verbintenis van mij een vooruitgang in de familiebetrekkingen zou betekenen, geen achteruitgang.

'Je ziet er geweldig uit, Kate,' zei Alistair en Victoria kon slechts instemmend knikken. Ze zag er een beetje terneergeslagen uit en net als die avond van het schooltoneelstuk had ik het gevoel dat mijn leeftijd een voordeel was.

'Geen Elizabeth?' vroeg ik. Ik had nog steeds niets gezien van de baby die volgens alle berichten in het bereiken van haar wekelijkse mijlpalen ver op de gebruikelijke schema's voor lag.

'Judy past op haar.'

'O, mooi.' Het irriteerde me niet langer dat Alistair de voornamen van Victoria's familie gebruikte, inclusief die van zijn schoonmoeder Judy, alsof hij de hele familiestamboom op intieme voet kende.

'En, wat vinden jullie van Davis?' vroeg ik hun, vol verlangen naar lof over mijn nieuwe echtgenoot.

'Ik vind hem echt heel aardig,' zei Victoria, nu iets opgewekter. 'Hij is heel knap om te zien, hè? Een beetje op een ouderwetse manier, als iets uit een oude film.'

Er verscheen een vage grijns op Alistairs gezicht. 'Ja, hij lijkt me een prima kerel.'

Daar was ik het helemaal mee eens.

'Het is erg belangrijk dat de kinderen het goed met hem kunnen vinden,' voegde Victoria er plichtmatig aan toe.

'Hij heeft wonderen bewerkstelligd met Roxy's Frans,' viel Alistair haar bij. 'Het is jammer dat ze voor Duits geen examen doet, daar had hij haar ook mee kunnen helpen.'

We draaiden ons alledrie automatisch om en keken naar Roxy. Ze was de meest onzekere factor in dit kleine gezelschap, maar ze had zich tot dusver onberispelijk gedragen. Marianne en zij hadden zichzelf tot serveerster benoemd en hielden de glazen vol, waarbij ze iedereen stralend aankeken. (Ik moest Alistair nog op de ironie van de situatie wijzen, want de catering werd gedaan door dezelfde delicatessenwinkel waarbij Roxy die zomer bijna was gaan werken.) Beide meisjes droegen een strapless jurk met wijde rok en hadden veel zwarte eyeliner gebruikt, waaruit ik opmaakte dat de jaren vijftig weer in de mode waren. Ze zagen er ongelooflijk mooi en wereldwijs uit. Ze hadden vandaag ook een nieuwe vriend op sleeptouw, Jacob, die ze bij de toneelclub hadden ontmoet. (Nu hij aan me was voorgesteld, leek het me niet waarschijnlijk dat hij veel harten zou breken, in elk geval waar het meisjes betrof. Hij was heel verfijnd en een beetje slap, waarschijnlijk homo.) Ik had hem en Marianne samen aan de andere kant van de lelievijver horen praten, en werd aangetrokken door hun vrolijke, zelfverzekerde toon.

'Ik begrijp niet waarom hij zo aantrekkelijk zou moeten zijn,' zei Jacob. Net als Roxy wanneer ze alleen was met Marianne gedroeg hij zich als een uitverkoren vertrouweling van Marie Antoinette, trots en eerbiedig tegelijk. 'Hoewel ik de enige schijn te zijn...'

'Hij is zo ongelooflijk intelligent, Jacob,' teemde Marianne. 'Dat is het ultieme liefdesdrankje. God, vergeleken bij hem is Rob zo...'

Ze zweeg om het juiste woord te zoeken en Jacob opperde gretig: 'Infantiel?'

Daarop schaterden ze het allebei uit, tot Marianne zei: 'Nee, dat niet, eerder *ongevormd*. Als je begrijpt wat ik bedoel.'

Ik vroeg me terloops af wie Rob in de gunsten van madame had vervangen. Ik wenste hem sterkte, wie hij ook mocht zijn.

Toen ze mij zag kijken, schonk ze me een stralende glimlach, die ik onmiddellijk beantwoordde. Het was heel flauw om zoiets te bedenken, maar ik was onwillekeurig blij dat ze mijn dochter niet was. Naar mijn idee deed Roxy haar best om de indruk te wekken dat ze zich om niemand bekommerde, terwijl ze in werkelijkheid een goed hart had, en deed Marianne alsof ze een goed hart had terwijl ze in werkelijkheid zo koud als een kikker was. Ik kon me niet voorstellen dat zij zich ooit om iemand de ogen uit haar hoofd zou huilen.

'Kate!' Mijn moeder kwam naar me toe, schitterend in appelgroen linnen. 'Ik wil je even komen zeggen wat een geweldige man je nieuwe echtgenoot is.' Ze keek naar Alistair, die nog steeds binnen gehoorsafstand was en ze wisselden een voorzichtige glimlach. 'Dat bedoel ik niet persoonlijk, Alistair.'

Hij keek even alsof hij wilde protesteren, maar knikte toen kort.

'O dank je, mam!' Ik straalde van blijdschap, terwijl ik weigerde het verleden ook maar de minste schaduw op mijn geluk te laten werpen. 'Ik ben erg blij dat hij je bevalt. Eigenlijk geldt dat voor iedereen...'

Terwijl we zo stonden te praten wierp ik een blik op Davis, aan de andere kant van het struikgewas. Hij was altijd heel boeiend om te zien, want hij bezat het vermogen zich aan te passen aan de persoonlijkheid van de persoon met wie hij samen was. Zelfs zijn lichaamstaal veranderde dan. Met Ethan was hij altijd ernstig in gesprek, waarbij hij zich met veel begrijpend geknik en zelfs wat gepluk aan zijn kin naar hem toe boog. Bij Abi stond hij meer rechtop, klaar voor hun gebruikelijke snelvuur van grapjes, tot het moment dat ze hun wederzijdse slotzin bereikten en hun hoofd achterover konden gooien van het lachen. Tegenover Tash gedroeg hij zich min of meer zoals bij Roxy en Marianne, met een soort geamuseerde nieuwsgierigheid, zich slechts halfbewust van hun geflirt. En bij mensen van de generatie van mijn ouders was er die aangeboren galante houding van hem, de hoofse manieren en het taalgebruik waarover Victoria het had gehad. Voor de meeste gasten, inclusief mijn ouders, die een geplande reis naar Nieuw-Zeeland hadden afgezegd om hier bij te kunnen zijn, was het de eerste keer dat ze hem ontmoetten. Ik

moest onwillekeurig mijn moeders snelle acceptatie van dit overhaaste huwelijk van mij vergelijken met mijn grenzeloze angsten
om Roxy.

'Je bent kennelijk niet erg verbaasd over dit hele gedoe,' zei ik
tegen haar, hoewel ik best wist dat het geen enkel verschil had
uitgemaakt als ze me tot voorzichtigheid had gemaand.

'Ach, je bent nu een grote meid en je weet wat je doet. Maar
Tash, dat is een heel ander verhaal. Je weet toch dat ze vastbesloten is naar Londen te gaan en daar een baan te zoeken?'

'O ja?' Dat was ik helemaal vergeten. 'Misschien heeft ze het
een tijdje geleden wel gezegd.'

'We hebben natuurlijk geprobeerd haar dat uit het hoofd te
praten. Londen is niet de juiste plek voor iemand als zij. Ze is er
niet geschikt voor.'

Ik moest me echt inhouden. Ze deed net alsof Tash een hulpeloos boerinnetje in de grote stad zou zijn. Dus Londen was te gevaarlijk voor haar, maar niet voor mij of voor mijn kinderen? En
toch had ik de indruk dat als er iemand de voetangels en klem-
men van de grote stad zou weten te ontwijken, het Tash was, die
zonder fysieke of emotionele schrammen de leeftijd van zevenentwintig jaar had weten te bereiken. Maar was het mij, op mijn
manier, niet net zo vergaan? Onwetendheid was op die leeftijd
míjn zegen geweest. Ik was een gelukkig getrouwde jonge moeder zonder enig vermoeden te hebben van de trauma's die mij te
wachten stonden. Mijn problemen kwamen toen ik in de dertig
was. Misschien zou ik Tash iets ruimhartiger haar laatste decennium van vrijheid moeten gunnen.

'Ik denk dat ze zich wel zal weten te redden,' zei ik ernstig tegen
mijn moeder. 'Als ze ooit echt komt.'

'Dan hou jij haar toch zeker een beetje in de gaten, hè?'

'Uiteraard. Hoewel ik ook nog een paar andere dingen aan
mijn hoofd heb.' Zoals een nieuwe man en twee kinderen, om
nog maar te zwijgen van mijn werk en de mensen die werkelijk
op drift waren geraakt en niet alleen maar een beetje besluite-
loos waren. Maar daar had je het weer: ik oordeelde te snel. Ik
wilde niet een van die liefdadigheidswerkers zijn die het zo druk
hebben met het helpen van anderen dat ze hun eigen familie ver-
waarlozen. Ik zou mijn zusje het voordeel van de twijfel moeten

geven. Ik besloot om zowel Roxy als Tash voortaan te behandelen als de volwassenen die ze waren.

Mam knikte. 'Maar jij hebt het van nature. Daarom wist ik dat je zo zou genieten van het werk op het adviescentrum. Jij weet hoe de wereld in elkaar zit. Maar Tash... zij dénkt alleen maar dat ze het weet.'

Ik wist niet zeker wie er deze keer het voordeel van de twijfel kreeg, Tash of ik. In elk geval kwam mijn zusje even later langs om haar Londense campagne persoonlijk te hervatten. Ze was gekleed in een soort met lovertjes bezette djellaba, die een beetje ongewoon aandeed tussen de twinsets en de mantelpakjes. Ik vroeg me af hoe dit over zou komen in de strenge mode-ogen van Roxy en Marianne. 'Dus nu,' zei ze, 'trekt Davis bij jou in. Betekent dit dat je een nieuwe huurder zoekt voor de flat?'

'Nee, dank je. We gaan die kamers nu voor onszelf gebruiken en Roxy en Matt een beetje meer ruimte geven, hoewel we volgend jaar misschien weer een nieuwe huurder moeten zoeken, afhankelijk van de financiën.'

Ze keek pruilend en ik merkte dat mijn stemming aarzelde tussen vrolijkheid en wanhoop. We wisten allebei dat ze niet van plan was geweest een normale huur te betalen, als ze al iets zou betalen. 'Moet je dan geen oppas voor de kat hebben, voor de tijd dat jullie weg zijn?'

'We hebben geen kat, Tash, dat weet je.'

'Dan krijgen jullie er een van mij, als huwelijkscadeau!'

Ik schoot in de lach. 'Ik geloof niet dat de vijfde verdieping van een flatgebouw het beste onderkomen voor een kat is, jij wel?'

'Ik háát katten,' stemde ze in. 'Ze kunnen je zo plotseling bespringen!'

Ik schudde lachend mijn hoofd. We waren misschien niet als twee druppels water, maar ik kon me het leven niet voorstellen zonder Tash. Je kon onmogelijk geen oog hebben voor haar charme. Misschien moest ik maar meteen zwichten en haar de logeerkamer aanbieden. Maar nee, besefte ik met enige opwinding, ik zou eerst met Davis moeten overleggen voor ik zo'n belangrijke beslissing nam. Misschien als Roxy het huis uit was... 'Hoor eens, ik bel je wanneer we terug zijn, en dan steken we de koppen bij elkaar om een nieuwe carrière voor jou te plannen.'

'Dank je, Kate. Ik denk dat ik voorlopig dan nog maar even bij papa en mama blijf hangen.'

Toen ze wegliep zag ik met een kleine steek van blijdschap Davis door de menigte naar me toe komen.

'Geweldig, hè?' zei ik. 'Ik kan gewoon niet geloven dat alles zo goed gaat.'

Hij kneep in mijn hand. 'Ja, maar het zal heerlijk zijn om dit alles achter te laten, hè?'

Morgen gingen we naar Frankrijk, naar La Rochelle, een stadje aan de kust waar ik nooit was geweest maar dat Davis goed kende. Hij had het over de oesters die we zouden eten en de goede wijn die we zouden drinken en de lange wandelingen die we langs de kust zouden maken. Ik vond het een geweldig aantrekkelijk idee dat hij mijn gids zou zijn. Gisteren had ik Roxy's laptop geleend om de website te bekijken van het pension waar hij had geboekt en ik had een foto gevonden van een suite op de zolderverdieping, met aan drie zijden ramen. *'Cette chambre est celle qu'on préfère pour les escapades amoureuses…'* Nou, je had Roxy's geweldige Frans niet nodig om dat te begrijpen. Ik stelde me zoiets voor als de tijd die we deze zomer samen hadden gehad, een dagindeling die door fysieke begeerte werd gedicteerd. Ja, ik vond het een heerlijke gedachte dat hij de leiding zou hebben, niet alleen op onze huwelijksreis, maar in ons leven samen.

'Kom mee,' zei hij en trok me mee terwijl hij naar onze gasten gebaarde dat ze dichterbij moesten komen. 'Ik denk dat het tijd is voor een toast.'

En hij wist iedereen opnieuw in te pakken met een citaat uit *Physiologie du mariage* van Balzac:

'Un mari, comme un gouvernement, ne doit jamais avouer de faute.'

Oftewel: een echtgenoot moet, net als een regering, nimmer een misstap bekennen.

15

Toen ik met Alistair trouwde, waren we amper uit de collegebanken en zo armlastig dat onze ouders erop stonden ons een
huwelijksreis aan te bieden. Ze overlegden met elkaar en kozen
iets wat ze zelf zouden willen: een chic hotel in de heuvels van
Toscane. Wij waren minstens twintig jaar jonger dan de andere
gasten en leerden weldra te genieten van het zorgzame gedrag
van de oudere gasten die ons sterk aan onze eigen ouders deden
denken. Bovendien werden we voortdurend verwend door het
personeel. Overdag vertrokken we voor wandeltochten, aten
picknicks van brood met kaas en tomaten, dronken veel goedkope witte wijn en lagen af en toe uit het zicht in het gras te neu-
ken. Er was niemand die zelfs maar opperde dat we te jong
waren om getrouwd te zijn. Toch voelde het een beetje alsof we
speelden dat we volwassen waren.

'Waar denk jij dat we over twintig jaar zullen zijn?' vroeg ik
Alistair op een avond, toen we met een glas prosecco op het terras zaten.

Hij grijnsde. 'Waarschijnlijk weer hier, maar dan op eigen kos-
ten als het aan mij ligt.'

Ik was enthousiast over hoe ambitieus Alistair was geworden
sinds hij in de werkende wereld was gekomen. Hij zou binnenkort van een klein consultancykantoor, waar hij na de universiteit terecht was gekomen, naar een veel groter kantoor gaan. Het
was een van de top vijf, zei hij, een uitstekende springplank. We
praatten in die vakantie veel over zijn carrière.

'Weet je wat? Laten we hier terugkomen als we twintig jaar getrouwd zijn,' zei hij. 'Om te zien wat we hebben bereikt.'

'Afgesproken.' We gingen ervan uit dat het enige dat ons kon
scheiden in de tijd tussen dat moment en een datum twintig jaar
later, een tragedie zou moeten zijn, bijvoorbeeld de dood van een
van ons beiden.

Toen we ontdekten dat ik zwanger was, volgde er een periode

waarin we onze keuzes moesten bepalen. Ik was pas eenentwintig, Alistair tweeëntwintig. Nu konden we niet meer spelen dat we volwassen waren, maar moesten we de harde werkelijkheid onder ogen zien.

'Zou ik mijn eigen carrière niet eerst een beetje op gang moeten zien te krijgen?' zei ik ongerust. Ik had het gevoel dat ik van kind opeens moeder zou worden, met heel weinig ertussenin. Ik was klaar geweest voor het huwelijk, maar niet noodzakelijkerwijs voor het ouderschap.

Alistair knikte. Ik constateerde met enige vrolijkheid dat hij dit zelfs deed als hij het er niet mee eens was; het was waarschijnlijk een van zijn nieuwe consultanttechnieken. 'Ik zou ja zeggen als je echt wist wat je wilde. Ik weet het niet, Kate...' – dat zei hij altijd, zelfs als hij het wel wist, ook zo'n techniek. 'Op deze manier heb je de tijd om er nog even over na te denken.'

Het was waar dat ik nog geen flauw idee had wat ik verder wilde. Ik stond voor een gat dat moest worden gevuld. Ik had geen goede stageplaats weten te bemachtigen, voor een deel omdat ik eigenlijk niet wist of ik dat wel wilde. De weinig inspirerende verzekeringsmaatschappij waar ik terechtkwam toen ik naar Londen verhuisde om dicht bij Alistair te kunnen zijn, was duidelijk niet de juiste keuze voor mij. Binnen een paar weken zat ik voortdurend naar de klok te kijken en kreeg ik de kriebels achter mijn bureau. Mijn laatste idee was om in het onderwijs te gaan.

'We kunnen een huwelijksreisbaby niet weg laten halen,' zei Alistair. 'Dat zou een vloek op ons huwelijk leggen.'

'Je mag zoiets niet zeggen!' protesteerde ik.

'Maar je begrijpt wat ik bedoel, hè?'

Uiteraard hielden we de baby, baby Roxana, en ze vulde het gat inderdaad. Ze vulde het tot over de rand.

Op de avond van onze aankomst in La Rochelle nam Davis me mee voor een wandeling langs de haven. Ik was verbaasd hoe vertrouwd het allemaal leek: donkergroen water dat klotste in de wind, een uitgestrekte kade die met keien was geplaveid, caféterrasjes vol groen-met-witte rieten stoeltjes, schalen vol *moules* en knaperige gele *frites*. Het herinnerde me aan mijn eerste vakantie in Frankrijk en aan vroegere schoolreisjes.

'Ik ben vroeger vaak hier aan de kust geweest,' zei Davis, toen ik hem vroeg waarom hij dit had gekozen, 'al is dat inmiddels wel jaren geleden.'

'Hoe heb je dit gevonden?'

'O, via vrienden.'

In gedachten legde ik allerlei verbanden. 'O, is dit de plek waar die mooie oude vuurtoren is, die op je foto's staat? En was dát de vriend?'

Hij keek me vragend aan voor hij het zich herinnerde. 'O nee, dat is bij Baleines.'

'Waar is dat? Hier in de buurt?'

Hij gebaarde vaag. 'Over de brug. Maar als je van vuurtorens houdt, lieverd, dan moet ik je de beroemde Tour de la Lanterne laten zien...'

Dat bleek een hoge lantaarnvormige toren bij het kasteel te zijn, die ooit zowel als gevangenis als vuurtoren had gediend en die graffiti bevatte in de diverse talen van de mensen die in de loop der eeuwen de pech hadden gehad dat ze daar terecht waren gekomen. Er waren veel ruige en spannende dingen in La Rochelle, zoals het oude bolwerk met zijn labyrint van trappen en gangen. 'Gebouwd om de Engelsen buiten de deur te houden,' zei Davis, alsof hij even niet zeker wist aan welke kant hij stond. En een gigantisch anker, dat op de straatkeien lag, een maritiem museum en grootse standbeelden van vloothelden op iedere hoek. Overal boten en vlaggen en touwen en scheepsbellen. Ik moest voortdurend denken hoe leuk Matthew het zou vinden om hier rond te kijken, uit te rekenen of die enorme roestige ketting echt lang genoeg was om van de ene tot de andere toren te reiken, zoals de informatie beweerde, de boten te tellen en zijn vingers als een pistool op de meeuwen te richten.

Ik moest bekennen dat het niet helemaal was wat ik als huwelijksreis had verwacht. Niet dat ik het wilde vergelijken met mijn sprookjesachtige eerste huwelijksreis – ik was toen nog amper de collegebanken ontgroeid, nog groen en onwetend – maar toch was het allemaal een beetje te opvoedkundig, met Davis die zo uitermate grondig was in zijn historische commentaren. Ik moest mezelf eraan herinneren dat ons pension mijn verwachtingen meer dan overtrof, met de enorme ramen en de weelderige sofa's waarop je kon zitten kijken hoe de oceaan met het licht van kleur veranderde. Bovendien waren plaatsen niet bijzonder om zichzelf maar om de mensen die je erheen brachten.

'Het is heel mooi,' zei ik tegen hem terwijl ik mijn vingers in de holte van zijn elleboog schoof toen we langs het water liepen, warm ingepakt met handschoenen en sjaals. 'Ik hou van de wind en de zeelucht. Het is in Londen deze zomer echt een beetje te warm geweest, hè?'

Hij kuste me door mijn wollen muts heen op de kruin van mijn hoofd. 'Ik had gedacht morgen fietsen te huren om door het park te fietsen.'

'Oké. Lieve help, ik heb in geen jaren op een fiets gezeten.' Maar mijn fantasie sloeg al op hol toen ik me voorstelde hoe we met zijn tweeën op een tandem fietsten, waarbij ik stralend naar hem achterom keek, met wapperende haren. Allebei in een regenjas met een riem strak om het middel, hoewel ik geen regenjas bezat en Davis bij mijn weten ook niet. Ik stelde me voor dat ik familie en vrienden foto's van onze blijdschap liet zien en iedereen riep dat het er allemaal volmaakt uitzag.

Tijdens onze wandeling kwam de zon eindelijk achter de wolken vandaan en overgoot alles met een goudwitte gloed. Davis zette een zonnebril op en zag er buitengewoon knap uit. Het was oktober, het seizoen liep ten einde, maar zo voelde het niet aan.

'Vertel eens iets over je eerste huwelijksreis,' zei ik later tegen hem. Eerste huwelijksreis – die woorden bezorgden me zo'n wijs gevoel, alsof met deze tweede huwelijksbelofte alle emotionele rommel van de eerste kon worden verdreven, alsof al mijn fouten waren weggewist.

'Moet dat echt?' Davis trok aan zijn sigaret en wierp me de scheve blik toe die ik zo aantrekkelijk vond. Hij was opgetogen dat hij hier nog binnen mocht roken, iets wat in alle Londense gelegenheden inmiddels verboden was. We zaten in een bistro, na een maaltijd met vis, achter nog een glas wijn. Het was een aardig eethuisje, met een laag balkenplafond, nautische voorwerpen die overal aan de muur hingen en een bar in de vorm van een scheepsromp. Omdat ik al jaren niet meer over de grens was geweest was ik vergeten hoe beschaafd Frankrijk was. Zelfs in de kleinste cafés was het bestek gepoetst tot het glom, waren de servetten keurig gevouwen. 'Exen vormen toch wel het laatste onderwerp waar we het op dit moment over willen hebben?'

Ik glimlachte. 'Ik vind dat ik zo weinig over je leven met Camilla weet. Ik bedoel, gezien het feit dat mijn ex naar onze trouwerij is gekomen, bestaat er aan jouw kant toch iets als een informatiekloof, nietwaar?'

'Een informatiekloof,' herhaalde hij, alsof het een buitenlandse vocabulaire betrof die hij niet kon doorgronden. Ik begon te ontdekken dat Davis niet hield van uitdrukkingen die te bedrijfsmatig klonken, hij vond dat woorden expressief en menselijk moesten worden gebruikt, niet uitgekleed, alsof ze door een computer waren geprogrammeerd. 'Oké, nou ja, als het per se moet zal ik je iets over mijn eerste huwelijksreis vertellen. Weet je, wat ik me het beste ervan herinner is dat Camilla werd aangevallen door een ara.'

'Door een ára?'

Hij grinnikte. 'Nou ja, ze werd erdoor gepikt. En het beest zei ook iets tegen haar, steeds hetzelfde, hoewel we niet konden verstaan wat het was. Ze was ervan overtuigd dat het een soort verwensing was. Het werd een heel hysterisch gedoe.'

Ik moest onwillekeurig giechelen. 'Wat bizar. Waar was dit? Ergens in de Cariben of zo?'

'Nee, je kunt het geloven of niet, maar het was hier in Frankrijk, in een soort tropisch vogelpark. Er waren honderden ara's en papegaaien. Net een soort Hitchcock.'

Ik verstrakte. 'Ben je voor je eerste huwelijksreis ook naar Frankrijk geweest?'

'Ja. Camilla's ouders hadden een onderkomen in Parijs en ook een hier in de buurt. Daardoor heb ik mijn Frans zo geweldig kunnen verbeteren. Ik ben in Duits afgestudeerd, zoals je weet.'

'"Hier in de buurt"? Je bedoelt dat zij degene was die je hierheen heeft gebracht?'

Er viel een stilte. Er gleed, heel uitzonderlijk, een onzekere trek over Davis' gezicht. 'Zij heeft het er ook wel eens over gehad, ja. Maakt dat wat uit, lieverd?' Hoewel ik teleurgesteld was dat ik door mijn nieuwe man naar een plaats was gebracht die hij met een vorige liefde associeerde, was het ook volstrekt duidelijk dat dit voor hem niets meer was dan een onbetekenende toevalligheid. Hij wilde me gewoon een geliefde plaats laten zien. En hij kende deze omgeving goed, heel goed. De gesprekken om ons heen werden in het Frans gevoerd, en niet in toeristen-Engels, want Davis wist waar de plaatselijke bevolking graag ging eten. Hij wist ook de beste plek om 's ochtends koffie te drinken, de verscholen bar met art-decoinrichting die aan de lijstjes in de reisgidsen had weten te ontkomen, de boekwinkel vol oude paperbacks, waar je 'bijna alles' kon vinden wat je maar wist te bedenken. Ja, hij paste hier goed. Als het regende droeg hij een oude mosterdkleurige oliejas die maakte dat hij er heel Frans uitzag (vooral met dat Gallische profiel van hem) en het was duidelijk dat het personeel in de restaurants hem voor een inboorling hield.

'Maar ik neem aan dat je je eerste huwelijksreis niet híer hebt doorgebracht?' vroeg ik nadrukkelijk. Ik vond dat hij toch wel enig gevoel voor mijn situatie aan de dag mocht leggen, ook al eiste ik dat niet specifiek van hem. 'Ik bedoel, niet in hetzelfde hotel?'

'O nee, natuurlijk niet. Helemaal niet in La Rochelle. Het was in een klein plaatsje verderop langs de kust.' Hij keek even naar de deur. 'Maar het was natuurlijk niet zo chic als je eigen Toscaanse avontuur.'

Ik glimlachte, blij dat hij zich dat detail had herinnerd. Mijn verslag over mijn eigen huwelijksreis, dat ik hem al had gegeven voordat we iets met elkaar hadden, was doorspekt geweest met terzijdes over Alistair in de trant van 'Als ik had geweten dat hij zo zou veranderen...' en ik bedacht nu dat ik de diplomatieke houding van Davis op prijs hoorde te stellen in plaats van steeds maar te willen vissen. Als ik naar zijn jeugdige gezicht keek, met die lippen die aan de mondhoeken omhooggekruld waren en die ogen die voortdurend belangstellend om zich heen keken, had ik alle bewijzen die ik nodig had om te weten dat hij zijn romantische tragedies beter had doorstaan dan ik de mijne. Wat hadden we toch een ervaring, wij met onze vier huwelijksreizen. Ik verbeterde mezelf: drie, want deze deelden we.

'Hebben jullie samen veel gereisd, Camilla en jij?' Ik kon me maar niet inhouden.

Hij schonk onze wijnglazen nog eens in en onderdrukte een

zucht. 'Heel wat. We waren allebei erg aan Frankrijk gehecht, op zich niets ongewoons. Weet je, eigenlijk konden we het alleen maar goed met elkaar vinden als we van huis weg waren. Gek, dat heb ik nooit eerder bedacht.'

'Weg van de verleidingen van thuis, veronderstel ik,' zei ik, waarbij ik doelde op de ontrouw van zijn vrouw. Maar ik moest ook onmiddellijk denken aan de enige vakantie die Alistair en ik hadden gehad tussen de geboorte van Matthew en onze scheiding in: een weekend weg, de enige harmonieuze periode van achtenveertig uur die ik me uit die tijd kon herinneren. Hij had inmiddels al een tijdje een verhouding met Victoria, maar daar wist ik natuurlijk helemaal niets van. Ik verbaasde me opnieuw over het verdovende effect dat mijn nieuwe huwelijk op de herinnering aan het vorige had gehad. Nog maar een paar maanden geleden was de gedachte aan de stiekeme verhouding van Alistair en Victoria, terwijl hij nog steeds met mij getrouwd was en Matthew een pasgeboren baby was, voor mij de ultieme definitie van menselijke ellende geweest. Nu hadden die twee net zo goed acteurs kunnen zijn in een film die ik lang geleden had gezien.

Ik zag Davis een flinke slok wijn nemen, terwijl ik me afvroeg of hij nog iets over Camilla zou zeggen. Ik wenste dat hij zich over de tafel heen zou buigen om me te kussen, zodat die hartstocht tussen ons waar alles mee begonnen was weer op zou vlammen, maar hij wenkte de ober dat hij nog wat wijn moest brengen. Eerlijk gezegd was ik een beetje teleurgesteld over het gebrek aan hartstocht op deze reis. Er was een avond geweest dat hij al in slaap was gevallen toen ik bij hem kwam, een andere avond was hij helemaal verdiept in een boek dat hij die middag in een tweedehands boekwinkel had gevonden. 'Ik heb hier jaren naar gezocht,' had hij gezegd, en heel fervent ook, alsof mijn aantrekkingskracht geen schijn van kans had tegen deze lang gekoesterde wens. Het boek had zelfs een eigen geur, droog en wat zuur, alsof het feromonen afscheidde.

Toen ik opkeek, zag ik dat hij me aanstaarde met een speciale blik in zijn ogen. 'Waar denk je aan?' vroeg ik, en schoot toen in de lach om mijn eigen woorden. 'Sorry, ik klink als een tiener.'

Hij glimlachte. 'Wat grappig dat je dat zegt, want ik zat net te denken hoeveel je op dit moment op je dochter lijkt. Ik weet dat ze in fysíék opzicht op je lijkt, natuurlijk, maar wanneer jij over iets piekert, is het alsof jullie moréél ook hetzelfde zijn.'

'O ja?' Voor het eerst begon ik me een beetje te ergeren aan de manier waarop hij bepaalde woorden benadrukte. Ik wilde nu niet aan Roxy denken en ik wilde ook niet dat hij aan haar dacht. Dit was onze huwelijksreis. Misschien merkte hij dat, want hij schakelde eindelijk om en pakte over de tafel mijn hand vast. Toen liet hij zijn vingers over de palm van mijn hand glijden en begon mijn pols te strelen, zodat ik opgewonden raakte. De eetzaal kromp om ons heen.

'Zou jij je nieuwbakken echtgenoot niet eens vertellen waarover je zat te piekeren?'

Ik zuchtte. 'O, nergens over. Gewoon over de aard van een huwelijksreis.'

'Daarover is volgens mij vrij veel bekend. En ik zie niet in waarom we van alle verkregen wijsheid zouden moeten afwijken...' Hij gebaarde de ober opnieuw en vroeg deze keer om de rekening, terwijl hij met mijn hand bleef spelen. 'Laten we gaan.'

'Maar we hebben net wijn besteld.'

'Die nemen we wel mee.'

Het pension was slechts enkele straten verderop en we haastten ons de warmte in, waarbij we op weg naar boven de receptioniste *bon soir* wensten. Zodra we de deur achter ons dicht hadden gedaan duwde Davis me op het bed en rukte mijn jas en blouse uit. Dezelfde vingers die me in het restaurant zo teder hadden geprikkeld grepen me nu bruusk beet en ik drukte mijn gezicht gretig tegen het zijne. Hij maakte dat ik me heel zacht en vrouwelijk voelde terwijl hij me betastte en kneep, in de volmaakte zekerheid dat er geen tegenstand zou volgen. Mijn sombere bui was op slag verdwenen toen ik opnieuw door geluk werd overspoeld.

'O Davis, ik wil dat dit altijd zo zal blijven, ik wil niet dat we ooit uit elkaar gaan...'

Hij verstarde ineens, zijn lichaam werd roerloos terwijl het boven me zweefde.

'Wat is er?' zei ik, terwijl ik mijn armen uit mijn ondergoed worstelde en mijn gezicht dicht bij het zijne hield. Ik beet zacht op zijn onderlip. 'Wat is er aan de hand?'

'Niets, alleen maar...'

Kennelijk had iemand anders dat ooit tegen hem gezegd, dacht ik, of iets wat erop leek. Vermoedelijk Camilla, zijn kindbruid van lang geleden.

'Vergeet haar,' zei ik, nu zelfverzekerd over mijn eigen kracht. 'Je had gelijk, we moeten nu niet aan vroegere geliefden denken.'

Ik rukte ongeduldig aan zijn broeksband en schoof omlaag. Toen ik weer opkeek, had hij zijn ogen stijf dicht.

Tegen het eind van ons verblijf stonden we op een morgen vroeger op dan anders, vroeg genoeg om als eersten beneden te zijn voor het ontbijt. We waren van plan een eind te gaan fietsen en we wilden een vroege start hebben. Terwijl Davis met de receptioniste stond te praten over restaurants voor die avond, zag ik haar boek openliggen op de balie tussen ons in, met tabellen van data en fluorescerende vakjes die de diverse reserveringen aangaven. Het pension was volgeboekt geweest van april tot september en zelfs tot begin oktober. Deze week zaten ze nog halfvol, maar vanaf de volgende maandag waren de weekdagen leeg, zou het seizoen voorbij zijn en zouden de gasten voornamelijk in de weekends komen. Eén toeristenseizoen, dat was precies de tijd dat Davis en ik elkaar kenden – van Pasen tot oktober. In de schoolagenda was dat anderhalf trimester. Ik keek naar zijn gezicht, dat nu voor driekwart naar mij was toegekeerd, en mijn blik gleed langs de contouren van zijn neus en kaak, alsof ik hem voor het eerst zag. Wat kon je in 's hemelsnaam in anderhalf trimester over iemand te weten komen? Er was toch zeker een volledig academisch jaar voor nodig voor je klaar was om met iemand te trouwen?

Gedurende een wild moment voelde ik een opwelling om ervandoor te gaan, de deur uit te hollen en weg te vluchten van deze winderige plek, terug naar Francombe Gardens, naar de ommuurde tuin binnen het park aan de achterkant, een veilig toevluchtsoord binnen een toevluchtsoord. Lange tijd was mijn flat de enige plaats geweest waar ik me veilig kon voelen, en toch was ik me met de komst van Davis zelfs daar anders gaan gedragen. En hoe had ik mijn kinderen zomaar thuis kunnen laten? We waren natuurlijk wel vaker van elkaar gescheiden geweest, met hun weekends en twee keer per jaar hun vakanties bij Alistair, maar dit was de eerste keer dat ík hén in de steek had gelaten. Wat voor boodschap gaf ik hun daarmee? Hoe zou dit geen invloed op hun welzijn kunnen hebben?

'Kate, is alles goed met je?' Davis sloeg zijn arm om mijn middel. 'Je ziet er een beetje vreemd uit.' Links van hem zag ik de toegeeflijke glimlach van de receptioniste. 'Goed nieuws, lieverd: Annette zal proberen voor vanavond een tafeltje voor ons te boeken bij Jardin de Mer. Dat schijnt hier het beste restaurant te zijn.'

'Dat is geweldig, Davis. Luister, kunnen we even...' Ik pakte hem bij de pols en trok hem mee naar het bankje bij het raam. Vanuit onze kamer hadden we uitzicht op het kasteel en op de zee, maar op de benedenverdieping kon je alleen maar rijen en rijen geparkeerde auto's zien.

'Wat is er?' vroeg hij bezorgd. 'Voel je je niet lekker?'

Ik keek hem verwilderd aan. 'Nee, maar het is gewoon... Ik weet dat dit krankzinnig klinkt, maar ik moet het weten.'

'Wat moet je weten?'

'Houd jij écht van me?'

Hij staarde me onthutst aan. 'Of ik...?'

'Ik bedoel, denk je écht dat we hier goed aan hebben gedaan?' De hysterie kneep mijn keel dicht en maakte mijn stem hijgerig. 'Ben je er honderd procent zeker van dat we niet zomaar iets volstrekt krankzinnigs hebben gedaan?'

Een seconde lang keek hij me zo vreselijk gegeneerd aan bij dit vertoon van behoeftigheid, dat ik me kwaad voelde worden, hem weg wilde duwen en tegen hem wilde schreeuwen dat hij me met rust moest laten. Hij ging nog niet zo ver dat hij achterom keek om te zien of Annette ons gesprek had gevolgd, maar ik kon zien dat hij dat dacht (hij had zich geen zorgen hoeven maken, want bij het eerste vermoeden van gekibbel tussen geliefden had ze zich discreet teruggetrokken).

'Davis! Ik meen het!'

'Ja,' zei hij direct, 'dat begrijp ik. Ja, ik houd écht van je, natuurlijk houd ik van je. En ik ben er honderd procent zeker van dat dit niet krankzinnig is.'

'Oké.'

Hij glimlachte, met een sussend, inschikkelijk gezicht. 'Is dat alles, lieverd? Je maakte me echt even ongerust.'

Eindelijk ademde ik uit. 'Dat is alles.'

16

'Kate,' riep Ethan. Hij sprong op van zijn bureaustoel om me te begroeten. 'Wat fijn dat je terug bent. Hoe was de huwelijksreis?'

Hij had op mijn voicemail een bericht ingesproken waarin hij me vroeg contact met hem op te nemen zodra ik terug was en ik had besloten naar het kantoor te wandelen om wat frisse lucht te krijgen. Na de weidse luchten, voortsnellende wolken en zeegezichten van La Rochelle leek Londen benauwd, de straten krap en vol, alsof mijn woonplaats eiste dat ik mijn emoties zou indammen nu ik weer terug was. Ik wist niet zeker of me dat zou lukken. Na die kleine hobbel in La Rochelle was de rest van onze huwelijksreis een idylle geweest en ik had mijn nieuwe geluk gretig omhelsd. Er restte me slechts één twijfel, en zoals dat met twijfels wel vaker het geval is, was het een gelukkige twijfel: de vraag of ik al dan niet de achternaam van Davis zou aannemen. Aan de ene kant vond ik het geen leuk idee een andere naam te hebben dan de kinderen, wat de reden was waarom ik na mijn scheiding van Alistair niet mijn meisjesnaam weer was gaan gebruiken. Aan de andere kant zou het, nu ik hertrouwd was, ook een beetje vreemd zijn om de naam van een andere man te gebruiken. Davis, verzoeningsgezind als altijd, zei dat het hem allemaal niets uitmaakte, dat ik moest doen wat mij het beste leek. Dat zou Alistair nooit hebben gezegd.

Ethan zette in het personeelskantoor muntthee voor ons. Er was geen budget voor thee of koffie, dus vulde hij de voorraden uit eigen zak aan. Ik had nog nooit meegemaakt dat hij dat vergat en terwijl hij de theezakjes uit de bekers viste, voelde ik een steek van dankbaarheid voor die betrouwbaarheid.

'Is alles goed?' vroeg ik, terwijl ik mijn beker pakte en een slokje nam. Er was altijd een vage angst dat een advies dat ik had gegeven verkeerd had uitgepakt, met rampzalige gevolgen.

Hij knikte. 'Ja, heus. Ik wilde je alleen, vóór de anderen, vertellen dat Jocelyn weggaat. Of eigenlijk verhuist. Ze wordt ver-

plaatst naar een afdeling in Kent en verhuist met Kerstmis.'
Jocelyn was Ethans belangrijkste medewerker, zijn vervanger en
de enige andere met een betaalde fulltime baan. Voor de rest bestonden we uit een verzameling parttimers en vrijwilligers. 'We
zullen ons wel aan de officiële procedure moeten houden, maar
ik vroeg me af of jij belangstelling zou hebben voor de baan.'

Dat was een verrassing. Ik voelde me gevleid dat hij aan mij
had gedacht, want er stonden minstens twee anderen op de lijst
die meer ervaring hadden dan ik en tot wie ik me meestal wendde wanneer ik moest overleggen. 'Ik weet het nog niet. Ik bedoel,
ja, in principe wel, maar zoals je weet heb ik altijd geprobeerd
binnen Matthews schooltijden te werken.'

Ethan streek door zijn baard. Hij dacht altijd heel constructief en was direct doende een oplossing te bedenken. 'Weet je, het
is altijd een volledige baan geweest. Maar je zou misschien wat
later kunnen beginnen dan Jocelyn nu, nadat je Matthew naar
school hebt gebracht, en we zouden waarschijnlijk flexibel kunnen zijn waar het de dagen betreft, zodat je zaterdag vrij hebt.'

'Dat zou beslist helpen.'

'Het zou geweldig zijn als we het zo kunnen doen, Kate. Je
moet weten dat je inmiddels onmisbaar voor ons bent geworden.
Je bent echt heel goed met de cliënten, dat vindt iedereen.'

'Ik moet er even over nadenken.' Ik besefte dat de situatie
thuis nu anders was. Davis zou er in elk geval een deel van de tijd
zijn en met wat plannen en organiseren zouden we alles zo kunnen regelen dat Matthew nauwelijks iets van de toename in mijn
aantal werkuren zou merken. Bovendien zou hij, als hij eenmaal
naar de middelbare school ging, wel met de bus kunnen, of met
de ondergrondse. Vroeger had ik me daar vast zorgen over gemaakt, maar ik voelde weer dat nieuwe zelfvertrouwen, het idee
dat van nu af aan alles mogelijk was. Het was zo'n heerlijk ge-
schenk, dat zelfvertrouwen, en het was Davis, mijn nieuwe man,
die het me had geschonken. Mijn nieuwe man. Ik zei die woorden heel graag tegen mezelf. Als je bedacht hoe stellig ik was geweest over het feit dat ik nooit meer mijn leven met een man
wilde delen, was ik niet anders dan alle andere pasgetrouwde
vrouwen. Ik kon me eigenlijk niet voorstellen waarom ik mijn
hart zo lang zo stevig dicht had gehouden, met het idee dat de

enige vreugde die ik verlangde, bestond uit het toekijken hoe mijn kinderen me steeds minder nodig zouden hebben. Nou, daar kwam per definitie een eind aan, nietwaar?

Het kantoor van de leider had binnenramen naar de gang achter de receptie en ik zag dat slechts een van de vier spreekkamers bezet was. Het was vreemd rustig. 'Ik wilde zeggen dat ik kon komen helpen als het druk was, maar het ziet er niet uit alsof jullie me nodig hebben.'

Ethan grinnikte. 'Ja, wonderlijk genoeg is het de hele dag al zo geweest.'

'Je bedoelt dat voor deze ene keer iedereen gelukkig is?'

'Daar ziet het wel naar uit. Het zal wel in de lucht zitten.'

Dat gevoel van windstilte strekte zich uit tot de kinderen. Vooral Roxy deed heel rustig. Ze had iets behoedzaams over zich, wat aanvankelijk maakte dat ik me afvroeg of er in onze afwezigheid soms stiekem feestjes waren gegeven. Maar de drankvoorraad was nog op peil en er lagen geen sigarettenpeukjes op de brandtrap en ik besefte al snel dat het gewoon een gevoel van anticlimax was. De ingrijpende gebeurtenissen waren achter de rug, de opwinding was verdampt, en nu moesten we ons allemaal richten op het gewone leven, in Roxy's geval op de examens in december en de toelatingsgesprekken voor de universiteit in het nieuwe jaar. Ik besloot Davis voor te stellen de kinderen in de kerstvakantie mee te nemen naar een vakantiehuisje aan de zuidkust. Dan had iedereen iets om naar uit te kijken.

Van ons allemaal had Davis het wel het drukst in deze eerste week terug. Op maandag en dinsdag zat hij tot laat in de avond met leerlingen in de flat aan de voorzijde en halverwege de week was hij elders druk bezig met lesgeven. Soms kon ik hem zelfs niet telefonisch bereiken. Dit had echter weer als voordeel dat zijn verhuizing naar de flat in fases ging. Ik besloot elke dag iets te reorganiseren, zodat hij in het weekend volledig inwonend zou zijn. Ik hoopte dat Roxy zaterdagavond thuis zou willen blijven, zodat ik iets speciaals voor ons vieren kon koken.

Eerst maakte ik het keukentje schoon, waarbij ik zijn keukengerei en voorraden naar mijn keuken overbracht. Daarna de slaapkamer, een kwestie van het vloerkleed stofzuigen en het bed

191

afhalen. Na een moment van schuldgevoel, toen ik dacht aan Tash en aan haar hoop om naar Londen te verhuizen, deed ik schone lakens op het bed, legde er een sprei over en klopte de kussens op, alsof ik haar diezelfde dag nog verwachtte. Daarna verhuisde ik de kleren uit zijn klerenkast naar de mijne – de onze! Hij bleek heel netjes te zijn, met rijen pakken en jasjes en overhemden die op keurig gecapitonneerde hangers hingen en veel kledingstukken die van een dure kleermaker kwamen (de erfenis van een huwelijk met een veel welgestelder vrouw, vermoedde ik). Het was een opluchting dat hij zo netjes was. Ik had het gevoel dat ik al te veel dagen van mijn leven had besteed aan het stoppen van andermans sokken.

Donderdagochtend was ik klaar om zijn woonkamer terug te veranderen in de werkkamer van het gezin die we zo gemist hadden. Toen ik mijn eigen papieren en boeken bij elkaar zocht, die ik sinds de komst van Davis in dozen in mijn slaapkamer had opgeslagen, of op goed geluk in keukenladen had gestopt, besefte ik waarom ik dit voor het laatst had bewaard. Die grote wand met boeken zat nu al propvol en dan moest ik ruimte zien te vinden voor meer! Hoe moest ik dit in hemelsnaam aanpakken? Davis had beloofd de onderste twee planken voor mij uit te ruimen, maar hij had het kennelijk te druk gehad om een begin te maken. Toen ik nog eens naar al mijn stapels keek, dacht ik niet dat twee planken genoeg zou zijn. Nee, de enige manier om dit te doen was alles eruit halen en met een lege wand te beginnen.

Ik schoof een krukje dichterbij en begon Davis' boeken omlaag te halen, de bovenste het eerst. Ze hadden nauwelijks lang genoeg bovenin gestaan om stoffig te kunnen worden. Na drie planken had ik al spijt van mijn plan. Dit was hard werken, mijn armen deden nu al pijn en het plafond was zo hoog dat ik op mijn tenen moest staan om bij de bovenste planken te kunnen. Maar ik kon toch zeker niet halverwege ophouden? Ik strekte me uit naar een rij Middel-Engelse leerboeken – hij had die toch zeker niet nodig bij het lesgeven? – en toen ik die omlaag trok, zag ik dat erachter een groen bewerkt notitieboek stevig in de opening tussen het hout en de muur zat geduwd. Nieuwsgierig legde ik Chaucer opzij en trok het notitieboek eruit. Het was dun en had een omslag van een bloemetjesstof met een ongewoon vrouwelijk patroon, van het soort dat je onwillekeurig wilde strelen, en ik liet mijn vingers over de in reliëf aangebrachte bloemblaadjes glijden. Toen ik dat eenmaal had gedaan, leek het heel vanzelfsprekend om het zijdeachtige groene lint te volgen en het boek open te slaan op de gemarkeerde pagina.

Zodra ik de dichte blokken handgeschreven tekst zag, vermoedde ik dat dit Davis' 'Fragmenten' waren, of iets dergelijks in concept, want ze vormden een verzameling passages die min of meer als een dagboek waren geplaatst, maar zonder data. Ik kwam van het krukje af en nestelde me op de bank, zonder me af te vragen of ik dit wel mocht doen. Ik liet het lint op zijn plaats en bladerde terug naar het begin. De eerste pagina had als titel 'De rivier', en er volgde een kort verhaal van een tiental pagina's dat op een woonboot in de Theems speelde. De tekst was droog. Ik vond het moeilijk te volgen wat er in het verhaal gebeurde en ik sloeg een paar bladzijden over. Het volgende heette 'Voorwaardelijke veroordeling'. Het was twee keer zo lang als het vorige en ik verloor opnieuw mijn geduld bij de ingewikkelde zinnen. Daarna volgde een soort vers in het Frans en nog een aantal in het Duits, maar daarvan kon ik de strekking niet eens volgen. Onwillekeurig voelde ik me een beetje teleurgesteld. Zelfs de kleur van de inkt was dof, waterachtig blauw, vermoedelijk verschoten van ouderdom. Hij was tenslotte met dit project begonnen toen hij nog met Camilla was getrouwd.

Ik sloeg de pagina om en kwam bij een nieuwe passage in feller gekleurde inkt en, belangrijker, in het Engels.

Eindelijk begint het. Eerst was je een droom, nevel, bestond je slechts in mijn verbeelding. Nu is die droom vlees geworden. Kom in mijn leven, mijn liefste, want ik heb op je gewacht.

Ik slaakte een gesmoorde kreet, onmiddellijk geroerd door deze hartstochtelijke nieuwe toon. Het was allemaal heel vloeiend, heel anders dan de ingewikkelde zinnen van het eerste deel. Het had door iemand anders geschreven kunnen zijn. Ik las verder:

Ik heb de flat genomen. Mijn verstand protesteerde, zoals het dat ook hoort te doen, maar mijn hart drong aan. Ik moet je dicht in de buurt hebben, zelfs als hier niets van kan komen. Jij zou mij nooit willen hebben, dat begrijp ik, je zou me nooit opmerken. Maar alleen al het ontdekken van je bestaan is genoeg.

Ik kan me niet bedwingen om naar je uit te kijken, naar je te luisteren. Je komt en gaat met je vreemde, luidruchtige vriendin, zij weet altijd alles en jij bent zo volmaakt onwetend. Ik word geobsedeerd door je onschuld, door je beeldschone zwijgen.

Er kwamen tranen in mijn ogen en ik kreeg kippenvel bij het besef dat dit over mij ging. Nog meer dan dat: het was alsof Davis rechtstreeks tegen me sprak, de bedoeling had dat ik dit zou lezen. Alle liefkozingen waar ik in Frankrijk zo naar had verlangd maar nooit echt had gekregen, waren hier, in deze prachtige, geheime liefdestermen. Ik hield van de hoffelijke taal, de erkenningen van kwetsbaarheid (wat die 'vreemde, luidruchtige vriendin' betrof, kon ik slechts veronderstellen dat hij op Abi doelde! Ik zou er goed op moeten letten dat ik dat in een toekomstig gesprek niet herhaalde en me daarmee zou verraden).

Ik sloeg de bladzijde om:

Ik ben dolgelukkig iets te kunnen melden dat mijn dromen te boven gaat: ik heb je in mijn armen gehouden en je gekust.

Ik hield op met lezen en sloot even mijn ogen. Mijn geest liep over van blijdschap en ik had, overmand door sentimentaliteit, de grootste moeite om de bladzijde niet tegen mijn hart te drukken. Ik wilde ieder woord in mijn geheugen prenten, of beter nog, het overschrijven in een geheim boek van mezelf, dat ik tevoorschijn kon halen om het te herlezen als ik verdrietig was. Ik zou er mijn eigen schuilplaats voor zoeken, misschien wel hier in dezelfde kamer. Wat was ik toch gelukkig, zo gelukkig dat ik het niet kon verdragen terug te denken aan de vrouw die ik een jaar geleden was, of zelfs een halfjaar geleden. Ze leek me nu een soort ongehuwde vrijgezelle buurvrouw aan wie niemand zich ergerde en om wie niemand zich bekommerde, iemand die je misschien op de trap gedag zei zonder er zelfs maar oogcontact mee te maken, iemand die maar half leefde.

Ik heb nooit eerder in mijn leven zoveel spanning gekend. Ik dacht dat ik ervan zou breken! Maar we hebben de liefde bedreven en wat voor liefde! En het was jouw besluit, niet het mijne, jij was degene die de gelegenheid greep, mijn jongere in jaren en toch mijn wijzere van hart...

Ik slaakte een kreet van verrukking. Nou, dat was beslist een interessante kijk op onze eerste keer samen!

Je zegt dat je wilt dat we voor altijd zo zullen blijven. Ik kan je woorden niet verbeteren, zo eenvoudig en waar.

Het leek of we al een paar weken verder waren en La Rochelle hadden bereikt. Wat jammer, ik had gehoopt op meer over die eerste, uitermate erotische fase van onze relatie. Wat was Davis toch veel beter dan ik in het tot uitdrukking brengen van die buitengewone hartstocht die uit het niets was verschenen. *Ik wil dat het altijd zo zal blijven*: ik herinnerde me nog heel duidelijk het moment dat ik dit tegen hem had gezegd, op het bed in onze zolderkamer in La Rochelle, en hoe hij halverwege een kus was opgehouden alsof hij die woorden eerder had gehoord. Het was niet in me opgekomen dat hij die liefkozing wilde onthouden, dat hij hem op papier wilde koesteren. Had hij dit boekje bij zich gehad op reis? Er waren af en toe momenten geweest dat hij was weggeglipt om alleen te kunnen zijn.

Ik las verder, nu sneller, waarbij ik de woorden begerig verslond om mijn ijdelheid met verdere complimenten te voeden.

Later, te midden van het tumult van complicaties (allemaal mijn schuld!), zeg je dat je een citaat voor me hebt: 'Het is jammer als zoveel liefde... van weerskanten, ooit uiteen moest gaan.' Ik herkende het natuurlijk meteen: jouw eigen Daniel Defoe. Zelfs de woorden die je van anderen leent zijn volmaakt.

Ik fronste mijn wenkbrauwen. *Het is jammer als zoveel liefde...* Had ik dat gezegd? Ik herkende het citaat helemaal niet, en over het algemeen citeerde ik de grote literatuur niet. Zoals Roxy me die keer bij het eten op grove wijze duidelijk had gemaakt, had ik nog wel eens de neiging iets verkeerd te citeren. En ik vroeg me af wat hij met 'complicaties' bedoelde. Als deze ontboezemingen in chronologische volgorde stonden, dan waren we in dit stadium toch al getrouwd en gelukkig verlost van wat voor complicaties dan ook? Misschien bedoelde hij het weer aan het werk gaan en het vooruitzicht bij ons in te trekken? Deed er niet toe. Ik bracht mezelf in herinnering dat dit niet strikt een dagboek was, dat hier de dichterlijke vrijheid gold en dat een schrijver naar eigen inzicht met tijd en plaats kon schuiven. Dit had zelfs kunnen slaan op zijn herinnering aan die donkere dagen toen de kinderen terug waren uit Zuid-Afrika en ik, dwaas die ik was, hem had gemeden, hem die afschuwelijke brief had gegeven om hem te vragen te vertrekken. Hij had me na afloop verteld hoe erbarmelijk hij zich toen had gevoeld. *Erbarmelijk*, zo'n ouderwets, Davis-achtig woord.

Zelfs de woorden die je van anderen leent zijn volmaakt... Het geluid van de telefoon die in mijn gedeelte rinkelde, bracht me met een schok terug bij de realiteit. Voor het eerst besefte ik dat het misschien niet goed was dat ik dit las, dat ik dit niet hoorde te doen, hoe mooi het ook was. Sommige gevoelens hoorden privé te blijven. Ik sloeg het boekje dicht, maar mijn vingers, die nog steeds bij de pagina lagen, weigerden los te laten. Het gerinkel hield op. Ik kwam overeind. Maar de spieren in mijn benen wilden niet meewerken om naar de boekenkast te lopen en het boek terug te leggen waar ik het had gevonden, of om het discreet tussen een van de stapels te schuiven. Het was net zoals Davis zei: het verstand protesteerde maar het hart hield aan! Hoe kon het verkeerd zijn om van mijn nieuwe echtgenoot te ontdekken hoeveel ik voor hem betekende? Of nog beter: het te lezen? Op deze manier konden mijn laatste onzekerheden worden verjaagd en hoefde ik hem nooit meer aan zijn hoofd te zeuren om geruststellingen te horen. Hij zou nooit hoeven te weten waarom.

Nog één bladzijde, zei ik tegen mezelf, hoewel er trouwens ook niet veel meer was dan dat. Davis was kennelijk geen uitvoerige schrijver, maar het was ook waar dat hij het de laatste tijd heel druk had gehad. Ik deed het boekje weer open en vond de plek:

*Jou weer aan te raken na een tijd apart is als het opnieuw
binnengaan van het paradijs. Onmogelijk om niet te huiveren wanneer
ik aan haar lichaam denk, altijd te zacht, te meegevend.
Die gretigheid! Begrijpt ze niet dat dat slechts weerzin opwekt?
Maar jij bent geheimzinnig en speels, jij weerstreeft en ontwijkt
voordat je me binnenlaat, jij plaatst je buiten mijn bereik, en dan
weer erbinnen, je huid is onder mijn vingers de koele zijde, na haar
lauwe deeg. O Roxana, dit is thuiskomen.*

Ik stopte. Ik knipperde een paar keer met mijn ogen, waarbij
mijn oogleden vreemd en ongecontroleerd verkrampten. Toen
volgde er een abrupte, pijnlijke adrenalinestoot die maakte
dat de woorden voor mijn ogen begonnen te zwemmen. Ik
knipperde opnieuw en toen ze weer scherp werden, kwam ook
mijn gezond verstand weer terug. Natuurlijk, domme ik… mijn
intellectuele beperktheid had me ervan weerhouden de juiste
betekenis van deze zin te doorgronden. Lees het nogmaals, zei
ik tegen mezelf, dan zul je het allemaal begrijpen. 'Het lichaam van die andere vrouw', 'die gretigheid!', dit sloeg natuurlijk allemaal op Camilla. Zij moest in zijn gedachten zijn
geweest na mijn onophoudelijke gezeur in Frankrijk. En wat
die laatste zinsnede betrof, 'O Roxana, dit is thuiskomen', dat
was misschien alleen maar een verschrijving? Hij had natuurlijk 'O Kate' willen schrijven, maar omdat hij een afspraak
met Roxana had, had hij zich vergist. Misschien had ze zelfs
op zijn deur staan kloppen toen hij dit schreef en had ze geroepen om te horen of hij thuis was, dat deed ze soms. Net als
Matthew.

Maar ik besefte al dat het zo niet was gegaan, zelfs nog voor
ik de volgende pagina bekeek en haar naam steeds weer zag
staan, waarbij de 'R' regelmatig in het handschrift verscheen:

*Roxana, ik weet dat ik een vergissing heb begaan en je heb
bedrogen. Ik dacht dat dit de beste manier was, de enige manier om
te voorkomen dat ik voor eeuwig van jou zou worden verbannen,
want daar dreigde ze mee! Mijn mond ging open en er was een
lafaard die sprak. Maar ik besef nu dat ik je te hevig heb gekwetst.
Ik zweer je dat ik mijn leven zal wijden aan het goedmaken hiervan.*

197

Zij betekent niets voor me, jíj bent alles. Roxana, jíj betekent alles voor me.

De liefde is onrechtvaardig, maar rechtvaardigheid op zich is niet voldoende. (Camus)

Ik sloeg het boek dicht en bedacht hoe ik me tien minuten geleden had gevoeld, voor ik het had geopend. Ik werd onpasselijk bij de gedachte dat ik nooit meer terug kon. Het was een van die zeldzame gebeurtenissen in het leven waarbij je exact kunt aanwijzen op welk moment je onherroepelijk van koers bent veranderd of, nog erger, waarop het vaartuig dat jou vervoerde in de lucht is gevlogen en jij niet langer kunt bestaan in de gedaante waarin je jezelf kent. Er was nog een laatste korte opflakkering van hoop toen ik me afvroeg: kan ik dit begraven, kan ik doen alsof ik het nooit heb gevonden, het nooit heb gelezen? Maar dat kon ik natuurlijk niet. Voor mezelf had ik het misschien nog gekund, maar niet voor Roxy.

Ik liep wankelend en op de tast naar de badkamer, alsof ik me door een inktzwarte duisternis bewoog, om daar over te geven. Op het dikke glazen planchet boven de wasbak stonden de toiletspullen die ik daar nog maar enkele dagen geleden had neergezet, zijn spullen rechts, die van mij links. Ik had mijn spullen bij armenvol uit de andere badkamer hierheen gebracht, mezelf verheugend op het scheppen van een klein vertoon van 'hem' en 'haar'. Als ik er de kracht voor had kunnen opbrengen had ik alles op de vloer geveegd en erop gestampt. Ik struikelde terug naar de zitkamer en ging op de bank zitten met het boekje in mijn hand, terwijl ik het omslag voor de laatste keer aanraakte. Het leek op het strelen van een dier dat voor mijn ogen doodging.

17

Er verstreek enige tijd, misschien maar enkele minuten. Mijn handen beefden hevig toen ik in de telefoon sprak. 'Davis, met Kate. Ik heb je aantekeningen gelezen. Die fragmenten. Ik weet het, van Roxy en jou. Kom niet meer terug, kom niet bij ons in de buurt, anders bel ik de politie. Ik laat nieuwe sloten op de deuren zetten. Blijf weg, blijf weg…' Mijn stem steeg hysterisch en halverwege die kreet drukte ik de telefoon uit. Maar zodra ik de knop had ingedrukt besefte ik mijn fout: ik had moeten wachten tot ik Roxy had bereikt voor ik hem belde. Nu had ik hem alleen maar een voorsprong gegeven door hem te waarschuwen.

Ik werd overmand door paniek. Ik rende de flat uit en de trap af, duwde de deur open en holde de straat op. Wat was de lucht hier zacht, vergeleken bij de gure wind aan de Franse kust. Wat had Ethan ook alweer gezegd? Iedereen is gelukkig, het zit kennelijk in de lucht. En ik was zo onschuldig – zo hoogmoedig! – geweest om te geloven dat ik een van de gelukkigen was, misschien wel degene die zo gelukkig was dat alle kalmte speciaal voor mij was.

Zonder iets te horen of te zien drukte ik op Roxy's nummer, dwong in gedachten af dat de verbinding tot stand kwam. Maar ik kreeg alleen maar de boodschap dat haar telefoon was uitgeschakeld. Regels van de school, anders zaten ze elkaar voortdurend sms'jes te sturen. Wanneer ze uit school kwam, vergat ze soms urenlang haar mobieltje weer aan te zetten en als ze dat ten slotte deed, bleef het verscheidene minuten piepen vanwege de binnenkomende berichten.

Ik hield de telefoon in mijn hand geklemd terwijl mijn gedachten razendsnel gingen. Ik moest haar als eerste zien te bereiken, om haar in veiligheid te brengen, haar te beschermen. Er was een kleine kans dat die woorden van Davis de een of andere gruwelijke fantasie van hem waren, dat er helemaal niets was gebeurd. Hoe dan ook, ik moest haar bereiken voordat hij haar te pakken kon krijgen. Ik zou haar school bellen, vragen of ze haar uit de les wilden halen om haar op het kantoor te houden tot ik er was. Ik hoopte dat mevrouw Prentice zou opnemen; ik had haar in het verleden al vaker gesproken. Ik zou zeggen dat het een noodsituatie betrof en dat ik het haar wel uit zou leggen als ik er was. Laat haar niet weggaan, wat er ook gebeurt... Ik zocht naar het nummer terwijl mijn benen me verder droegen – 'Willoughby', helemaal aan het eind van het alfabet – en mijn vingers struikelden over de toetsen terwijl mijn voeten de stoeprand vonden.

'Goedemiddag, Willoughby Meisjesschool.'

Van opluchting hapte ik naar lucht. 'Hallo, spreek ik met mevrouw Pr...'

Toen dook schokkend, uit de zachte lucht, een gezicht vlak bij me op, een glimmende rode schelp erboven, een overmaatse mond eronder, vervormd en schreeuwend. Ik kon de woorden niet horen, maar ik voelde hun hitte en vocht. Daarna steen, een koude, vlakke vuist tegen mijn hoofd.

Toen ik weer bijkwam lag ik in een smal ziekenhuisbed, met lichte, geplooide gordijnen die dicht waren getrokken om het bed heen, en mijn linkerhand zat in verband en rustte in een mitella op mijn borst. Mijn schedel voelde alsof hij was omgekeerd en als eierklopper was gebruikt, alle gedachten en herinneringen waren in elkaar geklapt, alle besef was verdwenen. Ik zocht naar een bel en drukte erop. Weldra verscheen er een vrouw met een donkere huid en vrolijke ogen. Ze had haar haar paars geverfd. Ik kreeg de indruk dat ze zich die vastberaden blik bij voorbaat had aangemeten, alsof ze al besloten had dat ik in de problemen zat en dat ze beslist geen verdere onzin van mij zou accepteren.

'Wat is er gebeurd?' vroeg ik. Mijn mond was afschuwelijk droog. Ik keek om me heen naar wat water, maar er was niets.

'U heeft een aanrijding gehad.' Ze sprak met een sterk, zangerig West-Indisch accent dat maakte dat ze grappig klonk.

'U bedoelt met een auto? Reed ik?'

'Nee, u liep.' Ze grinnikte nu openlijk. 'U stak pal voor een fietser over en toen bent u met uw hoofd tegen de stoeprand gevallen. U had het geluk dat u uw hand uitstak om uw val te breken, anders had u misschien uw kaak gebroken.'

'Is mijn pols...?'

'Gebroken? Ja. Herinnert u zich dat niet? U was bij bewustzijn toen er foto's werden gemaakt. Het is slechts een eenvoudige breuk. U hoeft niet in het gips, alleen maar in verband. Wilt u nog wat pijnstillers?'

Ik schudde mijn hoofd. 'Welke dag is het vandaag?'

'Donderdag. U bent hier binnengebracht, eh, vanmiddag om één uur.'

Opeens schoot de herinnering door me heen en ik snakte naar adem toen de pijn door mijn lichaam trok, niet alleen door mijn arm maar door mijn hele lichaam, en zich als vergif verspreidde terwijl alle schakels weer koortsachtig op hun plaats klikten. 'Ik moet weg!' riep ik, terwijl ik probeerde mijn benen buiten het bed te zwaaien, maar ze werden stevig door het bovenlaken op hun plaats gehouden, alsof het bed was opgemaakt met mij erin. Ik begon met mijn goede hand aan het laken te plukken. 'Help me dit eraf te doen!'

De zuster kwam dichterbij. 'Ik dacht het niet. We willen dat u nog even blijft...'

'Ik moet weg!' Ik schopte wild onder het beddengoed, nog steeds niet in staat mezelf te bevrijden.

'Rustig aan, mevrouw Easton, de behandelend arts moet u eerst uitschrijven...'

Ik staarde haar aan. 'Hoe weet u hoe ik heet?'

'Dat heeft u ons verteld. Kate Easton, klopt dat?'

Ik keek omlaag. 'Ja.'

'Hoe dan ook, mevrouw Easton, ik mag u vanavond niet laten gaan. U moet morgenochtend misschien een scan hebben.' Ze bleef als een schildwacht staan terwijl ze mijn status bekeek, zodat haar lichaam mij de weg versperde. Ik hervatte mijn geworstel met de lakens.

'Daar kom ik dan wel voor terug. Ik heb kinderen, die hebben me nodig!'

'Maakt u zich daar maar geen zorgen over. We hebben contact opgenomen met uw vriendin... Abigail, klopt dat? Ze stond als eerste in uw telefoon. Precies... ze zei dat ze uw zoon uit school zou ophalen en dat ze dan rechtstreeks hierheen zou komen. Misschien kan zij u helpen om de dingen voor vannacht te regelen?'

'Abi?' Goddank niet Alistair, haar alfabetische buurman. 'Ik moet haar meteen spreken. Waar is mijn tas? Daar zit mijn telefoon in.'

'U had geen tas bij u, voor zover ik weet. Maar we hebben uw telefoon wel. Grappig, ze kunnen dit soort dingen beter doorstaan dan wij.' Ze grinnikte weer.

'Geef hem hier,' riep ik luid. 'Ik heb hem nu nodig! Dit is een noodgeval!'

Ze legde me met een nieuwe vermanende blik het zwijgen op. 'Wilt u alstublieft niet uw stem tegen me verheffen? En mobiele telefoons zijn binnen het gebouw niet toegestaan. Maar ik kan u wel een ziekenhuislijn geven, zodra er één vrij is. Ze zijn op dit moment allemaal in gebruik.'

Ik keek haar woest aan. 'Ik kan echt niet wachten! Ik moet de school van mijn dochter bellen. Waarom doet u zo vreselijk?'

Hierop trok ze alleen maar haar wenkbrauwen op. 'Het is zes uur geweest, ik denk niet dat er daar nog iemand zal zijn. Heb nou maar even geduld, ik weet zeker dat uw vriendin er zo zal zijn.'

Ik kon er niet langer tegenin gaan. Ze was net een bokser die me bij iedere uitdaging weer neersloeg. Ik moest wachten tot ze bij me wegging, dan kon ik maken dat ik wegkwam, zonder haar toestemming. Maar ze was amper verdwenen of ik zag een andere verpleegster met Abi en Matthew naar me toe komen. Abi liep vlak achter Matthew en hield hem bij de schouder vast terwijl ze van bed naar bed keken. Zij was in haar werkkleren, hij in sportkleding, met zijn gebruikelijke verzameling tassen bungelend om zich heen.

'Daar ben je dan!' Abi's stem klonk kunstmatig opgewekt, omwille van Matthew, maar haar ogen stonden ontzet bij de aanblik van mijn verband en mijn kneuzingen. 'Hij was nog bezig op de voetbalclub, dus vond ik dat ik hem dat maar even moest laten afmaken aangezien ze zeiden dat jij nog sliep.'

Matthew schoot naar voren. 'Mam, je arm!'

'Voorzichtig,' zei Abi, toen hij aan me begon te frunniken. 'Het zal nog best pijn doen. Wat is er allemaal gebeurd, Kate?'

'Ik ben tegen een fietser opgebotst,' zei ik. 'Vlak bij de flat. Ik zag hem niet aankomen.' Ik keek Abi aan. 'Abi, ik heb je hulp nodig voordat...'

'Deed het erg pijn?' wilde Matt weten. 'Ik heb nog nooit iets gebroken.'

Ik probeerde mijn wanhoop te verbergen. 'Op het moment zelf niet. Ik kan het me niet goed herinneren. Maar het is nu wel gevoelig.' 'Gevoelig', 'pijn', 'gebotst', dat waren van die onnozele woorden nu ik me zo kapot en verscheurd voelde. 'Ik wil niets ten nadele van Davis zeggen, lieverd, maar die fietsers zijn echt levensgevaarlijk. Ik vind dat we die fietsenrekken in de tuin kwijt moeten zien te raken, om het fietsen te ontmoedigen. Zorg dat er weer trams komen, dat is mijn mening!'

Matt vatte dit letterlijk op en vroeg bezorgd: 'Krijg ik dan geen fiets met Kerstmis? Papa zei dat als ik een goed cijfer voor rekenen had...'

Ik keek Abi wanhopig aan. 'Abi,' probeerde ik weer, met trillende stem, 'ik moet je even onder vier ogen spreken.'

'Goed.' Ze keek me bevreemd aan.

'Kun je iemand vragen om even op Matt te passen? Of misschien is er een speelplaats voor kinderen of zo...'

'Dat is voor baby's,' protesteerde Matt. 'We zijn er langs gekomen.'

'Kom maar even mee,' zei Abi opgewekt. 'Laten we eens zien wat we hier kunnen vinden...'

Tot mijn opluchting kwam ze alleen terug en ging op de rand van het bed zitten, met een lijkbleek gezicht. 'Grote goden, Kate, ze hebben toch zeker niet iets gevonden, hè? Ik bedoel, buiten die pols?'

'Nee, nee, helemaal niet. O Abi...' Ik slikte een snik weg. 'Ik weet niet waar ik moet beginnen, het is echt vreselijk... Vreselijk...'

Ze pakte mijn goede hand en kneep erin. 'Hé, wat is er? Wat is er gebeurd? Vertel het me snel, voordat die kleine dondersteen van je de weg terug heeft gevonden.'

'Ze zijn ervandoor,' kreunde ik. 'Allebei. Ik moet ze tegenhouden.'

'Wie zijn ervandoor?'

'Roxy en Davis.'

'Roxy en Davis? Hoe bedoel je?'

Ik schraapte mijn keel en slikte moeizaam. 'Ik ben het te weten gekomen en dat heb ik hem verteld. Ik had hem niet moeten bellen. Nu is hij vast naar haar school gegaan en heeft haar meegenomen.'

'Meegenomen?'

'Ze zijn samen, Abi!' riep ik uit. 'Ze hebben een verhouding!'

Abi's bleke gezicht werd rood. 'Dat méén je toch zeker niet? Grote goden!'

Er volgde een stilte vol afgrijzen. 'Misschien heeft ze geprobeerd me te bellen, maar ik weet niet waar ze mijn mobieltje hebben gelaten. Je mag ze binnen niet gebruiken, dus ik moet hier weg om haar te zoeken. Maar ze zeggen dat ik moet blijven.' Ik pakte haar hand zo stevig vast dat ze een pijnlijk gezicht trok. 'Ik moet haar zien, Abi!'

Ze knikte. 'Hoor eens, dit is geen gevangenis, ze kunnen je niet dwingen te blijven. Ik ga uitzoeken hoe het precies met je is. Maar zal ik eerst even naar buiten wippen om Roxy via mijn telefoon te bellen?'

'Ja, goed, maar ze zal vast niet thuis zijn. Probeer haar mobieltje.' Ik gaf haar het nummer, een van de drie die ik uit mijn hoofd kende.

'En hoe zit het met hem?' vroeg Abi. Ik merkte dat ze zich er nu al niet toe kon brengen zijn naam uit te spreken. 'Moet ik hem ook bellen?'

'Nee, alleen Roxy. Zeg haar dat ze hier moet komen, waar ze ook is, dat ze gewoon zo snel mogelijk hierheen komt.'

'Begrepen.'

Het wachten was martelend, niet in het minst omdat Matt weldra weer bij me terug werd gebracht, met gezwinde pas van waar Abi hem had achtergelaten, door dezelfde gevangenbewaarder met wie ik het eerder aan de stok had gehad. Ze maakte me duidelijk dat deze afdeling niet over een kinderoppas beschikte en draaide zich meteen weer om.

'Mam, ik heb geen "kinderoppas" nodig!' Hij liep rusteloos in het kleine hokje heen en weer, en zat overal aan. Toen herinnerde hij zich dat hij een nieuwe truc had geleerd om zijn lichaam te

204

laten trillen en dat hij me die heel graag wilde demonstreren. 'Het is een soort *body-popping*. Als ik het te lang doe, zullen mijn ogen er op steeltjes uit springen. Kijk maar.'

'Oké. Wauw.' Ik wist niet hoe veel langer ik me nog kon bedwingen om niet te gaan gillen. Wanneer zou Abi terug zijn? Had ze Roxy kunnen bereiken? Roxy zou haar nummer niet herkennen wanneer dit op haar telefoon verscheen. Was dat goed of slecht?

Kennelijk teleurgesteld over mijn reactie, staakte Matt zijn opvoering. 'Dit lijkt niet op het ziekenhuis waar Elizabeth is geboren,' merkte hij op.

'Nee, dat was een speciale kraamkliniek. Ik ben via de Spoedeisende Hulp binnengekomen.'

'Ja, dat weet ik.' Hij keek naar mijn verbonden arm. 'Wanneer kun je weer armworstelen?'

'Dat weet ik niet.' Ik voelde een golf van schaamte over mijn ongeïnteresseerde houding. 'Maar misschien kan ik het met mijn rechterhand proberen?'

'Nu?'

'Morgenochtend, lieverd. Ik ben een beetje moe.'

Hij haalde zijn schouders op. 'Ik win toch wel van je.'

Ik probeerde te luisteren naar een verslag van zijn voetbaltraining, maar tegen de tijd dat Abi weer kwam opdagen wist ik van spanning niets meer uit te brengen. Ze hield haar mobieltje als een speelkaart in de palm van haar hand verborgen.

'Heb je haar gesproken?'

'Nee, ik kreeg alleen maar haar voicemail. Maar ik heb de boodschap achtergelaten dat ze zich zo snel mogelijk moet melden, dat je een ongeluk hebt gehad. Ik heb mijn nummer achtergelaten, aangezien ze jou nu niet kan bereiken.'

'Nee, nee, dit is vreselijk, we moeten haar rechtstreeks te pakken zien te krijgen. Híj kan anders haar berichten onderscheppen...' Ik begon kreunend weer tegen de lakens te trappen terwijl mijn ogen mijn kleren zochten.

Abi plaatste zich tussen Matthews belangstellende gezicht en mij. 'Kate, je moet echt in bed blijven.' Ze liet haar stem dalen. 'Ze hebben me net in mijn kraag gegrepen en me verteld dat jij een bloeding zou kunnen krijgen als je vertrekt zonder deze scan te hebben gehad. Ik vind dat je moet doen wat ze zeggen. Laat mij naar de flat gaan. Ik heb reservesleutels. Als zij er is, zal ik haar onder huisarrest plaatsen, dat beloof ik.'

'En hoe moet het dan met Matt?'

'Hij gaat met mij mee.' Ze draaide zich om en legde een hand op Matts schouder. 'Ik geef hem wel te eten en te drinken. Weet je wat? Ik blijf logeren. Dat lijkt me het beste, dan ben ik er voor het geval dat...' Ze aarzelde. 'Of moet ik Alistair bellen?'

'Nee,' zei ik snel. 'Niet Alistair.'

'Weet je het zeker?'

'Ja. Beloof me alsjeblíéft dat je hem niet zult bellen. Dat doe ik morgenochtend wel, zodra ik beter ben.' Ik keek naar Matt. 'Is dat goed, lieverd? Abi is vanavond bij je, maar morgen komt papa, of ik ben weer terug.'

Matt kneep zijn ogen een eindje samen, bespeurde een gelegenheid tot persoonlijk gewin. 'Wat gaat ze voor eten koken?'

'Wat je maar wilt. Laat haar maar zien wat er in de vriezer ligt, oké? Pizza of zo.'

'En ijs?'

'Natuurlijk, net zoveel scheppen als je maar wilt.'

Ik knuffelde hem, overweldigd door dankbaarheid omdat hij nog steeds – nog net – op een leeftijd was dat hij bij volwassenen niet tussen de regels door kon lezen en meer belangstelling had voor zijn maag. Hij had geen flauw idee van de ware achtergrond van dit ongeluk en dat moest ik zo houden. Wat er ook gebeurde, ik moest hem tegen de waarheid beschermen.

Abi kuste me op de wang. 'Ik zal je bericht sturen zodra ik kan. Het beste dat jij nu kunt doen is rust houden. Oké?'

Toen ze weggingen liet ik mijn hoofd in de kussens vallen en stompte met mijn ongedeerde hand op het bed terwijl ik mijn ogen dichtkneep, halfgek van angst en verdriet.

Of Abi nu wel of niet had geprobeerd een boodschap bij de verpleging achter te laten, ik hoorde pas iets van haar toen ik de volgende morgen terug was in Francombe Gardens en mijn mobieltje weer oplaadde, omdat dat leeg was na een nacht onder de hoede van de zusters. Haar verslag bevatte geen verrassingen: Roxy was weg toen zij daar was gearriveerd, ze waren allebei verdwenen. Abi had herhaaldelijk geprobeerd haar te bellen, waarbij ze ten slotte een tweede boodschap had achtergelaten waarin ze haar dringend verzocht contact op te nemen. Maar dat had Roxy niet gedaan. Ik probeerde me niet af te vragen hoe ernstig mijn verwondingen zouden moeten zijn om haar terug te laten komen.

Ik bekeek de rest van de berichten. Eentje van Tash; eentje van mijn provider; eentje van Rubens moeder over een verjaardagspartijtje naar de bios. Ik luisterde de berichten op de vaste lijn af: niets. Daarna belde ik Roxy's mobiele nummer minstens tien keer, waarbij ik beurtelings mijn mobiele en mijn vaste telefoon gebruikte, maar ik kreeg elke keer dezelfde mededeling dat de telefoon was uitgeschakeld.

Ik vond haar briefje op het prikbord. Abi had het over het hoofd gezien, te midden van de chaotische aantallen brieven van school en overige correspondentie.

Lieve mam,
Ik ben met Davis vertrokken. Dit is wat we allebei willen, dus probeer ons alsjeblieft niet te zoeken. Ik zal weer contact met je opnemen wanneer het moment geschikt is.
Het spijt me van school en alles. Ik zal apart contact met papa opnemen om het uit te leggen.
Liefs, Roxy, x

Ze hadden allebei kleren meegenomen en overal lagen dingen op de grond, precies zoals je kon verwachten als mensen in grote haast waren vertrokken. Ze konden op dat moment nog niet van mijn ongeluk hebben geweten en ze moesten hebben gedacht dat ze slechts enkele minuten voorsprong op mij hadden en op de eventuele hulptroepen die ik op stel en sprong bijeen zou hebben kunnen roepen. Ik hoefde niet te kijken om te weten dat paspoorten en rijbewijzen eveneens weg zouden zijn, of dat het aantekeningenboekje niet meer in Davis' woonkamer op de salontafel zou liggen, waar ik het had achtergelaten.

Maar dat notitieboekje hoefde ik niet meer. Ik had zijn fragmenten nu niet nodig. Ze vertelden me het verhaal slechts tot zo ver, niet wat er daarna was gebeurd.

Abi had voor alles gezorgd. Ze had Matthew naar school gebracht voor ze naar kantoor ging, waarbij ze met Everts moeder had afgesproken dat die hem later op zou halen, en ze had zelfs een briefje over huiswerk voor me achtergelaten. Ze beloofde 's avonds zo vroeg mogelijk van haar werk weg te gaan om weer bij mij te kunnen zijn. 'Bel Alistair', had ze aan het eind van haar briefje geschreven, en ze had dit met een dikke, golvende lijn onderstreept. Ik begreep dat ze me weldra zou bellen om te controleren of ik had gehoorzaamd. Ik kon alleen maar veronderstellen dat Roxy nog geen contact met haar vader had gehad, zoals ze in haar briefje had vermeld. Als ze dat had gedaan zou de telefoon roodgloeiend hebben gestaan en zou mijn mobieltje uit mijn zak gesprongen zijn. Hij zou zich door niets en niemand laten weerhouden om hier te komen en op hoge toon uitleg te vragen over hoe ik dit alles had kunnen laten gebeuren.

Ik deed mijn ogen dicht. Het was een goede vraag.

Nu ik voor het eerst alleen was, gaf ik me over aan een gevoel van verdoving. Het kolossale gewicht van mijn zorgen over Roxy's veiligheid wedijverde in mijn hoofd met ruimte voor mijn verbijstering over het bedrog van Davis – nu al het eind van mijn huwelijk! Was dit een soort record? Mijn instinct tot overleven zei me dat ik mezelf voor dit alles moest verdoven tot alleen de fysieke pijn resteerde, daar had ik tenminste medicijnen voor. In de keuken pakte ik een glas water en slikte de pijnstillers die ik in het ziekenhuis had gekregen. Het etiket op het doosje had mijn naam erop gedrukt staan: mevrouw K. Easton. Ik moest halfbewusteloos zijn geweest toen ik mijn naam had genoemd, maar ik was nog in staat geweest te ontkennen dat ik een Calder was geworden. Nou, dat was in ieder geval een dilemma dat ik niet meer hoefde op te lossen.

Terwijl ik wachtte tot de pillen begonnen te werken, staarde ik naar de computeruitdraai op het prikbord:

Wat mag ik doen met zeventien jaar?
• Je kunt het huis zonder toestemming van je ouders verlaten.

Het was alsof de regel met een gele merkstift was aangegeven en van zwaailichten en sirenes was voorzien, zo vaak ging mijn blik erheen.

Pas toen de telefoon rinkelde kwam ik weer tot leven en griste de hoorn van de haak, wanhopig om haar stem te horen. Maar die kwam niet. Eerst was het de leverancier van schooluniformen, over een artikel dat Matt voor sport nodig had en dat eindelijk was binnengekomen: kwam ik het halen of moesten ze het opsturen? Ik wist niet hoe snel ik de verbinding moest verbreken. Daarna kwam Tash.

'Hoi moeders!'

'Roxy,' hijgde ik, 'ben jij dat?'

'Nee gekkie, ik ben het, Tash! Welkom thuis!'

'O, Tash.'

'Je klinkt niet erg vrolijk! Hoe was de huwelijksreis? Hou het netjes, er kunnen kinderen meeluisteren!'

'Ja, goed hoor. Dank je.'

'Alleen maar "goed hoor"?' riep ze uit. 'Dat klink niet erg veelbelovend. Was het niet *schandalig* goed? Nou, misschien ga ik dan toch maar nooit trouwen!'

Haar opgewekte, zorgeloze stem was onverdraaglijk. 'Tash, dit is eerlijk gezegd geen goed moment. Kan ik je terugbellen?'

'Ja, natuurlijk. Ik zit op dit moment in Londen, ik logeer in Stoke Newington bij mijn vriendin Fiona. Ik zal je haar nummer geven, één moment...'

Gehoorzaam krabbelde ik de cijfers op het notitieblokje voor me, maar het waren niet meer dan abstracte vormen, zonder enige betekenis voor me.

'Is alles goed met je, Kate? Je klinkt wat vreemd.'

'Ja hoor, het gaat echt goed. Ik bel je nog wel terug.'

Even later belde Ethan, ongerust omdat ik die morgen niet op een vergadering was verschenen, maar ik was in staat hem af te wimpelen met het verhaal over mijn ongeluk.

'Kate, wat vreselijk! Maak je maar geen zorgen over ons, neem alle tijd om goed op te knappen. Bel alsjeblieft als ik iets voor je kan doen, beloof je dat?'

Wis het afgelopen halfjaar maar uit, dacht ik. Breng mijn

dochter bij me terug en verplaats ons naar april, naar die morgen met kijkers, naar de dag dat Roxy met Marianne had liggen zonnebaden terwijl ik Davis in de keuken een kop koffie had aangeboden en hem in mijn leven – in óns leven – had uitgenodigd. Laat me hem recht aankijken en zeggen dat de flat al bezet is. Laat het de eerste en de laatste keer zijn dat ik hem ooit zou zien.

'Hoe is het met die ander?' vroeg Ethan.

'Wat?' Heel even dacht ik dat hij Davis bedoelde, maar hij bedoelde natuurlijk de fietser. 'O, goed, geloof ik. Hij is wel van zijn fiets gevallen, maar hij heeft niets gebroken. Ik geloof dat hij gewoon naar huis is gegaan. Niemand kon er eigenlijk iets aan doen.'

'Hm. Klinkt alsof het allemaal nog goed is afgelopen, eerlijk gezegd. In de tijd dat jij weg was, kreeg ik hier iemand die een voetganger wilde aanklagen omdat die op een fietspad was gestapt. Hij heeft zijn voorwiel gemold toen hij probeerde hem te ontwijken. Hij zei steeds weer: "Maar ik had voorrang." Ik moest tegen hem zeggen: "Hoor eens, makker, voetgangers hebben altijd voorrang. Er bestaat geen situatie waarin je het recht hebt ze neer te maaien!"'

Ik dwong mezelf tot het lachje dat van me werd verwacht en wist een punt achter het gesprek te zetten.

Ten slotte, toen het middaglicht me waarschuwde dat Matthew bijna thuis zou komen, belde ik zelf op, naar het dichtstbijzijnde politiebureau. Ik kende de antwoorden zelfs nog voordat ik de vragen had gesteld. Er viel geen misdrijf te melden. Niet alleen was Roxy samen met een vertrouwd familielid ('vertrouwd' – het woord alleen al deed me kokhalzen, maar hoe moest ik in hemelsnaam uitleggen waarom ik dan nog geen twee weken geleden met hem was getrouwd?), ze had bovendien een briefje achtergelaten om me in volstrekt ondubbelzinnige termen van haar afwezigheid op de hoogte te stellen. Wat haar studie betrof, hoe onverstandig de hele wereld het ook mocht vinden, een meisje van haar leeftijd was vrij van school te gaan zonder toestemming van wie dan ook. Naar politiemaatstaven was ze veilig en wel. Er was geen enkele manier om haar tot vermist persoon te verklaren.

'Ik heb redenen om aan te nemen dat ze een persoonlijke relatie hebben.' Het was vreemd, ik had verwacht die woorden slechts met de grootste moeite uit te kunnen brengen, net als bij Abi, maar ik klonk gewoon heel mechanisch, als een slechte opname van een menselijke stem.

Ik bespeurde iets van beroepsmatig begrip aan de andere kant van de lijn, maar de boodschap bleef hetzelfde. 'Nogmaals, dit is op zich helaas geen criminele daad.'

'Wilt u zeggen dat u hier echt helemaal niets aan kunt doen?'

'Het spijt me, mevrouw Easton. Ik heb uw bezorgdheid genoteerd. Houd ons op de hoogte als u dat wilt, maar in dit stadium valt er niets specifieks te onderzoeken. Ik stel voor dat u blijft proberen telefonisch contact te krijgen met uw dochter en uw man en dat u probeert deze situatie onderling op te lossen. Het feit dat ze een briefje heeft achtergelaten is een positief teken. Waarschijnlijk zal ze gauw weer iets van zich laten horen. Ze weet dat u ongerust zult zijn. Controleer regelmatig uw e-mail. Ze zal, gezien de omstandigheden, misschien niet meteen met u willen praten, maar wellicht zal ze op een andere manier proberen te communiceren.'

Ik legde de telefoon neer als iemand die een gesprek tussen twee onbekenden had afgeluisterd.

'Kate? Wat zit je hier in het donker?'

Abi stapte de kamer binnen en knipte de lampen aan. 'Heb je al iets van haar gehoord? Wat zegt Alistair? Is Matt al naar bed?' Ze keek me onderzoekend aan. 'Je ziet er ijzig uit. Grote hemel, je hebt een shock. Ik zal wat thee zetten.'

Hoewel het licht was in de keuken, was haar gestalte wazig terwijl ze heen en weer bewoog, en alle geluiden die ze maakte – kasten open en dicht doen, gerinkel met bekers, water dat stroomde – waren op zo'n lage frequentie dat ik ze nauwelijks van elkaar kon onderscheiden.

Ze duwde een gloeiendhete beker in mijn rechterhand en ging tegenover me aan de tafel zitten. 'Oké. Heb je íéts gedaan sinds je vanmorgen bent teruggekomen?'

Ik schudde mijn hoofd. Met uitzondering van die paar uur toen Matthew was thuisgekomen en moest worden verzorgd was ik nauwelijks van mijn keukenstoel gekomen. 'Ik bedoel ja, ik heb de politie gebeld.'

'Mooi. En, wat zeiden ze?'

'Ze kunnen niet helpen. Hij heeft niets misdaan.'

'Kletskoek. Nou, ze kunnen de boom in. Kate, ik weet dat dit moeilijk is, maar je zult weer aan het werk moeten. Je kent de regels over weggelopen mensen: de eerste vierentwintig uren zijn het meest doorslaggevend. Of is het de eerste achtenveertig?'

Ik keek haar niet-begrijpend aan.

'Je moet echt iets constructiefs doen! Kom op, ik zal je helpen. Waar is dat adresboek dat ik eerder heb gebruikt om Matthews vriend op te sporen? Aha, hier. Hier gaan we mee beginnen. Iedereen opbellen die Davis kent om te vragen of hij contact met hen heeft gehad, hetzij gisteren, hetzij vandaag. Zeg niet waarom. Eigenlijk is het wel goed dat je een zombie bent, dan stort je niet in voor de telefoon.'

Het boek bevatte slechts een paar namen, van degenen die op de trouwerij waren uitgenodigd en wier gegevens daarom waren vermeld, en we waren snel door de lijst heen. Iedereen aanvaardde onze excuses voor het late tijdstip van bellen, maar niemand had iets van Davis gehoord – niet sinds de 'gelukkige' dag, voegde één vriend eraan toe.

'En hoe zit het met die andere knul over wie je me vertelde?' zei Abi, terwijl ze door de pagina's bladerde. 'Die in York?'

'Graham?'

'Ja, waarom staat hij er niet in?'

Ik probeerde het me te herinneren. 'We hebben hem geen geschreven uitnodiging gestuurd.'

'Wat is zijn achternaam? Dan zoek ik hem wel via Google.'

Maar ik wist het niet.

'Tja, we zullen hem op de een of andere manier moeten zien op te sporen.' Ze keek op haar horloge. 'Morgen. Voor dit moment stel ik voor dat we teruggaan naar het begin en Roxy's kamer doorzoeken op aanwijzingen: reçu's van kaartjes of reisschema's of wat dan ook. En dat geldt ook voor de kamer van Davis.'

Ik keek haar hulpeloos aan. 'Dat kan ik niet.'

'Hou hiermee op, Kate. Je kunt het wel. Vooruit, sta op en doe wat.'

Ik liep achter haar aan naar Roxy's kamer, waar een wirwar van kleren op het bed was blijven liggen. Bij de aanblik hiervan dreigde ik opnieuw in te storten, heel even, maar lang genoeg om me voor te stellen hoe mijn dochter in haar kleerkast rommelde en zoveel mogelijk in haar grote weekendtas propte voordat Davis er met haar vandoorging. 'Dit was niet gepland, Abi. Ik denk niet dat hier iets zal zijn waar we iets aan hebben. Ik ben er vrij zeker van dat ze in paniek zijn geraakt en zijn vertrokken zonder te weten waar ze naartoe gingen.'

Abi knikte, bemoedigd door die opmerking. Ik zag dat ze Roxy's briefje had gepakt en hoofdschuddend de inhoud bekeek. 'Nou, het ziet er niet naar uit dat ze van plan is naar school terug te gaan, hè? Geen kans dat dit een kortstondige bevlieging is. We moeten in haar laptop zien te komen, ze moeten een plek in gedachten hebben gehad en ik wed dat ze elkaar gemaild hebben. Heeft hij zitten e-mailen in de tijd dat jullie weg waren?'

'Er was een computer in het hotel, maar ik kan me niet herinneren dat ik heb gezien dat hij die gebruikte.'

'Oké, ik kijk wel in de laptop, als jij dan in alle hoeken en gaten naar het meer traditionele spul zoekt. Dagboeken, foto's, liefdesbrieven, dat is het soort spul dat we moeten hebben...'

Terwijl zij met Roxy's computer aan de slag ging, begon ik boeken van de planken te trekken en stapeltjes op de vloer te maken, net zoals ik gisteren bij Davis had gedaan toen ik het aantekeningenboekje had gevonden en deze catastrofe in gang was gezet. Ik keek er niet van op dat er niets te vinden was.

Abi wenkte me. 'Daar gaan we: "Nieuwe berichten".'

'Hoe ben je daar ingekomen? Ik moet bij mij een wachtwoord invoeren.'

'Dit wordt automatisch voor haar geopend. Maar kijk, er zit niets in haar inbox of in haar map "verzonden berichten". Ze moet alles hebben verplaatst of gewist, of misschien heeft ze dat van buitenaf gedaan. Wat jammer dat we het niet meteen hebben kunnen bekijken.'

Ik knikte zwijgend.

'Hoe dan ook, ik wed dat ze een ander account heeft waarvan alleen zij op de hoogte is.' Ze draaide in de bureaustoel rond met plotselinge inspiratie. 'Zou die afschuwelijke vriendin iets weten, denk je? Misschien moeten we eens in háár e-mail zien in te breken.'

Mijn ogen gleden naar een ingelijste foto van Roxy, Marianne en twee andere spelers uit *Bugsy Malone*. 'Mogelijk. Ik zal wel contact met haar moeten opnemen, hè?'

'Ik vrees van wel.' Ze greep mijn hand. 'Arme, arme lieverd, dit moet vreselijk voor je zijn. Hoor eens, ga jij nou maar snel hiernaast zoeken, dan maak ik het hier af. Kijk in zijn post, naar wat dan ook.'

Davis' flat zag er nog net zo uit als toen ik er na mijn terugkomst uit het ziekenhuis was geweest, en na een halfuur wat in het wilde weg te hebben gezocht, ging ik naar de flat terug met slechts één ontdekking: een adres voor een opslagruimte die Davis in Zuid-Londen had gehuurd, vermoedelijk niet ver van de flat in Battersea waar hij met zijn eerste vrouw had gewoond. In de stapel geopende post op zijn bureau had een rekening-afschrift gelegen.

'Dat is mooi,' zei Abi. 'Misschien kunnen we in een oude map of zo wat gegevens over die Graham vinden. We gaan er morgen heen en dan gaan we samen eens goed zoeken.'

De gedachte om de stad door te gaan naar nog een voorraad spullen van Davis werd me echt te machtig. 'Ik weet niet of ik daartoe in staat ben, Abi.'

'Morgenochtend vast wel, je hebt nu eerst wat slaap nodig. Je zult bovendien wel moeten. Je zult toch iets in handen moeten hebben als je hem eindelijk spreekt.'

Ze ging voor me staan en keek me strak aan. Ik mocht dan nog zo geschokt en verward zijn, ik begreep dat er geen ontkomen aan was. 'En hoe moet het dan met Matt?' vroeg ik. 'Het is zaterdagmorgen. Hij gaat niet naar school.'

'Dat is een punt. Ga jij maar alleen, dan zorg ik wel voor hem. We hebben het gisteravond heel goed met elkaar kunnen vinden.' Ze lachte droog. 'Misschien ben ik bij nader inzien toch wel een zorgzaam type.'

18

Ik sliep onrustig en viel pas tegen het aanbreken van de dag echt in slaap, maar werd al snel gewekt door het piepen van de intercom. Iemand hield de knop ingedrukt, waardoor het één lange, hysterische sirene leek. Mijn eerste gedachte was Roxy, weer thuis, sleutels verloren, dus ik schoot uit bed en nam haastig op.

'Rox, ben jij...'

'Kate? Ik ben het, Alistair. Laat me even binnen, wil je?'

Hij moest de trap met drie treden tegelijk hebben genomen, zo snel was hij binnen. Hij stapte de gang in op het moment dat Matts slaapkamerdeur openging en een paar slaperige ogen naar buiten gluurden.

'Papa! Waarom ben jij hier?'

Maar Alistair leek de begroeting – of de aanwezigheid – van zijn zoon nauwelijks op te merken. Zonder een woord tegen een van ons beiden te zeggen duwde hij me een vel papier onder de neus en bleef met een woest gezicht in de schaduw staan. 'Kun je me dit uitleggen?'

'Wat is er?' Matt stond naast me en ik legde een hand op zijn verwarde haren. 'Ga maar weer lekker naar bed, lieverd, het is nog vroeg. Papa en ik moeten even samen praten.'

'Ik neem hem wel mee.' We keken alle drie op toen Abi uit de woonkamer tevoorschijn kwam en de ceintuur van mijn oude ochtendjas vastknoopte. Ze glimlachte flauw tegen Alistair. 'Hallo Alistair.'

'Wat doet zij hier?' vroeg hij bot. Het tweetal had elkaar een paar keer ontmoet, inclusief op de bruiloft, maar ik kon zien dat zijn woede vanmorgen geen ruimte liet voor normale beleefdheid.

'Ze is vannacht blijven logeren,' zei ik, zo scherp als ik kon zonder Matt te alarmeren. 'We waren nog laat op en ik heb zo'n idee dat jij wellicht weet waarom. Ga maar even mee naar de keuken, dan kunnen we daar praten, goed?'

Terwijl Abi met één hand Matt naar de deur van zijn slaapkamer loodste, wierp ze me een veelbetekenende blik toe. 'Hoe is het vanmorgen met je?'

'Beter,' zei ik resoluut.

'Zeker weten?'

'Ja.'

'Mooi zo. Goed, ga dan maar mee, Matt, laat me dat computerspel eens zien waar we het gisteravond over hebben gehad. Wil je me dat leren?'

'Dank je, Abi.' Ik trok ook een ochtendjas aan en liep met Alistair door de gang naar de keuken. Ik deed de deur stevig achter ons dicht en bekeek toen de uitdraai die hij me had gegeven. Het was een e-mail van Roxy, verstuurd vanaf een account dat ik niet kende. Bevreesd las ik de woorden:

Lieve pap,
Je zult inmiddels wel weten dat ik van huis ben weggegaan. Probeer alsjeblieft niet achter me aan te komen. Het spijt me echt heel erg, maar ik ga geen eindexamen doen en ik ga dit jaar ook niet door met mijn aanvragen voor de universiteit. Respecteer alsjeblieft mijn vrijheid van keuze. Ik wilde je alleen laten weten dat ik veilig en gelukkig ben en dat ik binnenkort weer contact zal opnemen.
  Liefs, Roxy

Ze zei niets over Davis, dus dat mocht ik uitleggen.

Alistair keek me woest aan. '"Vrijheid van keuze"? Wat heeft dit verdomme te betekenen? Waar is ze, Kate?'

'Je kunt beter even gaan zitten.' Ik voelde mijn benen slap worden en ik klampte me vast aan het aanrecht. Ik had het gemeend wat ik tegen Abi had gezegd, ik voelde me echt een stuk beter. De schok die me gisteren zo had verlamd was verdwenen, maar de leegte werd gevuld met pijn, echt, vloeibaar verdriet, dat als een onbedwingbare vloed door me heen golfde. 'Zal ik thee zetten?'

Alistair ging op een keukenstoel zitten maar hield zijn bovenlichaam enigszins naar voren gebogen, klaar om op te springen en toe te slaan bij de minste provocatie. 'Ik hoef geen thee. Ik wil weten wat er aan de hand is. Hebben jullie ruzie gehad? In de tijd dat jij weg was, zijn er helemaal geen problemen geweest.'

Ik draaide me om van de waterketel en keek hem aan. Zijn hele gezicht en hals waren rood, zijn zenuwuiteinden waren net zo hevig geprikkeld als zijn stemming. 'Ik weet niet hoe ik dit moet zeggen, Alistair, maar ze is weggelopen met Davis.'

Hij staarde me aan. 'Met Dávis? Je bedoelt jouw nieuwe man Davis?'

'Ja.' Ik kon het nauwelijks verdragen te moeten zien hoe hij razendsnel dingen op een rij zette terwijl het ongeloof over zijn gezicht trok.

'Je gaat me toch niet vertellen dat die kerel mijn dochter heeft gemolesteerd?'

Ik had de grootste moeite mijn stem rustig te houden. 'Ónze dochter en hij heeft haar niet "gemolesteerd", nee. Maar ze schijnen een soort verhouding te hebben. Ik heb stukjes van een dagboek gevonden...'

Hij viel me in de rede. 'Nou, als dat alles is. Ik zou geen woord geloven van het dagboek van een tiener. Pure fantasie.'

'Zíjn dagboek, niet het hare. En aangezien ze samen zijn verdwenen, denk ik dat we dit moeten geloven.'

Hij fronste. 'Laat me dat dagboek eens zien.'

'Dat gaat niet, hij heeft het meegenomen. Maar het wekte de indruk dat ze...' Ik aarzelde. 'Dat ze verliefd zijn.'

Alistair snoof smalend. 'Doe niet zo belachelijk! Als die twee zo "verliefd" zijn, wat had dat feestje daarbuiten twee weken geleden verdomme dan te betekenen?' Hij gebaarde naar het raam en ik volgde zijn blik naar de ommuurde tuin waar Davis en ik nog maar zo kort geleden hadden gestaan, met de vingers stevig ineengevlochten, terwijl we als pasgetrouwd paar onze gasten begroetten. Hoe trots had ik me gevoeld, hoe opgetogen om de wereld te laten zien dat voor mij alles toch goed was gekomen. Alistairs mond vertrok onaangenaam. 'Dit is geen grap meer. Met hoeveel leden van mijn gezin gaat die vent eigenlijk naar bed?'

Ik gaf geen antwoord. Nooit eerder in mijn leven had ik me

zo gekweld gevoeld, zo vernederd. Nu pas besefte ik dat het verliezen van Alistair gemakkelijk was geweest – gemakkelijk vergeleken bij het verliezen van Roxy. Als ik voor de keuze had gestaan, had ik hem graag zien vertrekken. Maar ik moest sterk zijn, ik moest standhouden. 'Hoor eens, ik ben net zo verbijsterd en ontzet als jij. Misschien nog wel meer – hij was mijn man. Ik had absoluut geen idee dat dit gaande was en als ik dat wel had gehad, dan zou ik hem niet meer hier in huis hebben toegelaten, laat staan dat ik met hem getrouwd was.'

Alistair nam me onbarmhartig op. Toen ging zijn mond open, en ik dacht dat hij tegen me ging schreeuwen, maar wat eruit kwam kon slechts worden omschreven als een gesmoord gebrul, dat niet zozeer tegen mij als wel tegen de hele wereld was gericht. 'Dit is walgelijk, Kate, walgelijk!'

'Stil, alsjeblieft...' Ik gebaarde met mijn hoofd naar de deur. 'Matthew weet hier niets van. Hij denkt dat Davis weg is voor zijn werk en dat Roxy bij Marianne is.'

'Nou, zorg dat dat zo blijft, oké? Wacht eens even...' Zijn gezicht veranderde opnieuw en hij stond op van zijn stoel. Ik besefte dat hij mijn verbonden pols had gezien. 'Wat is er gebeurd? Dat heeft die klootzak toch niet gedaan, hè?' Hij legde mijn hand in zijn handpalm alsof het een gewond vogeltje was en het was zo'n teder gebaar dat ik onwillekeurig tranen in mijn ogen kreeg.

'Ik ben op straat tegen een fiets opgelopen. Het was mijn schuld, dat heeft hier niets mee te maken.' Mijn gedachten gingen nu razendsnel. Dat was toch het moment geweest dat ze ervandoor gingen, hè? Toen ik bij de Spoedeisende Hulp lag. Als ik goed had gekeken waar ik liep, was die botsing er niet geweest en had ik bijtijds haar school bereikt, of was ik in elk geval op tijd terug geweest om hen te treffen toen ze probeerden weg te gaan. Misschien had ik op dat moment Davis nog tot andere gedachten kunnen brengen, hem weg kunnen krijgen voor hij de tijd had gehad om deze krankzinnige verdwijning in gang te zetten... Ik greep een stuk keukenrol om mijn ogen te deppen. 'Wat Davis ook mag zijn, hij is niet gewelddadig. Ik geloof eerlijk gezegd niet dat ze in gevaar is. Ze wilde zelf weg. Ze heeft voor mij ook een briefje achtergelaten, ik zal het je laten zien.'

Ik haalde Roxy's briefje uit de lade waar ik het gisteravond uit het zicht van Matthew in had gelegd en gaf het aan Alistair. 'Kijk maar.'

Hij bekeek de boodschap snel. 'Tenzij hij haar heeft gedwóngen dit te schrijven. Heb je ook aan die mogelijkheid gedacht? En hij kan die e-mail ook naar mij gestuurd hebben.'

Ik schudde mijn hoofd. 'Ik denk het niet. Ze heeft de kans om weg te gaan met beide handen aangegrepen. En het ligt voor de hand, het verklaart een hoop andere dingen.'

In een oogwenk was zijn medelijden voor mijn verwonding vervangen door pure achterdocht. 'Wat voor dingen? Bedoel je dat je dit vermoedde en er niets aan hebt gedaan?'

Ik week opzij. 'Nee, natuurlijk heb ik dit niet vermoed. Ik bedoel alleen maar dat haar gedrag in de afgelopen maanden vreemd is geweest. Ze is zichzelf niet geweest. Ze was humeurig, in zichzelf gekeerd, meer dan het gewone tienergedoe, en nu weten we waarom.'

'Ja, dat weten we. Ze is lastiggevallen door een perverseling die jij hier in huis hebt gehaald.'

Ik leunde nog steeds tegen de keukenkastjes om steun te hebben en ik haalde diep adem. 'Nee Alistair, ik weet dat jij denkt dat dit allemaal mijn schuld is, maar daar trap ik niet in. Je hebt ook een rol gespeeld, weet je.'

'Wát?' spuwde hij. 'Ben je nou helemaal gek geworden?'

We keken elkaar grimmig aan. Er was een kort, angstaanjagend moment dat het er bijna allemaal uit was gerold – de hemel wist dat ik zelden minder zelfbeheersing had gehad – dat de vragen die in mijn hoofd rondtolden bijna waren uitgesproken: zou Roxy dit ook hebben gedaan als haar vader haar niet in de steek had gelaten toen ze nog een klein kind was? Of als hij in de loop der jaren gewoon iets meer respect en begrip voor haar moeder had opgebracht? Zou ze Davis nodig hebben gehad als haar vader geen tweede gezin was begonnen? Zou ze hem dan hebben ontmoet? 'Het is echt waar,' zei ik koeltjes. 'Jij was degene die erop aandrong dat ik iemand in huis nam, weet je nog? En jij was ook degene die achter mijn rug om Franse bijlessen regelde. Dat moet het moment zijn geweest dat hun contacten inniger werden.'

'Wat een kletskoek,' snauwde Alistair, maar aan de manier waarop hij met zijn ogen knipperde en zijn armen slap liet hangen, in een zeldzame houding van overgave, kon ik zien dat ik hem had ontwapend.

'Hoor eens,' zei ik, terwijl ik het initiatief naar me toe trok, 'dit is iets wat we geen van beiden kunnen helpen. We moeten geen tijd verdoen met kibbelen. Roxy is weg en we moeten samen aan de slag om haar terug te krijgen.'

Hij knikte. Zijn armen kwamen weer in actie terwijl hij het briefje aan me teruggaf en in zijn zak naar zijn telefoon greep. 'Ik moet met Victoria praten om te kijken wat we kunnen doen.'

Even was ik bang dat hij bedoelde te zeggen dat hij mij niet in vertrouwen kon nemen, dat hij niet met me samen kon werken, maar toen besefte ik dat hij bedoelde dat hij behoefte had aan Victoria's juridische expertise. 'Denk je dat we Roxy via de rechter terug zouden kunnen krijgen?' vroeg ik hoopvol.

'Ik heb geen idee. Dat zullen we moeten onderzoeken.'

'De politie scheen daar anders over te denken.'

Hij keek met een schok op van zijn telefoon en werd opnieuw kwaad. 'Heb je al met de politie gesproken?'

'Ja. Gisteren. Zodra ik terug was uit het ziekenhuis.'

Zijn gezicht werd donkerrood van nieuwe woede en hij klapte de telefoon dicht. 'Wanneer zijn ze precies vertrokken, Kate?'

'Donderdagmiddag, denk ik.'

'Donderdagmiddag? Denk je? Dat is twee dagen geleden! Waarom heb je me verdomme niet meteen gebeld?'

Ik reageerde minstens even boos. 'Omdat ik in het ziekenhuis lag om scans van mijn hoofd te laten maken! Wil je alsjeblieft niet zo tegen me tekeergaan?' Ik zweeg even. Hoe wreed hij ook was, ik besefte dat ik hem een betere uitleg schuldig was dan die ik hem gaf. Ik herinnerde me dat ik in het ziekenhuis had liggen bidden dat ik de situatie op de een of andere manier verkeerd had begrepen, dat ik misschien verward was als gevolg van mijn ongeluk. En vannacht nog, nadat ik hun kamers doorzocht had, was ik naar bed gegaan met het idee dat ik als ik wakker werd tot de ontdekking zou komen dat er helemaal niets was gebeurd en dat ze allebei gewoon thuis waren. 'Volgens mij hoopte ik gewoon dat ze nog terug zou komen. Ik dacht dat ze na een paar nachten misschien van gedachten zou veranderen. Toen de bel net ging, dacht ik dat zij het was.'

Maar Alistair liet zich niet overtuigen door mijn vertoon van kwetsbaarheid. 'Dus jij dacht dat je alles gewoon onder het kleed zou kunnen vegen zonder iemand iets te vertellen? Die klootzak terug laten komen en gewoon weer van voren af aan beginnen?'

De rand van het aanrecht sneed in mijn rug en ik besefte dat ik er nog steeds steun bij zocht. Ik deed een stap naar voren, nu met sterke benen. 'Nee, dat is helemaal niet wat ik dacht. Ik hoopte alleen maar dat als Roxy dit weekend terugkwam, ze tenminste weer net als anders naar school zou kunnen gaan, verder zou kunnen gaan met haar leven terwijl wij het met...' Ik beet op mijn onderlip voor ik het woord kon uitspreken. '...hém konden afhandelen.'

Opnieuw staarden Alistair en ik elkaar aan, terwijl we in elkaars gezicht zochten naar het compromis dat we al een decennium lang nooit hadden weten te bereiken. 'Ze kan nog steeds terugkomen, Alistair, het is pas zaterdagmorgen. Ze is nog niet lang weg. Misschien is ze op ditzelfde moment wel bezig tot bezinning te komen!'

Zijn gezicht was uitdrukkingsloos terwijl hij zijn telefoon weer open klikte. 'Ik denk dat ik maar beter mijn vrouw kan bellen.'

Het was zaterdag, maar voor het eerst sinds mensenheugenis had Matthew geen sporttraining of wedstrijd om naartoe te gaan, geen afspraak om te spelen of een verjaardagspartijtje voor die middag. Goddank was Abi er. Met minimale hulp van Alistair en mij regelde ze het ontbijt, zorgde dat hij zich waste en aankleedde, en kondigde aan dat ze hem meenam naar haar huis om met Seb te schaken. Intussen reed Victoria naar ons toe voor spoedoverleg. Ik zag ertegenop om haar onder ogen te komen, temeer omdat ik me herinnerde hoe op de trouwerij mijn houding tegenover haar was geweest, met dat stralende gevoel van na zo lange tijd opnieuw in het middelpunt van de belangstelling te staan. Dat moest ze hebben gevoeld, zelfs in haar uitgeputte toestand van jonge moeder. Maar nu kon zíj stralen en opscheppen. Net zoveel als ze wilde. Tja, er zat niets anders op dan haar gedrag te slikken. Haar hulp zou in dit geval van cruciaal belang zijn.

Toen ze arriveerde zag ze er zowel moe als vastberaden uit, met aan haar arm het autozitje met de slapende Elizabeth.

'O, wat is ze schattig,' zei ik, niet in staat me ervan te weerhouden het zachte wangetje te aaien. Baby's waren als pasgeopende bloemen, het was onmogelijk om niet met je vinger over het oppervlak van zo'n broos bloemblaadje te strijken. Roxy had ook zo'n mooie, doorzichtige huid gehad... Maar ik moest niet op die manier aan Roxy gaan denken, ik kon mezelf niet toestaan de mogelijkheid onder ogen te moeten zien dat ik mijn baby nooit meer zou zien.

Victoria zette Elizabeth in een rustig hoekje, stopte het dekentje zorgvuldig in en ging toen aan de keukentafel zitten, naast haar man. Toen ze me ten slotte aankeek, was het met oprecht medeleven, en ik werd overmand door een gevoel van schaamte en opluchting.

'Wat denk je?' vroeg ik, terwijl ik haar een kop thee inschonk. Zij was tenminste bereid iets te drinken aan te nemen. 'Is er iets wat we kunnen doen?'

Ze haalde diep adem. 'Tja, het is een enigszins grijs gebied, de leeftijd van zeventien jaar. De leeftijd waarop toestemming nodig is, is natuurlijk zestien, hetgeen betekent dat Roxy in de zin van de wet een volwassene is, maar er zijn ook dingen die ze nog niet mag doen, en dat betekent dat ze nog niet helemaal haar gang kan gaan, zoals alcohol drinken of trouwen zonder jullie toestemming.'

'Hm.' Ik was dankbaar dat geen van beiden erop wees dat Roxy niet met haar minnaar zou kunnen trouwen, zelfs als ze dat zou willen, aangezien hij al met mij getrouwd was.

'Ik vind het uitermate onverkwikkelijk,' ging Victoria verder, 'vooral van zijn kant. Maar het is niet crimineel. We zouden voor alle zekerheid een gezinsdeskundige kunnen raadplegen, maar ik geloof eerlijk gezegd niet dat er iets is wat we vanuit juridisch standpunt kunnen ondernemen.'

'Ik denk dat dat maar beter is ook,' zei Alistair onverwachts. Hij was een stuk kalmer geworden sinds de komst van zijn vrouw en dochtertje. Af en toe dwaalden zijn ogen af in de richting van Elizabeth, die opgekruld als een kleine garnaal in haar beklede zitje lag, met gesloten ogen en een zacht gezichtje. Ik kon zijn gedachten wel raden: zijn stilzwijgende voornemen om deze dochter beter te beschermen dan de eerste door hem – ons – was beschermd.

Victoria knikte. 'Daar ben ik het mee eens. Het laatste dat we willen is dat de pers zich erop stort, om er een soort wildwest-Lolita scenario van te maken. Maar er is absoluut niets dat ons ervan weerhoudt haar zelf op te sporen en te smeken weer naar huis te komen. En misschien neemt ze zelf wel snel contact met ons op.' Ze keek mij aan. 'Ik neem aan dat Alistair je heeft verteld dat hij haar e-mail meteen heeft beantwoord?'

'Nee, zo ver zijn we niet gekomen.' Ik keek Alistair aan. 'Wat heb je precies gezegd?'

Hij trok zijn wenkbrauwen op. 'Ik heb uiteraard in niet mis te verstane termen geëist te willen weten waar ze verdomme uithangt.'

'Ik denk niet dat ze ons dat zal vertellen.'

'Ik denk niet dat jij enig idee hebt wat zij zal doen.'

'Ik dacht dat we hadden afgesproken geen ruzie te zullen maken?'

Victoria negeerde deze woordenwisseling. 'Heb jij enig idee waar ze naartoe zouden kunnen zijn gegaan, Kate? Heeft Davis een flat aangehouden van voordat hij jou ontmoette?'

Ik schudde mijn hoofd. 'Nee, anders was hij daar wel blijven wonen en had hij niet bij mij gehuurd.' Hoewel ik zelfverzekerd klonk, was ik dat allerminst. Davis had voor mijn part tien flats kunnen hebben. Ik wist helemaal niets van hem af, dat begon ons allen meer dan duidelijk te worden. 'Zijn beste vriend woont in York en ik probeer die te pakken te krijgen voor het geval ze daarheen zijn gegaan.'

'Dat klinkt veelbelovend, vind je niet, Al?'

Maar de opsteker die ik voelde bij het zien van hun optimistische geknik verdween weer snel toen de details weer bij me boven kwamen. Graham had ook twee kinderen. Ik kon me hun namen niet herinneren, maar ze waren nog jong, van schoolgaande leeftijd. Ze hadden in de herfstvakantie iets anders te doen gehad. Een gezin met jonge kinderen leek me niet het meest voor de hand liggende toevluchtsoord voor een man van middelbare leeftijd en zijn tienergeliefde. Zelfs als Graham er begrip voor kon opbrengen was zijn vrouw er ook nog.

'Of denk je dat ze misschien naar het buitenland zijn gegaan?' vroeg Victoria. 'Dat bedacht ik me onderweg hierheen. Al was het maar dat ze dan wat verder weg zitten. Davis kent Duitsland waarschijnlijk vrij goed, hè? Om maar iets te noemen.'

'Ik weet het niet.' Het had geen zin te beweren dat hij niet ruim genoeg bij kas zat om lang met Roxy weg te gaan, want hij kon net zo goed allerlei geheime fondsen hebben waar ik niets van wist. We hadden niet uitvoerig besproken hoe onze afzonderlijke financiën binnen het huwelijk zouden worden geregeld en we waren niet voortvarend genoeg geweest om een gezamenlijke bankrekening te openen. 'Ik veronderstel dat de politie in staat moet zijn te controleren of ze via een vliegveld zijn vertrokken, maar ze zeggen dat er niets valt na te speuren op...'

Alistair viel me in de rede, iets wat hij nooit bij Victoria deed, viel me op. 'De politie zal ons niets vertellen, maar een detective zou dat wel kunnen.'

'Denk je dat dat nodig is?' zei Victoria, en ze fronste haar voorhoofd. 'Dat zou heel duur kunnen worden.'

'Ik zie geen alternatief, lieverd. Hoe moeten we haar anders vinden?'

'Er moet iets zijn wat we kunnen proberen voor we onze toevlucht nemen tot zoiets.'

'Ik ga hen zoeken,' zei ik, begerig om iets van het verloren terrein te heroveren. Ik was tenslotte degene die Roxy het beste kende. Misschien waren er aanwijzingen die alleen ik kon herkennen. Bovendien was ik degene die was bedrogen, mijn leven was onmiskenbaar verwoest en ik bezat niet alleen de fundamentele motivatie om Roxy te vinden, maar ook om te proberen alles te begrijpen. Abi had gelijk, nu de schok was verdwenen, wist ik dat ik geen rust zou hebben voor ik hen had gevonden. 'Ik zal Graham opsporen en er zijn ook wat vriendinnen van Roxy die ik kan ondervragen.'

Marianne Suter stond uiteraard bovenaan de lijst, maar ik twijfelde eraan of ze wel zou willen helpen. Dan was Jacob er nog, hun trouwe metgezel van de laatste tijd, maar ik vermoedde dat ik hem alleen via Marianne zou kunnen bereiken wat hem tot een al even ongeschikte informant maakte. Wie nog meer? Ik kon alleen maar aannemen dat Damien hier niets van wist, dat de verzoening die Roxy had genoemd een verzinsel was geweest, bedoeld om mij op een dwaalspoor te brengen. En die was bedacht, besefte ik nu met misselijkmakende helderheid, tijdens dat laatste 'babbeltje' met Davis. Verder had Roxy het in de afgelopen maanden nauwelijks over vrienden en vriendinnen gehad en ik besefte nu dat dit het gevolg was van haar vreselijke geheim (niet dat Marianne of Jacob het vreselijk zouden vinden, dacht ik, alleen maar fantastisch opwindend). Nee, ze had er steeds een klein, hecht kringetje op na gehouden en dat aan het begin van het trimester waarschijnlijk nog kleiner gemaakt omdat ze niet wilde dat het onderwijzend personeel iets van geruchten zou opvangen.

Victoria knikte bemoedigend. 'Ja, Marianne is de beste gok, hè? En wat is er gebeurd met dat meisje met wie Rox altijd bevriend was, Susannah, geloof ik? En die met dat donkere haar, Toni?'

Ik schrok een beetje toen ik haar die oude bekenden van Roxy hoorde opnoemen. Het was me altijd beter van pas gekomen te geloven dat haar houding jegens haar stiefkinderen stroef en opzettelijk afstandelijk was, dat ze popelde dat ze zouden opgroeien en haar met rust zouden laten. 'Ik geloof niet dat ze daar nog veel contact mee heeft,' mompelde ik.

'En hoe zit het met zíjn vrienden?' zei Alistair ongeduldig. 'Buiten deze Graham die Kate niet eens heeft ontmoet en die waarschijnlijk niet eens bestaat?' Hij trok zijn wenkbrauwen naar me op. 'Of lopen die ook nog allemaal in schooluniform?'

'Niet grappig,' snauwde ik.

'Alistair,' zei Victoria waarschuwend. 'Dat helpt echt niet.' Het tweetal keek elkaar aan en ik kreeg het gevoel alsof hun steun aan mij aan een zijden draadje hing. Wonderlijk genoeg leek Victoria me de beste gok.

'Geef me een paar dagen,' zei ik, me rechtstreeks tot haar richtend. 'Alsjeblieft. Ik zal alles doen wat ik kan. Iemand moet toch een idee hebben waar ze zijn gebleven? En ik denk nog steeds dat ze misschien uit eigen beweging terug zou kunnen komen.'

'Als ze maandag nog niet terug is, zullen we met de school moeten praten,' zei Alistair. 'Scheep ze af met een verhaal over familieomstandigheden. Ik wil niet dat ze de aanvraag voor

Cambridge opschorten of dat soort overhaaste toestanden. Laat mij dit maar afhandelen, Kate, als ze lastige vragen beginnen te stellen.' De implicatie dat zoiets belangrijks niet aan een sukkel als ik kon worden toevertrouwd, ontging me niet, maar het leek me beter daar op dit moment niet op in te gaan.

Op weg naar buiten bleef Victoria nog even achter terwijl Alistair de baby naar de auto droeg. 'Kate, ik besef dat dit het laatste is waar je op dit moment aan wilt denken, maar misschien moet je toch overwegen een nietigverklaring van je huwelijk aan te vragen.'

'Een nietigverklaring?' bauwde ik haar na. Het woord had een doodse smaak.

'Ja. Ik weet niet zeker of je daar in dit land juridische gronden voor hebt, maar het is wel de moeite waard om er met een specialist over te praten. Dit zijn ongewone omstandigheden en je bent maar heel kort getrouwd geweest.' Ze zweeg even, waarbij ze me de exacte duur bespaarde (ik wist het natuurlijk wel: twee hele weken, bijna tot op het uur). 'Je zult ook moeten nagaan welke zaken jij in het huwelijk hebt ingebracht, de flat en zo. Je zult je huis toch willen houden, wat er ook gebeurt.'

Ik knikte zwijgend. Het kon me niet schelen wat ik in het huwelijk had ingebracht. Ik zou Davis zonder één seconde te aarzelen de eigendomsrechten op de flat hebben overhandigd als ik Roxy in ruil terug kon krijgen.

Ze pakte me bij mijn elleboog. 'Wil je dat ik iemand aanbeveel? Ik kan maandag wat telefoontjes plegen.'

'Graag, dank je wel.' Zelfs in mijn ontreddering kon ik merken hoe goed ze in haar werk moest zijn, discreet en grondig, volstrekt betrouwbaar. Er was nog iets anders ook, er was iets veranderd tussen ons, iets dat het feit dat zij de vrouw was die het einde van mijn eerste huwelijk had veroorzaakt en ik de exvrouw die nooit helemaal wegging, oversteeg. Het kon alleen maar het feit zijn dat zij nu ook moeder was. Ze stelde zich voor hoe het zou voelen als een zeventienjarige Elizabeth er met een man als Davis vandoor was gegaan. Ze wist, bijna, hoe ik me voelde.

'Dank je, Victoria,' herhaalde ik.

19

Het opslagbedrijf in Battersea dat Davis sinds het einde van zijn eerste huwelijk had gebruikt, was gelukkig niet zo'n hightech gedoe met videocamera's en veiligheidscodes, maar een low-budgetbedrijf met een man met een bos sleutels en een lange rij boxen onder een spoorbrug. Ze waren in elk geval op zondag geopend, ik moest er niet aan denken dat ik nog vierentwintig uur had moeten wachten.

Dit keer had ik geen aansporing van Abi nodig om de tocht te maken en ik wist haar ervan te overtuigen dat ik dit alleen af kon, ondanks mijn hand in het verband, terwijl zij zich in Francombe Gardens om Matthew bekommerde. Hoewel ik geen papieren of officiële machtiging bij me had, volstond het tonen van mijn trouwboekje om de opslagruimte waar Davis' spullen stonden voor mij te openen. Ik vertelde de dienstdoende man dat ik op zoek was naar een vermist aandelenbewijs en dat mijn man dacht dat hij het misschien in een boek had gestopt.

'U liever dan ik,' zei hij toen hij de deur opendeed en een legpuzzel onthulde van dozen in diverse maten die van vloer tot plafond waren opgestapeld. Op de meeste dozen van de buitenste laag stond met zwarte viltstift 'Boeken' op de zijkant gekrabbeld. Omdat hij mijn mitella had gezien, sleepte hij de bovenste dozen voor me naar het steegje, zodat ik overal gemakkelijk bij kon en hij haalde een krukje voor me om op te zitten terwijl ik bezig was. Ik was vastbesloten heel grondig te zijn, ik had tenslotte de 'fragmenten' ook verstopt tussen zijn andere boeken aangetroffen. Boeken vormden Davis' kluis. Stuk voor stuk haalde ik elk boek tevoorschijn, legde het op mijn schoot en gebruikte mijn goede hand om de pagina's door te bladeren op zoek naar een verborgen vodje papier of een telefoonnummer dat in de kantlijn was geschreven, iedere verborgen aanwijzing die me bij Graham of anderszins verder kon brengen.

Er gingen uren voorbij. Het was langdurig, eentonig werk en mijn nek, rug en armen begonnen danig op te spelen tegen de tijd dat ik op een doos stuitte met het opschrift 'Diversen'. Hij was lichter dan de voorgaande – eindelijk iets anders dan woordenboeken! – en ik maakte met nieuwe hoop het deksel open. Er zat een verzameling voorwerpen in: een bureaulamp overdekt met stof, een pot met pennen en paperclips, een oud telefoontoestel, wat cassettebandjes en cd's en een rolodex vol lege kaarten. Maar helemaal onderin zat iets dat er veelbelovend uitzag: een ordner zo propvol documenten dat hij niet meer dicht kon. Ik legde al het andere opzij, haalde diep adem en begon te lezen. Er zaten papieren in voor de huur van een flat in Kew, vijftien jaar geleden (aan de data te oordelen was dit de laatste plek geweest waar Davis had gewoond voordat hij met Camilla trouwde en bij haar was ingetrokken), een verzameling documenten van zijn jaren op de universiteit inclusief zijn bul, referenties voor banen in het onderwijs in de jaren tachtig (die ik met enige spijt bekeek, want het was nooit in me opgekomen ernaar te vragen toen hij Roxy bijles begon te geven en ik hem als de nieuwe, meertalige Messias had binnengehaald). Maar toen, bijna vier uur nadat ik was begonnen, kwam ik bij iets wat een aanwijzing zou kunnen bevatten: een stapeltje brieven aan Davis van het advocatenkantoor dat zijn scheiding van Camilla had geregeld. Als ik nu maar Camilla's adres of zo kon vinden, zou ik haar het telefoonnummer van Graham in York kunnen vragen en misschien ontdekken of er nog andere vertrouwelingen waren die mij onbekend waren.

Ik had geluk. Haar adres stond op een gefotokopieerd document ergens boven aan een papier over het beheer van een flat hier in de buurt, vlak bij Battersea Park. (Dit was vermoedelijk de echtelijke woning geweest en Davis had deze opslagmogelijkheid gekozen omdat die zo dichtbij was.) Toen ik de inhoud van de rest van de correspondentie doorkeek, zag ik dat hun scheiding snel en onomstreden was geweest. Zoals hij me had verteld was hij de eiser geweest, met het overspel van zijn vrouw als reden, en was er een overeenkomst bereikt zonder de noodzaak van een gerechtelijke procedure. Hoewel ik slechts één kant van de correspondentie had, en incompleet op de koop toe, was het duidelijk dat Davis een aantal financiële voorstellen van het kamp van Camilla had verworpen tot de definitieve regeling werd getroffen:

Geachte heer Calder,
Ons is bericht dat de tegenpartij thans heeft ingestemd met uw enige verlangen met betrekking tot de echtelijke bezittingen en dat de eigendomsrechten betreffende het vakantieverblijf binnenkort op uw naam zullen worden gezet.
We nemen weer contact met u op wanneer we in het bezit zijn van voornoemde papieren en andere documenten.

Mijn hart begon sneller te kloppen. Ik staarde naar de getypte woorden voor me tot ze iedere betekenis hadden verloren. Er zat geen documentatie bij en een snelle blik in de resterende correspondentie na deze datum leverde helemaal niets op. Davis moest de rest – inclusief de eigendomspapieren – bij zich hebben gehouden. Ik keerde terug naar de oorspronkelijke brief en las die nogmaals door. 'Vakantieverblijf': niet één keer in de loop van onze relatie had Davis ook maar over het bestaan ervan gerept.

De jonge vrouw die de telefoon opnam, gaf kennelijk een soort zondagse lunch, en ze vertelde me vrolijk dat Camilla al drie jaar niet meer in deze flat woonde. Maar ik was niet de eerste die deze vergissing maakte en ze gaf me het nieuwe adres. Kennelijk was ze bereid dat aan iedereen die erom vroeg te geven en zelfs te vertellen hoe ze er moesten komen. 'Vlak bij Albert Bridge Road, een blauw huis om de hoek, je kunt het niet missen.'
Het was dichter bij het park dan de flat en het was voor Camilla een hele vooruitgang geweest, te oordelen naar de vier keurig geschilderde verdiepingen die boven een onberispelijke voortuin met buxushagen en tegelmozaïek verrezen. De deur werd opengedaan door een huishoudster of een soort huishoudelijke hulp, die zich haastte om de vrouw des huizes te waarschuwen. Er stonden koffers in de hal, dure koffers van een beroemd merk, die net als blokken kinderspeelgoed in volgorde van grootte waren opgestapeld en ik kreeg het gevoel dat ik ein-

delijk eens geluk had. Ik had de eerste mevrouw Calder nog net thuis getroffen.

'Hallo, waarmee kan ik u helpen?' De stem was aristocratisch en hees, maar toen ik opkeek zag ik dat haar glimlach gereserveerd was. Ze was begin dertig, ongeveer even lang als ik, hoewel aanzienlijk slanker, en ze had een fris, knap gezicht dat enigszins contrasteerde met de uiterst modieuze top met kraaltjes en strakke donkere spijkerbroek die ze droeg. Haar middelbruine haar, dat onder de oren in twee losse staarten hing, bevatte voor enkele honderden ponden aan goudkleurige highlights.

'Bent u Camilla...?' Ik realiseerde me dat ik haar meisjesnaam niet wist en ook niet of ze die na haar scheiding weer had aangenomen. 'De voormalige Camilla Calder?'

De glimlach verdween nu helemaal en de stem werd harder. 'Dat klopt. En u bent?'

'Het spijt me dat ik u hiermee moet lastigvallen, en ook nog in het weekend, maar ik ben Davis' vrouw. Zijn tweede vrouw.' Mijn glimlach verdween toen ze me uiterst doordringend aankeek. 'Ik heet Kate. Ik vroeg me af of ik heel even met u over hem kon praten.'

Ze maakte geen aanstalten om me binnen te vragen maar bleef me slechts aanstaren. 'Is Davis met jóú getrouwd?' Er klonk echter niets smalends in haar stem, alleen maar grote verbazing.

'Ja,' zei ik vriendelijk. 'U schijnt nogal verbaasd te zijn.'

Mijn antwoord bracht haar weer tot leven en ze stapte opzij om me binnen te laten. 'Natuurlijk, het spijt me, dat moet vreselijk hebben geklonken. Kom alsjeblieft binnen... Kate, zei je? Kan ik je misschien koffie of zoiets aanbieden?'

Na mijn uren in de opslagruimte had ik alle besef van tijd verloren en ik zag nu dat het bijna vier uur was. Ik had honger en dorst. Ik keek weer naar de koffers en vroeg me af waar ze heen zou gaan. Ze leek me precies het type dat maandenlang naar Marrakech of St. Tropez vertrok. Misschien was dat wel de reden waarom ze me zo verbaasd had aangekeken. Misschien leek ik niet chic, niet werelds genoeg voor Davis. 'Eh ja, graag. Koffie lijkt me heerlijk.'

Ze ging me over een lange rode loper voor naar een kleine eetkamer met uitzicht op de tuin. Door een open deur links van de hal ving ik een glimp op van een goed geklede man van in de zestig, die op de zakken van zijn blazer klopte terwijl hij zich in een spiegel inspecteerde, kennelijk op het punt te vertrekken. Ik besefte dat het afscheid dat ik had verstoord niet Camilla maar haar gast gold en ik begon me te verontschuldigen. 'Zal ik misschien een andere keer terugkomen?'

'Nee, nee, het is goed.' Ze bood me een stoel bij de eettafel aan en voegde eraan toe: 'Wil je me heel even excuseren? Ik moet pappie even gedag zeggen.'

Ze ging de kamer uit, en ik hoorde even later haar stem in de gang. 'O, gewoon een oude vriendin van Annie, die even langskwam om een praatje te maken, je kent haar niet.' Daarna klonk het geluid van afscheidskussen en de voordeur die dichtging, gevolgd door Camilla's voetstappen die zich door de gang terug naar de keuken haastten.

'Oké, koffie, laat me Magda even waarschuwen.'

Toen ze ten slotte tegenover me aan de tafel ging zitten, moet mijn gezicht hebben verraden dat ik haar tegen haar vader had horen liegen, want ze zei direct: 'Het leek me beter je niet aan hem voor te stellen. Ik wilde niet dat je zou worden onderworpen aan een soort...' Ze zocht naar de juiste term en glimlachte grimmig. '...een soort aanval wegens indirect verband, zullen we maar zeggen.'

'Juist ja,' zei ik, toen ik het begreep. 'Mijn man is kennelijk niet erg geliefd bij je familie?'

'Zo zou je het kunnen zeggen, ja.'

'Mijn man.' Die woorden bleven tussen ons in de lucht hangen. Ik zou moeten ophouden op die manier aan hem te denken, hoe eerder hoe beter. Terwijl ik de prop in mijn keel wegslikte, zag ik Camilla nog steeds ontredderd naar me kijken, alsof er een vergissing in het spel moest zijn, hoewel ze geen idee had van hoe of wat.

'Ha, fijn.' Ze glimlachte toen Magda, het meisje dat me had binnengelaten, bekers koffie bracht en een schaal koekjes midden op de glimmend gewreven eiken tafel neerzette. Het voelde als een formele grens tussen ons. Ik reikte naar een koekje, om nog even wat uitstel te winnen, en keek toen om me heen. Tegen de muur achter Camilla stond een enorm doek van een vaas met rozen, een van de ongeveer twintig schilderijen en ingelijste prenten die de kamer sierden. Ik dacht terug aan Davis' aanmatigende opmerkingen over haar artistieke smaak, maar ik zag hier niets dan prachtige werken. Het was in feite een van de mooiste kamers die ik ooit had gezien, met afgeronde tafelbladen en antieke ladekasten vol foto's en vazen met bloemen, een stel fauteuils met geborduurde kussens, tegenover elkaar geplaatst op een kelim in warme kleuren. Precies het soort vrouwelijk toevluchtsoord dat je zou scheppen wanneer je je aan het verdriet over een verbroken relatie wilde onttrekken. Die gedachte knaagde aan me: dat klopte toch niet helemaal?

'En, waar kan ik je verder mee helpen?' vroeg Camilla, voor ik hier verder over kon nadenken.

Ik vergat mijn zoektocht naar Grahams adres en nam het spontane besluit haar gewoon de waarheid te vertellen. Ik deelde haar in de simpelste bewoordingen mee dat Davis er met mijn dochter vandoor was. 'Ik heb niets meer van hen vernomen sinds ze donderdag zijn vertrokken.'

De opgewekte blik verdween uit haar ogen. 'Dat is vreselijk. Wat afschuwelijk. Hoe oud is ze?'

'Zeventien.'

'Zeventien,' herhaalde ze. 'Grote God, nauwelijks volwassen.'

'Zeg dat wel.' Ik voelde me zeker wat de eerste indruk betrof van de vrouw voor me. Ze was wel bevoorrecht, misschien een vaderskindje, maar ze had duidelijk een hart. Ze zou me niet kunnen helpen, maar haar medeleven zou onvoorwaardelijk zijn. Ik voelde me zo zeker van dit oordeel, dat ik volledig uit het veld was geslagen door wat ze vervolgens zei.

'Tja, aangezien jij degene bent die naar mij is gekomen, denk ik dat we volledig open kaart kunnen spelen.' Ze keek me aan, kennelijk wachtend op toestemming om verder te gaan.

'Uiteraard,' stemde ik in.

Ze zuchtte, kennelijk opgelucht. 'Dat was de reden waarom ik zo geschokt was toen ik je zag. Ik bedoel, je bent niet echt oud of zo...'

'Ik?' Ik begreep hier niets van. 'Ik ben negenendertig.'

Ze knikte. 'Precies.'

'Sorry, ik begrijp niet helemaal waar dit mee te maken heeft.'

Maar ze scheen me niet te horen en volgde haar eigen gedachtegang. 'Ik werd ook te oud voor hem, weet je, en ik was nog maar net in de twintig. Krankzinnig!' Ze boog zich naar me toe en keek me vol medeleven aan. 'Het feit is, dat Davis zich tot jongere vrouwen aangetrokken voelt. Dat is altijd zo geweest en dat zal altijd zo blijven.'

'Jongere vrouwen? Hoe bedoel je?' Ik knipperde met mijn ogen toen ik een nieuwe dosis adrenaline door mijn aderen voelde stromen. Ze bedoelde toch zeker niet dat zoiets als dit al eerder was gebeurd, dat de ramp die mij was overkomen in zekere zin onafwendbaar was geweest?

'Ik heb met je te doen,' ging ze verder, 'echt waar. Jij zit er hopeloos in verstrikt. Ik bedoel, als het niet je dochter was, kon je er gewoon een punt achter zetten en proberen te vergeten dat je hem ooit hebt ontmoet. Zoals ik dat ook heb gedaan.'

Ze leunde achterover in haar stoel. Heel even zag ze er heel verslagen uit, alsof haar ellende nog maar enkele uren in plaats van jaren geleden was gebeurd, maar ik was te onthutst over wat ze net had gezegd om begrijpend te kunnen reageren.

'Hoe bedoel je: "Er een punt achter zetten"?' Ik dacht aan de brief van de advocaat, die ik ongeveer een uur geleden nog in handen had gehad. 'Ik dacht dat Davis degene was die echtscheiding had aangevraagd? Hij vertelde dat de reden was dat jij een ander had ontmoet. Hij had niemand anders…'

Ze knikte en probeerde zich te beheersen. 'Ik ben inderdaad aan een nieuwe relatie begonnen voordat we uit elkaar gingen, dat klopt. Maar hij had al lange tijd daarvoor met studentes gerommeld.'

Ik voelde een golf van weerzin in me opkomen. 'Studentes? Je bedoelt meer dan één? Hoeveel dan wel?'

'Dat weet ik eerlijk gezegd niet. Maar er was er niet één bij die blijvend was. Hij is in elk geval nooit met een van hen weggelopen, zoals nu.'

We staarden elkaar aan. Met het verdriet dat ik bij haar had opgeroepen en met mijn toenemende afschuw, wist ik niet zeker

233

wie van ons beiden aan troost toe was en ook niet of een van ons daar op dit moment toe in staat zou zijn.

'Mijn therapeute heeft het me ooit uitgelegd,' zei ze kalm. 'Ze zei dat hij kennelijk een grote liefde heeft gehad voor iemand van die leeftijd en dat die liefde in een soort trauma is geëindigd, vermoedelijk toen hij zelf ook die leeftijd had. Zeventien of achttien jaar. Gedoe met een soort gestagneerde ontwikkeling.' Ze zweeg even, nam een koekje van het bord, legde het weer neer zonder een hap te nemen. 'Maar ik weet niet of ik dat geloof. Het klinkt te veel als een excuus. Zelf denk ik dat het meer met macht te maken heeft. Je weet wel, hoe groter het leeftijdsverschil hoe meer hij de baas kan spelen. Hij wordt ouder, maar de meisjes nooit.'

Ik voelde een neiging om te kokhalzen en moest moeizaam slikken om mezelf te bedwingen. Toen ik naar Camilla keek en al het moois dat haar omringde, kon ik alleen maar denken aan de keren, de vele keren, dat ik had gevist naar snippertjes van Davis' geheime wensen, had aangedrongen mij die te vertellen, me die begeerten had voorgesteld, had gedacht dat ze mij golden!

'Heeft hij er ooit problemen door gekregen?' Mijn stem was nauwelijks meer dan een fluistering. 'Ik bedoel, heeft iemand hem ooit bij de autoriteiten aangeklaagd?'

Die vraag bracht een vonk van woede in haar ogen. 'Je bedoelt de ouders? Ik geloof niet dat die ooit iets hebben geweten. Hij was in elk geval wel zo slim om niemand zwanger te maken. Ik kan alleen maar vermoeden dat hij over het algemeen op volmaakte geheimhouding aandrong. Hij was tenslotte getrouwd.'

'En de meisjes, hebben die hem nooit aangegeven?'

Ze snoof smalend. 'Voor zover ik weet, klaagden die alleen wanneer hij er een punt achter zette. Ik herinner me nog alle telefoontjes, alle keren "verkeerd nummer gedraaid", hoe graag hij een mobieltje wilde voordat iemand dat had. Hij wist natuurlijk altijd smoesjes te bedenken, beweerde dat ze hem lastig vielen over examencijfers. Dat had op zich al een aanwijzing moeten zijn: hij wist hen altijd goede cijfers te laten halen, welke universiteit hun ouders ook voor hen hadden gedacht.'

Ik probeerde niet te denken aan hoe Alistair en ik bezig waren geweest met het plannen van Roxy's opleiding alsof we een stel ministers waren die haar aan het werk wilden zetten, die haar een toekomst opdrongen. 'Dus je hebt hen nooit ontmoet wanneer ze voor bijles naar het huis kwamen?'

Ze schudde haar hoofd. 'Hij heeft nooit thuis lesgegeven, althans niet wanneer ik er was. Maar een van hen kwam in de zomer een keer naar de flat toe, na haar eindexamen, en ik begreep meteen dat er iets aan de hand was. Om te beginnen waren haar lessen afgelopen en zat ze gewoon op de uitslag te wachten. En ze had zich midden op de dag helemaal opgetut, alsof ze naar een groot feest ging. Maar zelfs dat was het eigenlijk niet, het was eerder... ze was zo uitdagend in de manier waarop ze me aankeek, bijna minachtend, alsof ik er niet toe deed. Het was echt angstaanjagend.'

Ik dacht aan Marianne en, met enige aarzeling, aan Roxy en aan de manier waarop ze Abi die keer hadden behandeld, naast vele anderen, mijzelf incluis. Camilla's beschrijving kon ook op hen van toepassing zijn.

'Ik weet niet of het troost mag heten, maar deze meisjes beschouwen zichzelf eigenlijk niet als slachtoffer. Ze zien zichzelf als verleidsters, alsof het hebben van een verhouding met een leraar iets is wat ze van hun lijst willen strepen, in dezelfde categorie als een *sabbatical year* of zo. Ik ken je dochter natuurlijk niet, maar ik vermoed dat ze geniet van het drama, dat ze dit gewoon spannend vindt, alsof ze meespeelt in een film of zo.'

Ik knikte, want ik begreep haar beter dan ik ooit voor mogelijk had gehouden. Ik dacht opnieuw aan de echtscheidingspapieren die ik had gezien. 'Ik begrijp dit toch niet helemaal. Als dit toen allemaal gaande was, waarom heb je je niet eerder van hem laten scheiden? Waarom heb je gewacht tot hij de dingen in gang zette?'

Ze glimlachte, enigszins treurig. 'Ik heb hem er wel uitgegooid en ik denk dat je zou kunnen zeggen dat daarmee alles aan het rollen is gebracht. Maar hij was slimmer dan ik. Mijn verhouding viel gemakkelijk te bewijzen, hij had de naam van een derde en ik niet. Bovendien, al had ik de namen en adressen gehad, dan was ik nog niet van plan geweest een jong meisje op te sporen en haar leven te ruïneren.'

Ik knikte en voelde zowel bewondering als medeleven voor

haar. Ik dacht niet dat ik ook maar voor een fractie zo vergevensgezind jegens die tieners van Davis had kunnen zijn als mijn eigen tienerdochter niet direct betrokken was geweest bij deze nachtmerrie. Ik zou hen even schuldig hebben gevonden. Maar Camilla dacht terug aan zichzelf op die leeftijd. Ze was niet veel ouder geweest dan Roxy toen Davis haar had uitgekozen.

'Uiteindelijk had hij alle troeven in handen,' zei ze treurig. 'En hij wist dat het altijd gemakkelijker zou zijn om te krijgen wat hij wilde als híj degene was die de zaak in gang zette.'

Ik zag een opening en probeerde me schrap te zetten en te bedenken dat ik hier was gekomen voor specifieke informatie. Ik moest die zien te krijgen, hoe akelig ik het ook vond dat ik haar dag had bedorven. 'Dat is eigenlijk de reden waarom ik hier ben. Die vakantiewoning van jou, die hij bij de scheiding heeft meegekregen. Ik begin te denken dat ze daar nu misschien zijn.'

Er verscheen iets bitters in haar ogen, en ik kreeg het gevoel dat ik niet veel verder meer zou komen in dit gesprek. 'Er is, denk ik, maar één manier om daar achter te komen: je moet ernaartoe.'

Ik trok een zuur gezicht. 'Het punt is dat ik niet weet waar "daar" is.'

Ze staarde me met open mond aan. 'Bedoel je dat hij je nooit heeft verteld waar zijn eigen huis was?'

'Nee.' Toen viel me iets in, iets wat zou kunnen verklaren waarom Davis me het huis nooit had genoemd. 'O, maar misschien heeft hij het wel verkocht?' Maar zelfs voor ze haar hoofd schudde, verwenste ik mezelf omdat ik excuses voor hem bedacht.

'Nee,' zei ze vol begrip. 'Hij zou het nooit verkopen. Het was zijn obsessie.'

Ik knikte. 'Ik weet dat hij zei dat hij bij jouw familie in Parijs had gelogeerd, ik vraag me af of het misschien daar is?'

'Nee, niet in Parijs. Aan de kust. Île de Ré.'

'Île de Ré?' De naam kwam me bekend voor, maar ik kon hem niet helemaal plaatsen. Camilla's blik ging naar een schilderij achter me en ik draaide me om en keek ernaar. Het was in vrolijke pastelkrijttinten, met bootjes in een haven en Franse woorden eroverheen gekrabbeld.

236

'Het was het huis van mijn grootmoeder. Toen ik klein was, gingen we er iedere augustus naartoe. Ze heeft het mij nagelaten toen ze stierf. Davis was er net zo dol op als wij allemaal. We hebben onze wittebroodsweken daar doorgebracht. Ik had het echt niet kwijt gewild, maar hij wilde niets anders, ook al had hij veel meer kunnen krijgen. En ik wilde alles achter de rug hebben...' Ze zweeg, ging wat meer rechtop zitten en haalde een paar keer diep, beheerst adem, alsof ze mediteerde. 'Maar zo gaat dat nu eenmaal. Ik heb een vergissing begaan en er is niets dat ik eraan kan veranderen.'

'Het spijt me,' zei ik. 'Ik vind het vreselijk, dat ik dit alles weer bij je moet oprakelen.'

Ze glimlachte. 'Nee, het gaat wel. Het is niet jouw schuld. Ik vond hem net zo innemend als jij. Ik hoop alleen dat je gelijk hebt en dat ze in Frankrijk zitten. Ik zal het adres voor je opschrijven.' Ze greep pen en papier. 'Rue de Loix, nummer vijftien, Saint-Martin-de-Ré. Hij heeft de oude telefoonlijn af laten sluiten, dat weet ik wel, maar ik zet mijn nummer hierbij, voor het geval je problemen mocht hebben om het huis te vinden.'

'Dank je wel, ik waardeer dit bijzonder.'

Ze liep met me naar de deur. 'We hebben nog een gesprek gehad, weet je, aan het eind. Hij probeerde op zijn eigen armzalige manier uit te leggen hoe hij het allemaal zag.'

'O ja?'

'Hij zei dat hij het zou weten wanneer hij haar had gevonden. Dat waren zijn woorden. "Ik zal het gewoon wéten wanneer ik haar heb gevonden en dan zal niets anders meer van belang zijn." Niet direct wat een vrouw wil horen, maar ach, ik neem aan dat jij er net zo over denkt.'

We keken elkaar treurig aan. 'Goed. Nou, laat me weten of er iets anders is wat ik je nog kan vertellen.'

'O!' Op de valreep schoot me nog iets te binnen. 'Er is inderdaad nog iets. Ik wilde je naar Graham vragen.'

'Graham?'

'Zijn vriend in York. Ik dacht dat hij misschien iets over dit alles zou weten, of dat Davis daar misschien zelfs naartoe was gegaan. Jij hebt zeker geen up-to-date telefoonnummer van hem?'

Ze keek me verbijsterd aan, een beetje zoals ruim een uur geleden, toen we elkaar voor het eerst bij de deur hadden gezien. 'Dat denk ik wel, ja, maar ik denk niet dat het veel zin heeft hem hierbij te betrekken. Davis en hij hebben elkaar in jaren niet gesproken, niet meer sinds de scheiding.'

Dan moesten de twee mannen buiten haar om contact hebben gehouden, dacht ik, vermoedelijk om Camilla's gevoelens te sparen. Dat was lastig. 'Oké, maar zou je het erg vinden om me dat nummer toch maar te geven? Gewoon het laatste dat je hebt? Ik wil in dit stadium alle mogelijkheden proberen.'

'Ik weet het niet, Kate. Het is een beetje pijnlijk met Graham.' Ze liet haar schouders hangen. Ze leek opeens heel moe van me te worden. 'Weet je wat, geef me je nummer. Dan bel ik hem eerst, om te peilen of hij bereid is met jou te praten. Als dat zo is, zal ik je zijn nummer geven en zo.'

Dit was een frustrerende voorwaarde, om niet te zeggen een riskante. Stel dat Davis en Roxy toch bij hem zaten en haar telefoontje afluisterden, of dat Graham hun ronduit vertelde dat er naar hen was gevraagd? Maar gezien haar medewerking en de gelukkige omstandigheid dat ze me aan dit nieuwe Franse spoor had geholpen zat er voor mij niets anders op dan ermee in te stemmen. 'Goed, maar zou je het misschien vandaag nog kunnen doen? Ik weet dat het wat veel gevraagd is, maar het zou me echt geweldig helpen.'

Ze knikte. 'Ik zal wel moeten wachten tot hij wakker is. Het is in Singapore nu midden in de nacht.'

Ik keek verschrikt op. 'In Singapore?'

'Ja, hij is daar in het voorjaar naartoe verhuisd.'

'Maar...' Ik slikte moeizaam. 'Ik dacht dat hij nog steeds in York woonde. Davis heeft hem ongeveer een maand geleden opgezocht, het laatste weekend van september, geloof ik. Hij is naar York gegaan om hem over de trouwerij te vertellen.'

Camilla fronste haar wenkbrauwen. 'Dat denk ik niet, Kate. Graham is in maart uit Engeland vertrokken en ik geloof niet dat hij sindsdien terug is geweest. En hij zou onder geen beding naar Davis' trouwerij willen gaan, neem dat maar van mij aan.'

'Goed.' Ik probeerde dit tot me door te laten dringen. Graham woonde niet in York, hij woonde in het Verre Oosten. Waar was Davis dan dat weekend in september naartoe geweest? Vast niet naar Singapore. Had hij soms nóg een vriend in York, iemand die hij misschien via Graham had ontmoet? Ik werd even slap in mijn knieën, nog voor mijn geest de antwoorden verschafte, en ik greep naar de deur, op zoek naar houvast. O god, wat was dit toch belachelijk duidelijk! In het weekend dat Davis zogenaamd naar York was geweest, slechts enkele weken – dagen – voor hij met mij trouwde, was Roxy ook weg geweest, op zaterdag, naar Marianne. Ik herinnerde het me duidelijk omdat Matt bij Ruben had gelogeerd, een uitnodiging op de valreep, en ik een hele avond voor mezelf had gehad, genietend van mijn nieuwe leven terwijl ik bedacht hoe ik deze rust moest benutten nu het nog kon. Ze moesten samen zijn geweest. Was het... was het hun éérste keer geweest?

'Kate? Gaat het een beetje? Wil je nog even binnenkomen?' Camilla keek me bezorgd aan, en ik besefte dat mijn mond trilde. Met de grootste moeite wist ik het trillen te bedwingen.

'Het gaat wel, dank je. Laat Graham maar zitten, je hoeft hem niet te bellen. Ze zijn vast niet bij hem als hij in Singapore zit.'

'Goed, als je het zeker weet.'

'Ja. Tot ziens. En nogmaals hartelijk dank voor alles.'

'Tot ziens, Kate. En veel succes.'

Terwijl ik moeizaam de koele lucht naar binnen zoog, wist ik op de een of andere manier de korte afstand naar Albert Bridge Road af te leggen, waar ik zonder me iets van de voorbijgangers aan te trekken op het trottoir dubbelsloeg alsof ik moest overgeven. Aan de overkant was een ingang naar Battersea Park – ik kon net binnen het hek een leeg bankje ontwaren – en ik stapte gedachteloos de weg op om erheen te lopen. Het luide getoeter van een auto deed me opschrikken, zodat ik als aan de grond genageld bleef staan. De bestuurder gebaarde kwaad dat ik moest maken dat ik wegkwam.

'Sorry, sorry!' Ik schoot als een haas naar het hek van het park en bereikte het lege bankje. Ik plofte erop neer terwijl ik de woorden schreeuwde: 'Hoe heb je dit kunnen doen, Davis, hoe heb je dit kunnen doen? Ze is mijn dóchter!' Maar mijn keel was droog, de woorden nagenoeg geluidloos.

Mijn gedachten sorteerden razendsnel allerlei beelden, binnen twintig seconden een opsomming van de gebeurtenissen van de laatste maand. Hij was anders geweest toen hij van Graham was teruggekomen, meer ontspannen, meer gericht op wat er ging komen. Gelukkiger. Wat Roxy betrof, kon ik me niets herinneren over haar terugkeer na haar logeerpartij bij Marianne, zo was ik opgegaan in Davis' thuiskomst, in mijn geweldige nieuwe romance, in mezelf. Waar was hij dat weekend met haar geweest? Naar het geheime huis in Frankrijk, of ergens dichter bij huis? Wás het wel hun eerste nacht samen geweest? Was dat hoe dan ook haar eerste nacht met een minnaar geweest? Of was ik nog steeds lichtjaren van de waarheid verwijderd?

Omdat ik de gedachte aan die twee samen geen seconde langer meer kon verdragen, verplaatste mijn geestesoog zich automatisch naar Marianne. Ze glimlachte naar me, met die sluwe, veelbetekenende, volwassen blik van haar, en ik werd opnieuw door woede overmand, alsof ze ook echt voor me stond. Als zij als alibi was gebruikt, moest ze beslist weten waarvoor ze als dekmantel moest dienen, het ergste soort bedrog, het groezeligste verraad. Ik zou haar het liefst door elkaar willen rammelen, haar dwingen toe te geven dat ze hier vrijwillig in had samengespannen, dat ze even immoreel was als Davis. Mijn armen maaiden woest in het rond toen ik me voorstelde hoe ik me op haar stortte, haar aanviel, en ik hoorde mezelf weer schreeuwen, ditmaal uit volle borst, tegen niemand in het bijzonder, tegen iedereen. Toen deed ik mijn ogen dicht, legde mijn armen naast me, concentreerde me op mijn ademhaling. Ik begon mijn verstand te verliezen. Marianne had hier geen schuld aan. Zij was niet de volwassene hier. Dit was het werk van Davis, van Davis en van mij.

'Ik heb een vergissing begaan,' had Camilla gezegd, 'en er is niets dat ik daaraan kan doen.' Maar haar vergissing was begrijpelijk geweest, te billijken. Ze was jong geweest, niet veel wijzer dan Roxy nu. Maar ik was bijna veertig, ik had beter moeten weten. Ik werd zo volledig overweldigd door de enormiteit van mijn eigen verkeerde beslissingen – en door de brutaliteit van Davis' beslissingen – dat ik ten slotte toegaf aan de huilbui die al had gedreigd sinds ik die morgen wakker was geworden en had ontdekt dat ik weer kon voelen. Ik voelde me zo hopeloos, zo verpletterend verslagen, dat ik het liefst op de grond was gegleden om me op te rollen tot een bal. Op dat moment in Battersea Park had ik graag willen sterven.

'Neem me niet kwalijk. Is alles goed met u?' Ik keek op en zag boven me het gezicht van een vrouw die me bezorgd aankeek. Ze was ongeveer van mijn leeftijd, hoewel aanzienlijk beter gekleed. Haar ene, in leer gehulde hand omklemde de handschoen van de andere, alsof ze die bij voorbaat uit had getrokken om mij met haar blote vingers aan te raken, zoals je dat bij een ziek dier zou doen.

'Het gaat wel,' zei ik, en ik snufte. 'Ik heb net slecht nieuws te horen gekregen.'

'Ik heb wel een papieren zakdoekje voor u.' Ze gaf me dit, terwijl ze nog even bleef staan, aarzelend of ze nu wel of niet zou blijven om alle details over het verdriet van een ander aan te horen. Het volgende moment liep ze schoorvoetend weg.

Toen ik het zakdoekje naar mijn gezicht bracht, zag ik dat mijn handen tot boze vuisten waren gebald, zodat er allerlei pijnscheuten door mijn gewonde arm trokken. Ik moest deze woede anders richten, ik moest in beweging blijven, ik moest blijven zoeken. Hoe kon ik mezelf zo laten gaan? Ik was bijna voor de tweede keer aangereden – en wat dan? Dan had Roxy niemand om naar terug te gaan, zou er niemand voor Matt zijn.

Je moet vooruit kijken, prentte ik mezelf in. Dat zei ik ook altijd tegen de cliënten, wanneer ze verpletterd waren door de onrechtvaardigheden in dit leven. Doe iets constructiefs, haal adem, handel, beweeg! Het was de enige manier om met een trauma, een verdriet, om te gaan.

Thuis hoefde ik de atlas niet eens tevoorschijn te halen om te weten dat Île de Ré een van de eilanden voor de kust van La Rochelle was. Ik had het zien liggen aan boord van het vliegtuig toen we gingen landen, een lang vlak stuk land met velden en bossen, omzoomd door zandstranden. Later die week, toen Davis een dagtocht had voorgesteld, had ik het genoemd, maar hij had het afgewimpeld. Alleen maar wat strand, had hij gezegd, niets te doen in deze tijd van het jaar. In plaats daarvan had hij kaartjes genomen voor de overtocht naar een ander eiland, Ile d'Aix, waar Napoleon zijn laatste dagen in Frankrijk had doorgebracht voor hij zich aan de Britten had overgegeven.

Ik had er gewillig mee ingestemd.

20

Uiteraard had alles wat er het afgelopen halfjaar was gebeurd nu een nieuwe bijklank gekregen, niet alleen dat weekend in september, maar alles. Iedere blik die Davis in Roxy's richting had geworpen, iedere opmerking die hij tegen haar had gemaakt en zij tegen hem. En ieder gesprek tussen ons ook, zoals over het vormen van een gezin. Het was kort nadat hij me ten huwelijk had gevraagd en onze relatie had zich zo snel ontwikkeld dat we er nauwelijks aan toe waren gekomen zulke belangrijke zaken op een enigszins formele wijze te bespreken. In tegenstelling tot Alistair en Victoria met hun uitvoerige huwelijkse voorwaarden. Maar ja, ik kon niet langer spotten over hun onromantische clausules: zij waren tenminste nog bij elkaar.

Het onderwerp was toevallig ter sprake gekomen. Ik zei iets over het tempo van de gebeurtenissen van die zomer en verbaasde me over de manier waarop het leven plotseling kon versnellen en je kon overweldigen, zodat alles tegelijk kwam.

'Er zijn jaren waarin van alles gebeurt, en dan lijkt het ook altijd zomer te zijn, is je dat wel eens opgevallen? Dan denk ik met name aan het jaar dat ik afstudeerde, naar Londen verhuisde, met Alistair trouwde en in verwachting raakte van Roxy, alles binnen drie maanden. Voor vijf jaar aan leven, in één zomer!'

Davis had toegeeflijk geglimlacht, zoals hij wel vaker deed als ik zo doordraafde. 'Gewoon een kwestie van in het diepe springen...'

Ik vertelde hem niet dat de volgende keer dat zoiets gebeurde alles sprekend had geleken op de vorige keer, behalve dat ik ditmaal was verhuisd, een baby had gekregen en mijn man was kwijtgeraakt.

Op mijn werk kreeg ik vaak van de mensen die ik moest helpen een tijdbalk aan rampen voorgeschoteld, waarop het domino-effect duidelijk te zien was: de vergissing van de bank leidde tot het kredietprobleem dat leidde tot de huisuitzetting die leidde tot de mislukking van het huwelijk die leidde tot het alcoholmisbruik dat leidde tot het omgangsverbod met de kinderen, tot aan het moment dat ze voor me zaten met een kop thee en een doos tissues.

Die gedachte ontnuchterde me enigszins. 'In elk geval,' zei ik tegen Davis, 'is dit kennelijk zo'n jaar. Wanneer ik bedenk hoeveel er binnen zo'n korte tijd is gebeurd, stokt me de adem in de keel. Ik vraag me af wat er nog meer zal gebeuren.'

Dat was het moment dat ik een ongerust trekje op zijn gezicht zag, alsof hij nu pas begreep wat ik wilde zeggen. 'Je bent toch zeker niet van plan om deze keer ook zwanger te worden, hè?'

'Lieve hemel, nee!' Maar toen ik besefte hoe stellig dat klonk, krabbelde ik terug. 'Ik bedoel, dat is toch niet wat jij wilt, hè?'

Hij grinnikte op zijn bekende droge manier. 'Om eerlijk te zijn, Kate, heb ik geen enkele aspiratie in die richting en is het een opluchting jou hetzelfde te horen zeggen.' Hij zweeg even. 'Ik denk dat ik altijd heb gevonden dat ik met lesgeven mijn steentje wel bijdroeg. Ik heb echt geen behoefte om ook nog eens kinderen van mezelf te hebben.'

'Nou, dat vind ik heel nobel,' zei ik tegen hem. 'Er heerst tenslotte overbevolking op de wereld.'

Hoe had ik zo zelfvoldaan kunnen zijn, zo tevreden over mezelf, zo blind voor alle aanwijzingen? 'Mijn steentje bijdragen!' Waren die woorden maar eens gedrukt, in schuine letters, bij wijze van waarschuwing. *Groot gevaar, Kate, doe iets!*

Maar zou dat mijn ogen dan wel geopend hebben?

De volgende dag was het maandag, vier dagen nadat ze waren vertrokken. Ik werd wakker met rode, ontstoken ogen en een pijn aan de linkerkant van mijn ribben die, hoewel ik wist dat dit onmogelijk was, in de maat bonsde met het kloppen van mijn hart.

'Waarom ziet je gezicht er zo raar uit?' vroeg Matthew aan het ontbijt.

'Het is een beetje opgezet door het ongeluk,' zei ik. 'Maar het gaat prima, maak je geen zorgen.' Hij was nog jong genoeg om me op mijn woord te geloven en zich geen zorgen te maken.

Zijn volgende vraag was problematischer. 'Waarom is Roxy nog niet terug?'

'Ze logeert nog steeds bij Marianne,' zei ik.

Hij keek me fronsend aan over de keukentafel. Vrijdag en zaterdag was tot daar aan toe, maar dat Roxy ook zondagavond bleef logeren, moest een speciale reden hebben. 'Waarom?'

Ik stak mijn van tevoren bedachte verhaal af. 'Omdat ze nog wat dingen samen moeten doen. Ze werkt aan een belangrijk project van school.'

'Weer toneel? Mag ik erheen?'

'Ik weet niet precies wat het is.' Ik stond op. 'Wil je nog meer toast?'

Hij veegde de kruimels van zijn mond. 'Ik zit vol. Wanneer komt ze terug?'

Ik ging weer zitten. 'Binnenkort, dat beloof ik.'

'Tegelijk met Davis?'

'Misschien wel. Ik zal proberen om vandaag met haar te praten en dat uit te vissen. Maar maak je niet ongerust, lieverd, en je hoeft het op school ook aan niemand te vertellen, oké?'

Ik was vastbesloten Roxy's voorbeeld te volgen en de buitenwereld er zo min mogelijk bij te betrekken. Alistair, Victoria, Abi en Camilla: dat was tot hoever dit schandaal zou gaan – voorlopig. Anderen in mijn leven, mijn ouders (die waren gelukkig nu met vakantie naar de andere kant van de wereld, zodat deze verschrikking hun bespaard bleef), mijn collega's, hen kon ik enige tijd hierbuiten houden.

Ik zag dat Matthew zijn kin in de lucht stak, zoals hij altijd deed wanneer hij een idee kreeg. 'Weet je wat, mam? Als ik mijn eigen mobieltje had, zou ik Roxy zelf kunnen bellen.'

'Dat is waar. Maar dat heb je helaas niet. Ben je klaar voor school? Waar zijn je schoenen? Heb je ze gisteren schoongemaakt?' Ik keek hem glimlachend aan, ondanks alles blij omdat hij zijn vragen zo gemakkelijk had laten vallen ten gunste van zijn voortdurende campagne voor een mobieltje. Dat betekende dat hij de ernst van de situatie nog niet door had. Ik besefte dat ik hem niet lang in het ongewisse kon houden. Hij was negen, bijna tien, en hij was niet op zijn achterhoofd gevallen. Er was in elk geval wat mijn huwelijk betrof weinig noodzaak om voor hem het feit te verbergen dat daar een eind aan was gekomen. Niets kon daar verandering in brengen. Het was voorbij tussen Davis en mij, er was geen weg terug. Ik zou het hem binnenkort vertellen, niet het volledige verhaal, maar een vereenvoudigde versie ervan, voordat hij iets opving wat niet voor zijn oren bestemd was.

Zodra hij veilig naar school was, hoefde ik geen verstoppertje meer te spelen. Ik had mijn hoofdkwartier in de flat aan de voorzijde ingericht, waarbij ik Roxy's laptop van haar bureau naar dat van Davis had verhuisd. Pas zaterdag, toen Alistair en Victoria waren vertrokken, had ik geconstateerd dat zijn computer weg was, wat in elk geval een verklaring vormde voor de snelheid waarmee Roxy haar e-mail had gewist. Het betekende eveneens dat ik geen contacten kon opzoeken voor de scholen of huizen waar hij had lesgegeven. We hadden in zijn flat geen vaste telefoon laten aanleggen, al zijn bezigheden waren via e-mail of zijn mobiele telefoon geregeld. Ik vroeg me af of hij van plan was zijn cliënten op de hoogte te stellen van zijn afwezigheid en of hij zelfs maar wist hoe lang deze zou duren. Hij was altijd heel toegewijd geweest aan zijn werk, het leek me heel ongewoon voor hem om alles zomaar in de steek te laten en mensen als Jasmina zonder steun achter te laten. Maar aan de andere kant kon ik moeilijk beweren dat ik zijn karakter kende... En misschien bestond Jasmina wel helemaal niet, was ze alleen maar een verhaal geweest om indruk te maken op mij of, wat waarschijnlijker was, om me aan te moedigen mijn eigen dochter meer onafhankelijkheid toe te staan – een onafhankelijkheid die Davis zo goed van pas was gekomen.

'Vergeet hem,' had Abi gisteravond gezegd, toen ik in zichtbare staat van ontreddering uit Battersea was teruggekomen. Ze had me even aangekeken en me toen geknuffeld. 'Ik weet dat het onmogelijk is, maar je zult het toch moeten doen. Je moet je hoofd erbij houden, omwille van Roxy.' Ze liet haar stem dalen en gebaarde naar de woonkamer, waar Matthew tekenfilms zat te kijken. 'En ook omwille van hem. Hij heeft zijn zusje weer nodig.'

Toen ik naar haar vriendelijke, meelevende gezicht keek, golfde de dankbaarheid door me heen. 'Ik weet het,' zei ik. 'Ik laat dit niet gebeuren. Ik wil niet dat dit gezin weer uiteen wordt gerukt.'

Maar nu Abi naar haar werk was en ik er weer alleen voor stond, was ik niet meer zo overtuigd. Ik zat achter het bureau van Davis, in zijn stoel... Dan moest ik in gedachten toch wel voor me zien hoe hij dag in dag uit op deze plek zat om e-mails te versturen, aantekeningen te maken of iets op internet op te zoeken? Dan moest ik me toch wel voorstellen hoe hij iedere keer dat er op de deur werd geklopt verstarde en met bonzend hart wachtte tot hij zag wie van ons beiden het was?

Abi had gelijk. Als ik mijn hoofd er niet bij hield, ging ik eraan onderdoor, zo eenvoudig was het. Ik keek op mijn lijstje. Ik begon met Alistair op te bellen om verslag uit te brengen van de vorige dag.

'Ga onmiddellijk naar Frankrijk,' instrueerde hij me. 'Ze zitten kennelijk daar. Wij nemen Matt wel.'

'Maar hoe doe je dat met naar school brengen en ophalen?'

'Ik breng hem 's ochtends wel op weg naar kantoor en Vic kan hem 's middags oppikken, geen probleem. Geef me alleen wel zijn schema voor buitenschoolse activiteiten, dan zal ik ervoor zorgen dat hij er op de juiste tijd is.'

'Dat lijkt me geweldig,' zei ik, net niet snel genoeg om mijn gevoel van onzekerheid bij de gedachte dat Matthew meer tijd met Victoria zou doorbrengen de kop in te drukken. Het was een oude, hardnekkige angst van me dat Alistair zou besluiten Matthew bij mij weg te halen. En wat zou het nu gemakkelijk zijn om te demonstreren dat ik de neiging had beoordelingsfouten te maken waardoor minderjarigen gevaar liepen! Ik zag in gedachten al hoe Davis officieel tot pedofiel werd verklaard, waarna de autoriteiten mijn zoon zouden ondervragen om erachter te komen wat hij had gezien.

Ik wreef in mijn zere ogen. Daar ging ik weer. Ik moest dit soort angsten op afstand zien te houden, net als mijn gebroken hart. Er was nu niets dat ertoe deed behalve het opsporen van Roxy en haar weer naar huis terugbrengen. 'Dank je,' zei ik tegen Alistair. 'Ik zal direct de vluchten gaan bekijken.'

'Mooi zo. En hoe zit het met die kameraad in York? Heb je zijn gegevens te pakken kunnen krijgen? Ik kan er altijd zelf een keer op een avond heen rijden, in de tijd dat jij weg bent. Noem het een aanval op twee fronten.'

'O, dat heeft niets opgeleverd,' zei ik haastig. 'Hij is verhuisd, naar het schijnt. Ze zitten beslist niet bij hem.'

'Dan wordt het dus Frankrijk. Dan hebben we later wel weer contact, goed?'

'Ja, nee, nog één ding.' Het bleef even stil terwijl ik opnieuw het dilemma overwoog waar ik voor had gestaan sinds ik gisteren uit Battersea was vertrokken. In een lange nacht van woelen en draaien had ik het nog steeds niet opgelost, maar nu zag ik dat ik geen keus had. Ik kon geen dingen geheim houden omwille van Davis; hij was nu de vijand, en hij verdiende geen greintje loyaliteit van mijn kant. 'Er is nog iets anders.'

'Wat?' Alistairs toon werd scherper. 'Je moet niets voor me achterhouden, Kate.' Hij voegde er nog net geen 'of anders' aan toe, maar ik kende het alternatief. Hij zou het onderzoek van me overnemen, de een of andere vreselijke detective inhuren en mij veroordelen tot een periode van hulpeloze angst. 'Alleen maar dat Camilla zei dat Davis een verleden heeft van dit soort dingen. Hij heeft al eerder relaties met studentes en leerlingen gehad.'

'Wát? Die verdomde smeerlap!'

'En ik vroeg me af of het de moeite waard was om na te gaan of hij iets van een...' – het woord stierf weg in mijn luchtpijp – 'strafblad heeft. Als dat zo is, zal de politie de situatie misschien iets serieuzer nemen en eerder geneigd zijn ons te helpen. Een jurist zou dit kunnen uitzoeken.'

Ik wachtte op de ontploffing, maar die kwam deze keer niet. 'Goed, ik zal het aan Victoria vragen.' Ik was kennelijk niet de enige die zich wist te beheersen. 'Ik bel je terug.'

Terwijl ik wachtte, belde ik Roxy's school op de andere lijn om te vertellen dat ze een paar dagen ziek zou zijn en dat ik hen op de hoogte zou houden van het vorderen van haar herstel. Mevrouw Prentice vroeg verbazend weinig. Er hadden zich de laatste tijd twee incidenten voorgedaan van zesdeklassers die na feestjes in het ziekenhuis waren beland om hun maag leeg te laten pompen. Misschien vermoedde ze dat Roxy's plotselinge ziekte ook zoiets was. Nou ja, dat was in elk geval minder schokkend dan de waarheid.

Ik had nog maar net opgehangen toen de telefoon ging. Alistair alweer, veel te snel voor mij om me op het ergste te hebben voorbereid. 'Ik heb met Victoria gesproken en zij zegt dat het Bureau voor Criminele Gegevens een voorlichtingsafdeling heeft die toegang biedt tot de nationale computer van de politie en van andere organisaties. Werkgevers kunnen daar nagaan of een sollicitant geregistreerd staat.'

'En staat hij geregistreerd?' Mijn borst ging omhoog, ik zette me schrap voor de klap.

'We weten het niet zeker,' zei Alistair. 'Je hebt de toestemming nodig van de persoon die je wilt natrekken. Maar Victoria zegt dat er heel weinig kans is dat hij ooit een berisping heeft gehad.'

'O ja? Hoezo?'

'Nou, als hij in de afgelopen jaren voor een school of onderwijsinstelling heeft gewerkt, zouden ze op een controle hebben aangedrongen. Individuele ouders zouden daar ook naar kunnen hebben gevraagd. We voeren op dit moment sollicitatiegesprekken met kinderjuffrouwen en de politiecontrole hoort daar standaard bij. Dus ik denk dat we kunnen aannemen dat hij blanco is.'

'Goed.' Ik was opeens buiten adem. De kracht van mijn opluchting was als een schok voor me gekomen.

'Dat betekent echter nog niet dat Roxy bij hem in de buurt zou mogen zijn,' ging Alistair verder. 'We moeten haar vinden, Kate. Het kan me niet schelen wat we moeten doen om van hem af te komen, ik wil haar gewoon terug.'

'Helemaal mee eens,' zei ik. 'Ik ga vanavond naar Marianne om te zien of ik iets uit haar los kan krijgen.'

'Waarom wacht je daarmee? Ga nu meteen naar de school om haar in haar kraag te grijpen, dan kun je daarna meteen naar Frankrijk vertrekken.'

'Nee, ik wil op school geen scène veroorzaken. Ik kan haar beter thuis te pakken zien te krijgen, wanneer haar moeder er is. Ik zal morgen naar Frankrijk gaan, nadat ik Matt naar school heb gebracht.'

'Dat lijkt me een goed plan. Zorg er in elk geval wel voor dat je niets verraadt als je daar bent. We moeten niet hebben dat die kleine slet hem een tip geeft. Hij zal haar ook wel het hoofd op hol hebben gebracht.'

Ik kromp ineen. 'Alistair, toe zeg, ze is geen "slet".' Als ze dat werkelijk was, wist ik niet welk etiket dan wel op onze dochter van toepassing zou zijn.

'Hou je gewoon van de domme, oké?' Aan zijn stem was te horen dat hij ervan uitging dat ik dat niet al te moeilijk zou vinden. Maar ik wist uit lange ervaring met Alistair dat ik mijn gevechten met zorg moest kiezen – en dit leek me geen geschikt gevecht.

Marianne woonde in een bovengemiddeld rijtjeshuis aan een bovengemiddeld groen park in het noorden van Londen. De luiken waren nog open en binnen schitterden de lampen uit een stel kroonluchters van geslepen glas. Ik was blij dat ik een dag had gehad om me voor te bereiden op de confrontatie: nu ik zeker wist dat ze op de hoogte moest zijn geweest van die eerste, verraderlijke ontwikkelingen tussen Roxy en Davis, had ik niet het idee dat ik zonder een paar uur repeteren in staat zou zijn geweest mijn antipathie jegens haar te verbergen. Zelfs nu was ik nog niet zeker van mijn optreden.

In elk geval moest ik eerst langs haar moeder. Ik had Naomi Suter nooit ontmoet en het verbaasde me niet dat mijn eerste indruk van haar die van een mogelijk geslepen vrouw was. Ze was tenslotte Mariannes moeder. Ze had een sterk, breed gezicht met gelaatstrekken die iets scherper waren dan die van Marianne, iets gehaaider, maar nog steeds heel aantrekkelijk gevormd. Ik had niet van tevoren gebeld en ze vroeg me binnen met de beleefde behoedzaamheid van iemand die naar een zakenbespreking is geroepen zonder de agenda daarvan te hebben ontvangen. Ze vond het niet prettig dat ze niet wist wat er van haar werd verwacht. Ik betwijfelde onmiddellijk of ik haar steun zou kunnen krijgen, zoals ik die alleen al op zusterlijke loyaliteit van Victoria en Camilla had gekregen.

Ze liet me binnen in een schitterende woonkamer met open keuken, waar boven de haard een grote spiegel met vergulde lijst het licht van de nabije kroonluchter weerkaatste en het verblindend in alle richtingen verspreidde. Naomi's goed geconserveerde figuur verspreidde een doordringende rozengeur en ik werd me ervan bewust dat ik misschien een beetje zweterig rook. Op

250

de eettafel aan de andere kant van de kamer stond een laptop open naast een stapel dossiers met daarop, enigszins wankel, een groot glas witte wijn. Naomi pakte het glas op en drukte het met beide handen tegen haar borst, zo ongeveer alsof ze een cavia knuffelde.

'Kan ik jou ook iets inschenken?'

'Nee, dank je. Ik slik pijnstillers voor mijn pols.'

'Ja, ik zag je mitella. Wat heb je ermee gedaan?'

'Ik ben aangereden door een fietser.'

'Wat vervelend.' Ze zei het op een toon alsof zulke incidenten zich dagelijks voordeden. 'Nou ja, als je het zeker weet, van die wijn. Ik had altijd een regel om niet te drinken op maandag.' Ze lachte. 'Dat was voordat ik me realiseerde dat maandag de dag was dat je drank het hardst nodig hebt.'

Ze bracht me naar een lichtgekleurde bank onder het raam. 'En, hoe zit het toch met de meisjes? Roxy komt vanavond, geloof ik, niet hier? Ik dacht dat Marianne haar zou treffen in de club, of waar ze ook mogen filmen.' Ze zuchtte. 'Ik neem aan dat die van jou net zo vaag is met haar informatie als die van mij?'

'Nog vager, denk ik.' Ik wist niet of ik opgelucht of gefrustreerd moest zijn dat ze kennelijk geen idee had van wat er gaande was. 'Roxy is van huis weggelopen,' zei ik pardoes, 'met mijn man, Davis.'

'Bedoel je...?' Ze staarde me verbijsterd aan, maar ze begreep meteen wat ik bedoelde. 'Grote hemel, wat vreselijk. Ik neem aan dat je de politie hebt gebeld?'

'Ja, maar die zijn niet bereid het te onderzoeken.' Ik verklaarde in het kort de juridische situatie.

'Maar hoe zit het met andere instellingen? De kinderbescherming?' Net als bij Victoria waren haar gedachten op slag constructief, en ik kromp ineen bij de herinnering aan mijn aanvankelijke gevoel van verlamming. En dat terwijl ik nota bene als professionele adviseur werkte! 'Misschien dat sommige organisaties toch anders tegen dat leeftijdsverschil aankijken.'

'Mogelijk.' Maar de blik die we wisselden, bevestigde slechts dat niemand, hoezeer ook van goede bedoelingen vervuld, serieus zou geloven dat een meisje van zeventien in het Londen van de eenentwintigste eeuw nog een kind was, laat staan een van de twee exemplaren die wíj hadden grootgebracht.

'We meenden dat het misschien gemakkelijker en discreter was als we haar zelf probeerden op te sporen. Roxy's vader wil dit graag zo stil mogelijk houden, om haar studie er niet onder te laten lijden. We hebben het nog niet op school verteld, dus ik hoop dat je dit vertrouwelijk zult behandelen.'

'Uiteraard, dat hoef je niet eens te vragen.' Naomi draaide met haar ogen. 'We zijn trouwens toch al niet zulke dikke vrinden, over en weer. Ze deden vorig jaar vreselijk moeilijk over dat Marianne van school vrij had genomen voor de opnamen van dat reclamespotje.'

Ik knikte diplomatiek. Ik had het in die tijd onvoorstelbaar gevonden dat een moeder met een zeer intelligente dochter filmopnamen voor een cosmeticaspotje liet prevaleren boven haar schoolwerk, maar ik zou er nu alles voor over hebben gehad om in een positie te verkeren waarin dat mijn ergste beoordelingsfout was.

Ze hield haar hoofd scheef naar het plafond, vermoedelijk om naar Mariannes slaapkamer te gebaren. 'Tja, ik neem aan dat jij je afvraagt of die lieve engel van mij iets over dit avontuurtje weet?'

Ik knikte. 'Alles wat me zou kunnen helpen om Roxy te vinden. Misschien realiseert ze zich niet eens dat ze iets weet.' Het leek me het verstandigst niet te verwachten dat Naomi mijn mening deelde dat haar dochter deel had gehad aan alle details van Roxy's bedrog.

'Ik zal haar even naar beneden roepen. Je hebt trouwens geluk dat je haar treft, ze is aan de late kant vandaag.' Naomi sprong op en riep bij de trap omhoog op een korte, zakelijke toon, alsof ze een hond tot de orde moest roepen. Een minuut later kwam Marianne de kamer binnen geslenterd met zo'n verdacht gebrek aan verbazing dat me duidelijk was dat ze dit bezoek had verwacht. De mini-jurk met geometrische figuren en de zware oogmake-up die ze had aangebracht waren echter voor de camera bedoeld, niet voor mij. Zonder het te beseffen vormde ze het bewijs voor het gesprek van haar moeder en mij, van twee minuten geleden, want ze leek minstens vijfentwintig.

'Hallo, mevrouw Calder.' Ze was waarschijnlijk de enige in mijn korte huwelijk, afgezien van het personeel van het pension in La Rochelle, die me zo noemde, en het maakte me woedend dat ze dit deed, wetend dat het huwelijk nu al kapot was. Vermoedelijk maakte het deel uit van haar houding van onschuld, of waarschijnlijker, was het louter boosaardigheid. Alistair had gelijk gehad: ik moest niet laten doorschemeren dat ik iets van dat huis in Frankrijk wist. Dit meisje wist precies aan welke kant ze stond.

Noch zij noch Naomi maakte aanstalten om te gaan zitten, dus ging ik ook maar staan. 'Hallo, Marianne. Ik vermoed dat je wel weet waarom ik hier ben.'

Ze maakte haar ogen, die toch al groot leken door de donkergrijze mascara, nog groter. 'Eigenlijk niet, nee. Gaan jullie samen uit, meiden? Ik wist niet dat jullie zulke dikke vrienden waren.'

'Kate is hier omdat Roxy is verdwenen,' zei Naomi op norse toon. Ze zette haar wijnglas met een klap neer en Marianne kromp aanstellerig ineen bij dit geluid. 'Wij "meiden" gaan samen nergens naartoe. En jij ook niet, tenzij je ons vertelt wat er gaande is.'

'Hmm, ja, ze was vandaag niet op school...' Marianne fronste haar voorhoofd alsof dit nu pas tot haar doordrong, maar haar gebrek aan bezorgdheid maakte een heel slechte indruk. Dit was al even duidelijk voor Naomi, wier gezicht donker werd als de lucht voor een onweersbui. 'Doe nou maar niet alsof je hier niets van weet. Als je echt niets wist, zou je net zo geschokt zijn als Kate. Heb je Roxy vandaag gesproken? Heb je haar hoe dan ook nog gesproken sinds...' Ze draaide zich met een ruk naar mij om. 'Wanneer was het, Kate?'

'Donderdag,' zei ik. 'Ze wordt sinds donderdag vermist.' Ik hoopte dat het woord 'vermist' het meisje aan het schrikken zou maken, maar Marianne keek me alleen maar even pruilend aan en haalde haar schouders op, op exact dezelfde manier als Roxy wanneer iemand haar even te snel af was. Ik schrok van mijn sterke behoefte haar pijn te doen, haar huilend in elkaar te zien storten.

'Marianne!' Naomi's woede was een stuk minder beheerst dan de mijne. 'Besef je wel dat dit een uitermate ernstige situatie is?

Als jij iets weet, móét je ons dat vertellen. Anders kun je worden aangeklaagd wegens het belemmeren van de rechtsgang.'

Hierop boog Marianne haar mooie, hartvormige gezicht naar achteren en barstte in een luide schaterlach uit. 'O, doe toch niet zo belachelijk, Naomi!'

Ik had geweten dat ze haar moeder bij haar voornaam noemde – Roxy had dit meer dan eens genoemd, als bewijs dat hun band veel sterker was dan die van ons – maar het was verbijsterend om het te horen en het maakte bovendien dat de moed me nog verder in de schoenen zonk. Met dat ene woord werd ieder greintje gezag dat Naomi nog over haar dochter kon hebben, geëlimineerd. Net als ieder besef dat er nog iets van een familieband tussen hen bestond. Marianne had een huisgenoot in een studentenflat kunnen zijn, die haar hoofd om de hoek stak om gedag te zeggen.

Naomi greep haar glas weer en nam een flinke slok. Ik wenste dat ik op haar aanbod was ingegaan. 'Hoor eens, Marianne, dit is geen spelletje. Roxy zit ernstig in de problemen.'

'Ik zie niet in waarom,' zei Marianne. 'Ik bedoel, ze heeft toch niks onwettigs gedaan of zo?'

Naomi sloeg toe, ze spuwde de woorden bijna uit. 'Dus je weet wat ze gedaan heeft?'

De pruilende uitdrukking kwam terug op haar gezicht. 'Dat heb ik niet gezegd. Je verdraait mijn woorden.'

'Waar zijn ze dan, verdomme? We hebben het hier over een ontvoering, niet over een weekendje weg! Heb je hen sinds donderdag nog gezien? Geef antwoord!'

'Hou alsjeblieft op met zo tegen me tekeer te gaan, Naomi,' zei Marianne koud. Ze bekeek haar moeder met bestudeerde vrolijkheid. 'Echt, je gedraagt je alsof ik in de beklaagdenbank sta.'

'Voor zover ik het kan bekijken stá je ook in de beklaagdenbank. Zeg op, waar zijn ze in godsnaam?'

'Als jij per se op zo'n toon tegen mij meent te moeten praten, zal ik jou dan eens wat zeggen? Dan maak ik gebruik van mijn recht om te zwijgen.'

'O ja, dat is wel heel handig.'

Ik bedwong een zucht. Deze woordenwisseling was wel heel scherp en er zat een ondertoon van wedijver bij. (Zelfs hun parfums streden om de heerschappij; dat van Naomi gaf een hardnekkige rozengeur af, terwijl dat van Marianne iets muskusachtigs, iets mannelijks, had.) Ik vermoedde dat Naomi net zo kwaad was op Marianne omdat ze haar had overvleugeld, als om haar dochters rol in zaken die niet door de beugel konden. Intussen was Mariannes optreden werkelijk ijzingwekkend. En dan te bedenken dat ik me schuldig had gevoeld om mijn aanvankelijke achterdocht jegens haar, dat ik hevig mijn best had gedaan om mijn negatieve gevoelens te onderdrukken, terwijl zij me al die tijd had zitten uitlachen – en Roxy had aangemoedigd hetzelfde te doen. Die blik waarmee ze op de trouwerij naar mij had gekeken, toen ze daar uitvoerig had staan praten met Jacob – ze moesten het toen over Davis hebben gehad. Davis, die had gemaakt dat haar vriendje opeens zo onbevredigend leek. 'Vraag maar aan Roxy,' had ze tegen Jacob gezegd. Vraag maar aan Roxy!

'Hoe lang hebben ze al een verhouding gehad?' vroeg ik, met gesmoorde stem. 'Vertel me dat eens, Marianne.' Moeder en dochter reageerden op deze verandering in toon en keken me aan met een blik vol medelijden. (Die van Naomi bevatte tenminste oprecht mededogen.)

'Ik heb geen idee, helaas,' zei Marianne minzaam. 'Ik wist echt niet dat er iets aan de hand was. We vertellen elkaar niet alles, weet u. U kunt het geloven of niet, maar we zijn onafhankelijke wezens.'

Op dit punt raakte Naomi haar zelfbeheersing volledig kwijt, en ze sloeg met haar vuist op haar bovenbeen terwijl ze kwaad schreeuwde: 'O, kom daar nou niet mee aanzetten! Ik wil dat je je telefoon pakt en haar meteen belt! Hoor je me?'

Marianne bleef kalm. 'Ik heb het eerder geprobeerd, maar ze neemt niet op.'

'Probeer het dan nog eens. Nu meteen, vooruit! Anders kun je je uitje van vanavond wel op je buik schrijven. Net als al het andere voor de rest van de week.'

'Het heeft echt geen zin, Naomi, geloof me.'

'Ik geloof je niet, dat is nou net het probleem.' Naomi bewoog haar handen alsof ze haar dochter een draai om de oren wilde geven, maar Marianne stapte behendig buiten haar bereik. 'Waar is je mobieltje? Geef op, dan bel ík wel.'

Tot mijn grote verbazing haalde Marianne gewillig haar telefoontje tevoorschijn en stak dit zelfs omhoog, zodat wij haar keuze konden zien: 'Rox Mob', voor ze op 'bellen' drukte. Naomi griste hem weg en gaf hem aan mij, nog net op tijd om de woorden te horen die ik de laatste dagen minstens honderd keer had gehoord: 'Het nummer neemt niet op. U kunt een boodschap inspreken op de voicemail...'

'Hij is nog steeds buiten gebruik,' zei ik.

Marianne nam de telefoon weer terug. Toen haar vingers de mijne raakten, waren ze koel en glad. 'Zie je wel? Ik ben geen leugenaar.'

'Je hebt er natuurlijk een verkeerd nummer in gezet,' zei Naomi kwaad.

Marianne zuchtte. 'Je kunt denken wat je wilt, het kan me echt niets schelen, maar dat is wél haar nummer. Kijk het maar na als je dat wilt.'

Maar ik hoefde de cijfers niet te zien om het te geloven. Dit alles zei me dat mijn telefoontjes niet de enige waren die Roxy onbeantwoord liet – ze meed voorlopig vermoedelijk alle contact, juist vanwege dit soort toestanden. Waarschijnlijk had ze trouwens een nieuw mobieltje, zo'n pre-paid geval dat we nooit zouden kunnen opsporen. Tenzij... Ik kreeg opeens een idee. Tenzij het spoor naar Frankrijk juist bleek te zijn en ze daar gewoon niet kon opnemen. Haar rekeningen liepen via mijn huishoudelijke rekening en ze had voor zover ik wist geen internationale roaming-service op haar telefoon.

'Heb je haar sinds vorige week hoe dan ook nog op dit nummer gesproken?' wilde ik weten. 'Het is belangrijk, Marianne.'

'Ik heb toch al nee gezegd? Wilt u het soms ook nog zwart op wit?'

'Ja, dat willen we inderdaad!' snauwde Naomi. 'En hoe zit het met e-mail en facebook en al dat soort dingen? Heb je vanavond nog gekeken?'

'Nee, ik had het veel te druk met dingen te regelen!' Marianne begon nu genoeg van ons te krijgen en ze keek onrustig op haar horloge. Het was een zwaar model voor mannen, met een grote wijzerplaat en een brede leren band die haar pols fragiel deed lijken, als van een kind. 'Hoor eens, ik kom echt te laat als ik niet binnen twee minuten weg ben. Dan hebben ze de deuren dicht-gedaan.'

Ik had er genoeg van. Ik kon het niet langer verdragen om naar dit meisje te moeten kijken. 'Het is wel goed,' zei ik, terwijl ik mijn tas pakte. Ik keek Naomi aan. 'Ik ga nu. Ik denk trouwens dat ik wel weet waar ze zijn. Ik hoopte alleen dat Marianne dit zou kunnen bevestigen, maar dat zit er kennelijk niet in. Nou, in elk geval bedankt.'

'O, echt? En waar denk je dan dat ze zijn?' vroeg Naomi prompt. Marianne, die nu weliswaar mocht gaan, wachtte ook op mijn antwoord, en wellicht een beetje te gretig, als mijn antenne het nog deed.

Ik hield mijn toon zo gewoon mogelijk. 'York. Ik denk dat ze misschien bij een vriend van Davis zitten, die daar woont. Jij zult hem niet kennen, Marianne, hij is niet op de trouwerij geweest. Ik heb hem zelf ook nog niet ontmoet, maar ik weet dat ze een heel hechte band hebben. Ik ga er morgen meteen naartoe, dus hopelijk zal ik haar dan mee terug kunnen nemen en dan is dit alles voorbij.'

'Dat is geweldig, waarom heb je het niet eerder gezegd?' Naomi keek Marianne weer aan. 'Klinkt dit goed? Heb jij hier ooit van gehoord?'

Marianne haalde haar schouders op. 'Misschien wel.'

'Hoe bedoel je, "misschien wel"? Je kunt Kate niet zomaar voor niets op weg sturen.'

'Ik stuur haar helemaal nergens heen,' protesteerde Marianne. 'Mag ik nu alsjeblíéft gaan?'

'Ja, maar denk eraan dat ik je in de gaten zal houden,' riep haar moeder haar na.

'Ja, ja. Geniet van het uitzicht.'

Naomi liet me uit. 'Kate, het spijt me echt, maar ze is meestal niet zo onhebbelijk. Echt, ik kon haar wel wurgen.'

'Nee,' zei ik. 'Maak je alsjeblieft geen zorgen. Ik ben het gewend. Ze is me meer behulpzaam geweest dan ze beseft.'

Ze keek me openlijk verbaasd aan. 'Echt? Hoe dat zo?'

Ik aarzelde even, in de verleiding gebracht haar over het huis in Frankrijk te vertellen, maar ik besloot toch het niet te doen. Hier was duidelijk nog niet het laatste woord tussen die twee gesproken en iedere informatie die ik Naomi verschafte, zou er bijna zeker in een toekomstige ruzie worden uitgeflapt, net zo goed als in een omgekeerde situatie het geval zou zijn geweest als ik Roxy aan de tand had moeten voelen. De verhouding tussen hen was uiteindelijk niet veel anders dan die tussen ons – belachelijk dat ik dat ooit kon hebben gedacht. Het enige verschil was dat Marianne nog steeds hier was. 'Ik bedoel dat als ze écht contact met Roxy heeft, als ze haar inderdáád de afgelopen dagen heeft gesproken, dan betekent dit dat waar Roxy ook mag zijn, ze kennelijk niet in gevaar is. Ze is veilig.'

Naomi knikte. 'Ja, dat is het belangrijkste, nietwaar?' En ze klopte me geruststellend op de arm, zonder op te merken dat dit de arm met het verband was. Ik had de grootste moeite om het niet uit te gillen van de pijn.

Eenmaal thuis ging ik nog even bij Matt kijken, die voor het laatst onder de hoede van Abi was voordat hij morgen naar Alistair ging. Hij lag in bed maar sliep nog niet en ik bracht wat kostbare minuten met hem door voordat ik met Abi naar de flat aan de voorzijde ging om haar bij te praten over mijn bezoek aan de Suters. Roxy's laptop stond nog steeds ingeschakeld van mijn onderzoek naar vluchten, die middag, en op het bureau lag een gedownloade plattegrond van het plaatsje Saint-Martin-de-Ré naast mijn paspoort en mijn rijbewijs.

'Ik maak me een beetje zorgen omdat jij in je eentje naar Frankrijk gaat,' zei Abi, die achter de bureaustoel op de rugleuning van Davis' bank zat. 'Ik wou dat ik mee kon gaan, maar het is de slechtst mogelijke tijd op het werk. Ik word vast ontslagen als ik nog meer vrij probeer te nemen.'

'Doe niet zo mal,' riep ik uit. 'Je hebt al meer dan genoeg gedaan. Echt, je hebt geweldig geholpen. En ik zal me uitstekend weten te redden. Ik huur gewoon een auto en ga naar dat huis. Als ze er niet zijn, blijf ik rondrijden tot ik hen vind. En wanneer ik hen heb gevonden...' Met heel veel moeite wist ik de gedachte aan een confrontatie met Davis te verdringen, aan hoe hij voor me zou staan. Glimlachend? Smalend? Medelijdend? Ik verschoof de papieren op het bureau en greep onhandig naar de muis om mijn vluchtgegevens te printen. Ik moest er nog steeds aan wennen dat ik alles met één hand moest doen, maar zolang ik maar één ding tegelijk deed – al die dozen in de opslagruimte! – kon ik ze nog steeds op bijna normale snelheid doen. Ik draaide me om toen ik opeens besefte dat Abi achter me zweeg. Ze staarde met haar mond een eindje open naar mijn verbonden hand. Ik staarde ook, waarbij mijn denkproces een paar seconden op haar achterliep.

'Je kunt in Frankrijk echt niet zelf gaan rijden,' fluisterde ze vol ontzetting.

Ik voelde de adem in mijn keel stokken. 'Dat weet ik. Nog in geen weken, heeft de verpleegster gezegd.' Vanavond nog had ik taxi's naar en van Mariannes huis genomen en toch had ik me op de een of andere manier voorgesteld dat ik in Frankrijk alles zou kunnen doen, dat ik met mijn linkerhand het stuur vast kon houden terwijl ik met mijn rechterhand de versnellingspook hanteerde. 'Oké, dan moeten we maar hopen dat ze bussen hebben.'

'Maar Kate, jij bent nu eenmaal iemand die altijd...' Abi zweeg halverwege de zin. 'Ik vind dat je niet in je eentje moet gaan, echt niet. Je moet iemand bij je hebben, voor het geval er problemen zijn. Je bent fysiek niet in goede conditie.'

'Ik moet erheen,' zei ik hoofdschuddend. 'Er zit niets anders op. Ik red me wel.'

'Maar waarom kan Alistair dan niet mee?'

'Met geen mogelijkheid. Hij heeft donderdag een grote presentatie en Elizabeth schijnt ziek te zijn. Bovendien heeft hij Matt vanaf morgen te logeren. Een van ons moet er zijn, we kunnen niet allebei verdwijnen.'

Ze dacht even na. 'Is er dan niemand anders? Iemand die op korte termijn vrij zou kunnen nemen, iemand die je vertrouwt?'

Ik zweeg even. Op het bureau voor me maakte de laptop opeens een zoemend geluid en de screensaver kwam in actie, met roze en paarse vlinders die in het rond fladderden, en mijn hart kromp ineen bij de aanblik van deze lieve en kinderlijke keuze. Roxy's keuze. Toen ik met de muis klikte zag ik de bevestiging van mijn vlucht voor de volgende morgen en werd opnieuw door ongeloof overmand. In al die jaren van mijn toegewijde onafhankelijkheid, waarin ik mezelf als een mantra er steeds weer aan herinnerd had dat het ergste dat mij kon gebeuren was dat ik weer verliefd zou worden, had ik me nooit een toestand als deze voorgesteld, nooit en te nimmer.

'Ik denk dat er misschien wel iemand is,' zei ik langzaam tegen Abi.

'Geweldig. Wie?'

Ik kwam moeizaam overeind. 'Eén moment, ik denk dat ik het nummer hiernaast heb.'

21

Hoe kwam het toch dat bij zoveel herinneringen aan Roxy het strand een rol speelde? In mijn dagdromen was de plek waar ik me terugtrok als deze nachtmerrie me te machtig werd het strand waarop ze had gedanst, met een poederlaagje zandkorrels op haar lange benen en haar ogen gericht op de een of andere uitdaging of op een spelletje. Doordat ze zo lang zonder broertje of zusje was geweest kon ze zich heel goed in haar eentje vermaken. Zo was er in Spanje een dode kwal, waar ze steeds met een stok in bleef porren, als een grafschenner in het wrak van een neergestort vliegtuig. En een zandeiland in een baai in Dorset, dat ze het Zeemermineiland had genoemd en waarvandaan ze haar speelgoed stuk voor stuk had moeten redden toen de vloed opkwam. Ik stelde me haar altijd voor op de leeftijd van zes of zeven jaar ('Wat mag ik op de leeftijd van zeven jaar doen? Mijn mama lief vinden...'), met haar zuurstokroze spijkerbroek nat tot aan haar knieën en haar haar door opgedroogd zeewater aan haar wangen geplakt. Matthew stelde ik me vaak voor tegen een achtergrond van gras en bakstenen, het speelterrein van Francombe Gardens, het gazon van mijn ouders, het sportveld van school, maar Roxy, evengoed een stadskind, bracht ik in gedachten altijd in verband met zand en zee.

Toen ze ongeveer vier jaar was, nog voordat ze naar school ging, werd Alistair op een vrijdagmorgen in juli wakker en zei dat hij niet naar zijn werk wilde gaan. Hij zou zich ziek melden en we moesten een weekendtas inpakken om naar het strand te gaan.

'Mag ik ook mee?' vroeg Roxy op die hartverscheurende toon waarop kleine kinderen het patent hebben. Alsof we ooit zouden overwegen haar achter te laten.

'We gaan met ons allen,' zei ik, terwijl ik haar knuffelde. 'Wij alle drie.'

We reden in zuidelijke richting de stad uit, namen een bed-

and-breakfast in Rye en gingen rechtstreeks naar Camber Sands. Roxy was in de zevende hemel, verblind door de eindeloosheid van het strand, vastbesloten ieder plasje, ieder geultje, ieder achtergebleven zandkasteel te onderzoeken.

Ik was moe van de reis en dus nam Alistair haar mee om de omgeving te verkennen terwijl ik onder de parasol lag te dutten. Misschien was het wel een van die talloze keren dat ik dacht dat ik misschien zwanger was, in welk geval de vermoeidheid dus pure suggestie was geweest. Toen ik wakker werd in een glinstering van geel, was ik vergeten waar ik was, maar de steek van onrust was snel verdwenen toen ik het tweetal in de verte zag. Roxy zat op Alistairs schouders en hij zwaaide haar in een draaiende beweging omlaag. Het gespetter van water rond hun benen was een stille explosie van vloeibaar zilver. Ik stelde me voor dat hij als een soort sportverslaggever van alles riep terwijl zij gilde: 'Nóg een keer! Nóg een keer!' Ze gedroeg zich altijd als een nog kleiner kind als ze opgewonden was en meer wilde.

Mijn vriendinnen, althans de paar die ik nog uit mijn pre-Roxy dagen over had, vonden het krankzinnig van me om zo jong al een kind te hebben, getrouwd te zijn, halverwege de twintig aan de Engelse kust te zitten terwijl zij deden wat ik had 'horen te doen': eilandhoppen in Thailand, dansen in clubs op Ibiza, een trektocht langs de Chinese muur maken. Gelukkig dacht ik er niet zo over. Terwijl ik mijn man en dochter samen zag spelen en probeerde de klank van hun gelach op de wind op te vangen, dacht ik bij mezelf: 'Hoe ben ik hier terechtgekomen? Hoe heb ik zo gelukkig kunnen worden?'

Even later keerde ze terug naar de basis, gevolgd door Alistair die riep dat hij langs het strand ging kijken of hij ijsjes voor ons kon kopen, en Roxy kwam naast me liggen en drukte zich als een nat katje tegen me aan. 'Slaap je, mammie? Zal ik je een verhaaltje vertellen?'

'O ja, Roxy, graag.'

'Dan moet je je ogen dichtdoen.' Ze drukte mijn oogleden dicht, met vingers die koud waren van het water. 'Er was eens een meeuw die dacht dat de lucht omlaag zou vallen...'

'Net als bij Chicken Licken?'

'Ja, maar hij had het mis. Zijn vriend vertelde hem dat de lucht niet omlaag ging vallen. Eigenlijk...' ('Eigenlijk' was op dat moment het woord dat ze het meest gebruikte) '...Eigenlijk ging de lucht zomaar wegzweven.' Ze zweeg dramatisch.

Ik deed mijn ogen open en tuurde naar haar verhitte gezicht. 'Wegzweven? Je bedoelt meegevoerd door de wind?'

'Ja. De eerste meeuw had het niet goed gezien want je mag niet naar de lucht staren omdat de zon je ogen dan pijn doet. Maar de tweede meeuw wist de waarheid.'

'Juist ja. Dus toen de lucht wegzweefde, wat bleef er toen over?'

'Niet de meeuwen. Die werden ook weggeblazen. Alleen wij bleven over. Niemand anders. Alleen maar mama, papa en Roxy.'

'Oké, *voilà*, dit is het dan!' Tash slaakte een lange, theatrale zucht toen ze de bochtige helling van de oprit naar de brug nam in een behoedzaam tempo terwijl ze zich vertrouwd probeerde te maken met de huurauto waarin het stuur links zat. 'Daar heb je Île de Ré! Nou, het is heel gemakkelijk om er te komen, hè, als je bedenkt hoe graag hij het geheim wilde houden. De achterbakse klootzak.'

Er was een strand aan de voet van de brug en ze kneep haar ogen onderzoekend halfdicht, alsof Davis en Roxy daar misschien zouden staan, met hun ogen op het binnenkomende verkeer gericht, de allereerste mensen die we zagen. Maar het was inmiddels eind oktober, dus het strand lag er verlaten bij, het weer was bewolkt en de oceaan had een grauwe kleur. Toen we verder reden, door de eerste dorpjes en naar vlak, bebost terrein, had ik de indruk dat zelfs de herfstige velden en bossen hun warme kleur aan de wolken hadden afgestaan. Het was een droefgeestige mengeling van bruin en groen, en de witte huisjes die waren ontworpen om in de zon te schitteren, zagen er nu armoedig en flets uit.

'Bedankt dat je mee bent gegaan, Tash.' Ik had mijn zusje al een paar keer bedankt sinds we elkaar die morgen op het vliegveld hadden getroffen. Ze had al voor mij bij de balie gestaan, haar koffer voorzien van een label, een sportieve bandana om haar hoofd gebonden, alsof ze zich opmaakte voor een langdurige zwerftocht. Ze stelde zich de wind in haar haar voor, de zon op haar gezicht, een soort kat-en-muisspel als in een film. Ze vertelde dat ze had gelezen dat Île de Ré een beroemd speelterrein was voor veel prominenten uit Parijs. Toch was haar vermogen om snel in actie te komen verbazingwekkend, daar was ik heel dankbaar voor, net als voor haar snelheid van geest waarmee ze elk detail van mijn tragedie aanhoorde en verwerkte. Haar gesmoorde kreten en verwensingen verlevendigden voor tientallen andere reizigers ook een goed uur van in de rij staan wachten. Toen ze eenmaal op de hoogte was gebracht, besteedde ze de hele vlucht aan intense speculaties: over hoe snel we hen zouden vinden, hoe moeilijk het zou zijn om Roxy bij hem weg te halen, hoe lang we Alistair – en de school – op afstand konden houden voor we een nederlaag erkenden.

'Geen punt,' zei ze nu, terwijl ze remde voor een rood licht en mij een zijwaartse glimlach schonk. 'Natuurlijk ben ik gekomen. Wacht maar eens tot ik die rotzak in mijn handen krijg. Niet te geloven, wat hij jou heeft aangedaan, Kate. Niet te geloven. Misschien is de politie niet geïnteresseerd, maar ík wel!'

Ik wist niet zeker of dit wel zo'n goed idee was geweest. Niet dat ik aan haar enthousiasme twijfelde, of aan de oprechtheid van haar afschuw, het was meer de manier waarop Tash van dit alles leek te genieten, alsof haar dramatisering van de situatie overtuigender was dan de realiteit. Toen we in La Rochelle op onze bagage stonden te wachten, had ze vol enthousiasme toeristische brochures verzameld en haar mening over de mensen om ons heen gegeven, alsof die op de een of andere manier onder verdenking stonden. Het was net alsof je een actrice bezig zag zich in te leven in een nieuwe detectiverol. Alistair had al zoiets voorspeld toen ik hem die ochtend op de hoogte had gebracht ('zij is echt de laatste die je bij je moet hebben, Kate, ze zal het niet serieus genoeg opnemen. Je kunt veel beter alleen gaan'), maar ik had korte metten gemaakt met zijn mening. Ik had écht iemand nodig, niet alleen voor de mechanische taken, maar ook voor de fysieke aanwezigheid, voor de andere stem. Het punt was dat Tash mijn enige keuze was.

'Bovendien,' zei ze, 'zou iedereen je geholpen hebben. Je bent een vrouw in problemen. Dit is een noodgeval.'

Maar goed, dit was een rare plek voor een noodgeval. Het leek bijna komisch dat we in zo'n rustig en vredig plaatsje waren om een crimineel (of wat Davis ook mocht zijn) op te sporen. Te oordelen naar de mensen die we passeerden, was Île de Ré een oord waar mensen met hun tweeën of drieën rondfietsten, met lange, goudkleurige stokbroden die uit hun fietsmand staken, waar ze langs de kant van de weg stopten om ezels handenvol gras te voeren of om door verrekijkers naar watervogels te kijken. Het was heel klein, slechts dertig kilometer lang volgens de kaart, en hier en daar zo smal dat je aan weerszijden de oceaan kon zien. Binnen een paar minuten hadden we Saint-Martin al bereikt.

'Vind je 't niet prachtig?' riep Tash uit en hoewel ik stijf stond van de zenuwen kon ik zien dat het een schitterend plaatsje was met dikke vestingmuren en een sfeer van sierlijke zelfbescherming, een wel-kijken-maar-niet-aanraken schoonheid. Bij de stadspoort lag een groot, mooi kasteel, dat nu kennelijk als een soort instituut werd gebruikt, misschien wel een gevangenis. Ik voelde mijn maag samentrekken.

We hadden de rue de Loix zo gevonden. Het was een met kinderkopjes geplaveide weg tussen de haven en het marktplein, omzoomd door zware kastanjebomen die hun blad nu lieten vallen. Nummer vijftien lag verscholen achter een hoog geschilderd hek in een lichte stenen muur. Aan de rechterkant waren de luiken, die kennelijk bij het pand hoorden, stevig gesloten.

'Dit is het,' zei Tash en zette de motor af. 'Hopelijk zijn we erin en eruit voordat ze weten wat hun is overkomen.'

'Ja.' Zou dat waar zijn? Hoefden we alleen maar uit de auto te stappen en aan te bellen om Roxy weer terug te krijgen, als ouders die hun kind bij de oppas kwamen ophalen? Ik dacht het niet. Het was net zo onwaarschijnlijk als dat de gendarmerie Davis kwam ophalen om hem naar een ondergrondse cel te brengen waarna niemand hem ooit weer zou zien. De bravoure van Tash was roerend, maar ik besefte dat ik nu eigenlijk Alistair nodig had. Ik had erop moeten aandringen dat hij meeging. Toen ik naar het geschilderde hek stond te kijken, miste ik hem ontzettend, net als in het begin van onze scheiding. Ik had behoefte aan zijn kracht bij de scène die zou volgen.

'Stappen we uit?' vroeg Tash.

'Ja natuurlijk,' zei ik. Maar toen ik uit de auto stapte en om me heen keek, voelde ik een ander soort pijn: angst dat we een vreselijke vergissing hadden begaan, dat ze toch niet hier waren. Want de luiken van Davis' huis waren niet de enige die dicht waren, ze waren allemáál dicht. De straat had geëvacueerd kunnen zijn. De stilte was overweldigend, zelfs het geschuifel van onze schoenen en het geritsel van de dorre bladeren die door de wind werden voortgeblazen leken erdoor te worden verzwolgen, op slag te worden gewist. Een tiental meters verderop stond een fiets tegen een garagedeur, het enige teken dat hier onlangs iemand een voet had gezet – en zelfs die fiets kon gewoon zijn achtergelaten.

Ik strekte mijn arm uit en drukte op de bel.

'Misschien is hij stuk,' zei Tash na ongeveer een minuut. 'Ik hoor binnen niets rinkelen, jij?' Maar de installatie leek me vrij nieuw en behoorlijk hightech.

We wachtten een volle vijf minuten voordat Tash opperde me een zetje te geven zodat ik over het hek kon kijken. Ik kon mijn evenwicht net lang genoeg bewaren om te zien dat het een veel groter pand was dan ik had verwacht. De luiken aan de straatzijde waren niet van het huis maar van een soort dependance, die langs een met keien bestraat paadje naar een brede villa van twee verdiepingen met een hellend dak en een centrale ingang met veel glas liep. Op een klein door bomen omzoomd terras stonden twee ligstoelen in de wind te wapperen, met in iedere zitting een verzameling gevallen blad, en net binnen het hek stond een leeg, smeedijzeren fietsenrek. Door de glazen deuren van het huis heen kon ik nog net een derde, kleiner gebouw ontwaren dat erachter stond. Daarlangs liep een geplaveid pad verder tot in een achtertuin. Het zag er allemaal heel verlaten uit, met alle deuren en luiken gesloten.

Ik liet me weer op het trottoir zakken en greep Tash bij de arm om mijn evenwicht te bewaren. 'Het ziet eruit alsof het huis voor de winter is afgesloten. Ze zijn kennelijk niet hier.'

'Ze zijn niet thúís,' corrigeerde ze me. 'Misschien zijn ze vandaag gewoon op stap. Dit is een schitterende plek om je verborgen te houden, als je het mij vraagt. Het is echt een spookstadje! Kom mee, dan proberen we het even bij de buren.' Ze liet zich niet van de wijs brengen en begon op allerlei deuren te kloppen en door brievenbussen te turen. Een piepklein landhuisje met de voordeur aan het trottoir had een uitzinnig bewerkte deurklopper in de vorm van een specht en daarmee werd de enige aanwezige buur opgeroepen.

'*Bonjour madame. Parlez-vous anglais?*'

'*Oui.*' Ze was bejaard maar recht van rug, warm ingepakt in een wollen jasje, en ze luisterde met een achterdochtige blik naar het schoolmeisjes-Frans van Tash.

'*Nous cherchons une Anglaise – elle s'appelle* Roxy Easton.' Tash zwaaide met de recente foto van Roxy die ik had meegebracht. De foto was na de opvoering van de musical gemaakt en de aanblik ervan bezorgde me een schok, alsof mijn gezinsleven nu echt op straat was gegooid.

Omdat ik de vrouw niet onder druk wilde zetten en toch niet tegen het Frans van Tash op kon, liep ik verder door het pittoreske straatje, langs glimmende, pastelkleurige deuren en de laatste stokrozen van het seizoen. Ik moest onwillekeurig denken aan de stad aan de overkant van het water, op nauwelijks een halfuur rijden hiervandaan. Ondanks de naam La Rochelle was het een volwassen, mannelijk soort plaats, de keuze van een historicus, niet van een romanticus. Davis had me daarheen meegenomen om kasteelmuren en ankers en vuurtorens te laten zien, ook al had hij daar vlak in de buurt een huis in een van de mooiste dorpjes die ik ooit had gezien. En het had niets te maken gehad met fijngevoeligheid jegens mij, om niet mijn wittebroodsweken te hoeven doorbrengen in een huis dat hij bij hun scheiding van zijn eerste vrouw had verkregen. Nee, hij had me daar opzettelijk vandaan gehouden – me niet van het bestaan ervan op de hoogte willen brengen – omdat hij het had bewaard voor iemand anders.

'Ik zal het weten wanneer ik haar heb gevonden,' had hij tegen Camilla gezegd. 'En dan zal niets anders meer van belang zijn.' Dan zal niemand anders meer van belang zijn. Ondanks Abi's waarschuwingen dat ik hem uit mijn hoofd moest zetten, voelde ik een nieuwe golf van woede en vernedering door me heen gaan. Hij had geen moment gedacht dat ik die persoon zou kunnen zijn. Hij had zijn huwelijk met mij slechts als een noodmaatregel beschouwd – 'de enige manier om te voorkomen dat jij me voor eeuwig zou verbannen'. En wat had ik me gemakkelijk om de tuin laten leiden! Even kneedbaar als al zijn tienerliefjes. Ik dacht terug aan de twijfels die op de eerste ochtend van onze huwelijksreis waren bovengekomen, echte vechten-of-vluchten-twijfels, en toch had ik me meteen weer laten sussen met het eerste het beste zoethoudertje ('natuurlijk hou ik echt van je'). Ik walgde van mezelf. Ja, ik had de grootste beoordelingsfout van mijn leven gemaakt door verliefd te worden op Davis Calder, en wat de politie ook mocht zeggen, ik had mijn dochter daarmee in gevaar gebracht. Het was gewoon niet voorstelbaar dat zij evenveel inbreng had gehad bij dit besluit om te verdwijnen. Ze had geloofd dat ze smoorverliefd was, ja, dat was mogelijk, maar weglopen? Ze moest door hem onder druk zijn gezet, verstrikt in de paniek en de haast van het moment, bang voor mijn woede, bang hem te verliezen als ze niet instemde met zijn plan.

Het zwakke klikken van de specht op zijn beugel bracht me weer terug naar het heden. Tash kwam met grote stappen naar me toe, haar lange haar zwiepend onder de bandana, haar ogen opgewekt. 'Ze zei dat ze niet zeker weet of de eigenaar thuis is, maar ze beaamde dat het monsieur Calder is, dus het is kennelijk het juiste huis. Het schijnt deze zomer aan een familie uit Parijs verhuurd te zijn geweest. Ze heeft geen meisje gezien.'

'Heeft ze hem gezien? Recentelijk, sinds de verhuur van deze zomer?'

'Ze zei dat ze vorige week misschien iemand heeft horen komen, maar ze wist het niet zeker. Ze was heel discreet, maar ik heb tussen de regels door kunnen lezen. Volgens mij zijn ze er. Kom, laten we eens in alle geparkeerde auto's kijken. Misschien zien we een jas van hen liggen of een Engelse krant of zo.'

'Goed idee.' Ik moest erkennen dat ik minder hoopvol was dan Tash over deze eerste ooggetuige. Als Davis en Roxy hier echt waren, hoe kon een buurvrouw hen dan niét hebben gezien? Ze waren nou niet direct onzichtbaar geworden. Onze speurtocht langs de in de straat geparkeerde auto's was al even vruchteloos. Ik dacht trouwens niet dat ze een auto zouden hebben gehuurd. Dat zou het voor ons veel te gemakkelijk hebben gemaakt om hen op te sporen.

'Laten we naar de haven gaan,' zei ik, toen ik me de drukte op de kade in La Rochelle herinnerde. 'Dat lijkt me de plek waar mensen naartoe gaan.'

De haven was slechts enkele licht hellende straatjes verderop, een ansichtkaartplaatje van een met keien geplaveide kade en deinende boten, maar ik had alleen maar oog voor de gezichten. Daar waren er veel van, voornamelijk welvarende toeristen met mooie jassen en dure zonnebrillen, hoewel dit laatste artikel nou niet direct nodig was met dit weer, en veel van hen voerden fraaie rashonden aan de lijn mee voor een elegante middagwandeling. Anderen zaten op terrasjes crèpes te eten of snuffelden tussen de uitstallingen voor de winkels – voornamelijk bestaande uit geblutste emmers en andere nautisch uitziende zaken. Er waren heel weinig kinderen in de schoolgaande leeftijd, hier en daar een enkele peuter of baby, en hoewel er een draaimolen geopend was, waren er geen klanten voor. Ik vroeg me af hoe laat het donker zou worden.

'We moeten een onderkomen zien te vinden,' zei ik tegen Tash. 'Ergens hier in de buurt.' Maar de hotels met uitzicht op het water waren erg duur, dus lieten we de auto op een parkeerplaats achter en doolden verder het dorp in, door de straatjes en steegjes, waar eerst winkeltjes aan lagen en verderop woonhuizen. Terwijl Tash de schilderachtige architectuur bewonderde, bleef ik uitkijken naar menselijk leven, waarbij mijn hart in mijn keel klopte, iedere keer dat ik een gestalte uit een deuropening zag komen of uit een zijstraat zag naderen. Maar steeds bleek het voor niets te zijn en mompelde ik een vage groet tegen vreemden.

'Hier is iets,' zei Tash. 'Maison Saint-Martin. Laten we het daar eens proberen.'

Hoewel de buitenkant van het pand heel eenvoudig was, bleek het binnen knus en gezellig te zijn. De eigenares had geen andere gasten en gaf ons uit eigen beweging de mooiste kamer van het huis, een weelde aan smeedijzer en wit linnen, met een ouderwetse badkuip en een houten plank vol naar lavendel geurende toiletartikelen. Het was een soort bruidssuite met uitzicht over de terracotta daken op de abdij.

'Dit is geweldig,' zei Tash opgewonden. 'Kijk eens naar die mooie bomen! Het moet hier 's zomers echt schitterend zijn. Er is een mooie oude put en alles is hier met kinderkopjes geplaveid. Zijn dat stokrozen? Heeft mama die ook niet in haar voortuin?' Ze nestelde zich op het grote, witte tweepersoonsbed, met haar voeten opgetrokken onder zich, terwijl ze de kaart van het eiland die we zojuist van de eigenares hadden gekregen begon te bestuderen.

'Enig idee?' vroeg ik. 'Misschien houden ze zich nu schuil op een ander deel van het eiland.'

'Misschien. Als ik het zo bekijk, zijn er nog heel wat dorpjes, meer dan je zou denken.' Ze zuchtte. 'Het is echt jammer dat jij niet kunt fietsen met je pols, want ik denk dat we ze op de fiets gemakkelijker zouden kunnen vinden. Ik zie hier allemaal fietspaden.' Haar overtuiging dat succes slechts een kwestie was van het kiezen van het juiste vervoermiddel vrolijkte me een beetje op.

'Denk je dat ze zijn gaan fietsen?' Opnieuw brak er een beeld van mijn huwelijksreis door mijn verdedigingsmuur heen: Davis en ik die op onze knalgele fietsen rondtoerden, uitrustend met een glas bier terwijl we het ontspannen ritme van het landelijke Frankrijk in ons opnamen, na een hectische zomer in Londen. Fietsen was echt heerlijk geweest, het had voor mij als een nieuwe vorm van vrijheid gevoeld en we hadden het zelfs gehad over de aanschaf van een fiets voor mezelf als we weer terug waren.

'Wat valt er verder nog te doen?' vroeg Tash. 'Het is hier behoorlijk saai. Iemand als Roxy moet zich wel dood vervelen.'

'Als ze hier is,' wees ik haar terecht, maar zelfs terwijl ik dit zei, bleef mijn geest op een detail in mijn geheugen steken: het pad naar Davis' voordeur en de twee ligstoelen op een door bomen overschaduwd terras. Er hadden bladeren in de ligstoelen gelegen, maar niet op de stenen eronder. Het was herfst, er moesten voortdurend bladeren vallen, wat betekende dat het pad onlangs moest zijn geveegd. Er moest iemand aanwezig zijn, op zijn minst een verhuurder of een tuinman, iemand die misschien bereid zou zijn ons verder te helpen. Ik besloot tot ons volgende bezoek aan het huis te wachten alvorens Tash mijn theorie deelachtig te maken. Het bedwingen van haar opwinding zou van cruciaal belang zijn voor mijn niveau van energie in de volgende dagen.

'Zeg, denk je dat Davis haar op een school zal hebben ingeschreven?' vroeg ze, terwijl ze nog steeds de kaart bekeek. 'Op het vasteland is een middelbare school. We zouden er morgen naartoe kunnen gaan om te vragen het register in te mogen zien.'

Ik schudde mijn hoofd. 'Ze zijn amper een week weg, ik betwijfel of ze daar zelfs maar aan gedacht hebben. En niet naar school gaan vormt wat Roxy betreft misschien wel een heel aantrekkelijk onderdeel van dit alles. Bovendien denk ik niet dat een van hen er de aandacht op zou willen vestigen dat ze nog een schoolmeisje is.' Ik voelde een loodzware vermoeidheid door mijn onderlichaam gaan, waardoor ik bijna wankelde. Ik zou over een minuut mijn pijnstillers uit mijn tas halen, wanneer ik mijn benen weer in beweging kon krijgen.

Vol frustratie greep ik de armleuningen van de stoel vast. 'Ik wou dat ze jou in vertrouwen had genomen, Tash, toen jullie die keer samen zaten te praten, weet je nog? Als ik niet bij de deur had staan luisteren, had ze misschien iets gezegd wat bij mij alarmbelletjes had doen rinkelen.'

Tash fronste haar wenkbrauwen. 'Bedoel je dat je denkt dat ze toen misschien al wat met elkaar hadden, toen al?'

'Waarschijnlijk niet, maar er moet toen toch íéts zijn geweest, weet je, een eerste aantrekkingskracht.' Net zoals dat bij mij was geweest, om me blind te maken voor andere dingen; een steeds heviger wordende emotie tot al het andere erdoor werd weggevaagd. 'Ik heb geen idee wat er de afgelopen maanden in haar hoofd is omgegaan, geen flauw idee!'

'Maak jezelf geen verwijten,' zei Tash sussend. 'Davis heeft jullie gewoon zo uit elkaar gedreven.' Ze zocht naar de uitdrukking. 'Verdelen en heersen, dat heeft hij gedaan.'

Ik probeerde te glimlachen, maar faalde jammerlijk. 'Roxy en ik waren al verdeeld voordat hij op het toneel verscheen. Daardoor heeft hij haar in eerste instantie kunnen veroveren.'

22

We moeten de volgende dag minstens tien verschillende dorpjes hebben doorzocht, dorpjes die allemaal op elkaar leken: smalle straatjes met vissershuisjes en vakantievilla's, het marktplein met de bekende opstelling van houten fietsenrekken en een draaimolen, de bistro's op de hoek, met hun op schoolborden genoteerde menu's van *moules et frites*. Er waren ook diverse vakantiecomplexen en campings, en bij iedere nederzetting stopten we aan de rand en bleven een paar minuten zitten kijken voordat we met een slakkengangetje door de straten heen en weer reden, waarbij Tash haar voet voortdurend op de rem hield. Daarna gingen we er weer vandoor, langs de vlakke velden naar de volgende kerktoren, het volgende verlaten dorpje. Toen we verder op het eiland kwamen, leek de lucht zwaarder te worden. Er waren nu oesterbedden en zoutpannen en stranden vol zeewier, een zilverkleurig landschap dat door de zon van alle glans was beroofd.

Hoewel we de dag met optimisme waren begonnen, voelde ik aan het begin van de middag een sombere stemming in de auto ontstaan toen Tash besefte dat dit lang niet zo gemakkelijk was als ze had gedacht. Ondanks onze grondige speurtocht hadden we helemaal niets gevonden. Zelfs de voertuigen die ons in de tegengestelde richting passeerden, leken gesloten en ondoorgrondelijk te zijn, alsof ze iets verborgen hielden, iemand beschermden.

'Ze zullen toch terug moeten gaan naar Saint-Martin,' zei ze, toen we vertrokken van een strandtentje dat voor de winter was dichtgetimmerd. 'Hij heeft daar een huis en dat is beschikbaar en kost niets, dus waarom zoiets opgeven voor iets wat nog verder afgelegen is? Ergens waar je niet eens een flesje melk kunt bemachtigen?'

'Ik weet het niet, maar het is een feit dat ze niet thuis zijn.' We hadden die morgen voor we op weg gingen de bel in de rue de Loix herhaaldelijk geprobeerd maar er was opnieuw geen teken van leven te bespeuren geweest.

'Ik snap er niets van,' zei Tash, met haar blik op de weg terwijl ze in gedachten, net als ik, dat ongenaakbare witte hek en die gladde stenen muur zag. Achter haar zag ik twee eksters, die elkaar over een akker achterna zaten en ik stelde me voor hoe ik ze Matthew zou aanwijzen. 'Waarom zijn ze hier nou niet?' riep Tash nijdig.

Ik had de afgelopen vierentwintig uur weinig anders gedacht. 'Misschien wáren ze er wel, vóór gisteren, maar zijn ze verder gegaan omdat ze weten dat wij er zijn.'

Tash keek me niet-begrijpend aan. 'Hoe zouden ze dat nou kunnen weten?'

'Misschien hebben ze ons gezien, zo simpel zou het kunnen zijn. We hebben heel openlijk bij dat huis rondgehangen. En het kan natuurlijk best dat er een beveiligingscamera of zoiets aan het hek hangt.'

'Ik kan me niet herinneren dat ik er een heb gezien.'

Ik ook niet. 'Of misschien zijn ze gewaarschuwd.'

'Door wie? De enigen die weten dat we hier zijn, zijn Alistair en Victoria en Abi.'

'En Camilla,' vulde ik aan.

'Ja, maar die staat toch aan onze kant, hè?' Het was zowel troostvol als om razend van te worden dat Tash de hele situatie in termen van zwart en wit zag. Davis was helemaal slecht, ik onbetwist goed – net als Alistair, in het verlengde van mij – en zij was uiteraard de klassieke engel der wrake. Het probleem was Roxy. Wat was haar classificatie?

'En als je gelijk hebt met die troela van school,' ging ze verder, toen ze aan Marianne dacht, 'zal zij hun hebben verteld wat jij hebt gezegd over York, en zullen ze denken dat je daar zoekt. Dan zullen ze toch vast wel íéts nonchalanter worden.'

Ik knikte, terwijl ik weer dacht aan het terras dat keurig was aangeveegd. 'Je hebt gelijk. Ik denk dat ze hier zijn, of dat ze in elk geval van plan zijn om binnenkort hier te komen. Waar ze ook zijn, ze zullen zich rustig houden, geen aandacht op zich willen vestigen. Je weet wel, de telefoon niet opnemen en niet opendoen.'

'Dat zou ik ook doen,' beaamde Tash. 'In ieder geval de eerste paar dagen.'

Mijn vingers gingen naar mijn mobiele telefoon die in de zak van mijn spijkerbroek zat, hoewel hij niet had gerinkeld. 'Ik wou dat ze eens contact opnam. Ik hoef alleen maar haar stem te horen, desnoods op een voicemail, gewoon om haar te horen zeggen dat alles goed met haar is.' Om het halfuur controleerde ik mijn mobieltje, voor het geval ik het geluid van het gerinkel had gemist in het lawaai van de motor van de auto, of gedurende een van onze vele nutteloze vraaggesprekken met de plaatselijke bevolking, maar tot dusver was noch Roxy's naam noch enig onbekend nummer op het schermpje verschenen. Er was ook geen e-mail gekomen, ook al hadden we twee keer bij een internetcafé in de buurt van ons onderkomen gekeken.

De terugweg naar Saint-Martin lag er verlaten bij. Tash schakelde op en ging sneller rijden. 'Heb jij ook zoiets gedaan toen je haar leeftijd had? Ik bedoel, ik kan me geen grote drama's herinneren, maar ik vermoed dat ik toen te jong was om enig idee te hebben van wat jij uitspookte.'

Ik glimlachte flauwtjes. 'Op mijn zeventiende? Ik heb vriendjes gehad, dat wel, maar het is nooit bij me opgekomen er met een van hen vandoor te gaan. Dat was iets wat alleen werd gedaan door mensen die met hun ouders overhoop lagen.' Ik zweeg, want ik had weinig zin om verder te denken in die richting. 'En wat betreft het land uit gaan... Ik geloof niet dat ik enig idee had waar mijn paspoort was. Mama bewaarde alles bij elkaar op een veilig plekje.'

Tash knikte. 'In de lade van het bureau, met het slot erop, de la met alle bankboekjes en rekeningen en zo. Ik moest me daar iedere zaterdagochtend bij papa melden voor mijn zakgeld.'

Het was troostvol om terug te denken aan een oud familierituele. 'En jij?' vroeg ik, terwijl ik me afvroeg waarnaar dit gesprek zou leiden. De tienerjaren van Tash waren samengevallen met mijn jaren als jonge moeder, dus waren haar verslagen over crises bij het opgroeien waarschijnlijk langs me heen gegaan.

Ze keek me even ondeugend lachend aan. 'Ja. Ik bedoel, ik ben niet van huis weggelopen, maar ik heb, toen ik in de zesde klas zat, wel een verhouding met een leraar gehad.'

'Wat?' lachte ik ongelovig. 'Meen je dat? Met wie?'

'O, niemand van wie jij les hebt gehad. Een geschiedenisleraar, meneer Hodgson, Russell Hodgson, maar ik vond het leuk om hem bij wijze van grapje "meneer Hodgson" te noemen.'

Ik herinnerde me opeens hoe Roxy Davis soms meneer Calder had genoemd, waarbij ze een uitdagende, Marianne-achtige toon had aangeslagen, en hoe hij haar graag Roxana had genoemd, bij haar volledige naam. Dat alles moest zijn geweest nog voordat er iets fysieks tussen hen was voorgevallen. En die geheimzinnige verkoeling die later was gekomen, dat moest zijn geweest toen de behoedzaamheid was begonnen, toen er achterbaks werd gedaan, toen er werkelijk iets gaande was.

'Hoe oud was die meneer Hodgson?' vroeg ik.

'O, begin twintig, niet zo oud als…' Ze zweeg opeens en keek onnodig over haar linkerschouder naar fietsers die er niet waren, en ze voegde eraan toe: 'Hij had nog maar net zijn opleiding voltooid. Ik denk dat hij nog niet goed kon beslissen in welk kamp hij thuishoorde.'

Ze beschreef de chronologie van haar verhouding volstrekt emotieloos, alsof ze de stappen van een chemisch proces doorliep. 'Hij zat altijd met ons in de pub, meer als een vriend dan als een leraar. Ik was trouwens niet de enige. Lucy is ook met hem naar bed geweest en hij vond Sinead ook heel leuk.'

'Had hij jullie allemaal tegelijk?' vroeg ik ontzet.

'Nee, doe niet zo gek, zo dramatisch was het nou ook weer niet! Maar hij had altijd wel iemand op de spaarbrander staan, een nieuwe bewonderaarster.'

'Dramatisch,' dat was het woord dat ze koos, net als Camilla. 'Je dochter geniet waarschijnlijk van het drama, beschouwt het als iets opwindends. Gewoon iets wat ze op hun lijstje afvinken, als een studiebeurs of een sabbatical year.' Misschien had ik er eerder met Tash over moeten praten. Misschien was haar puberachtige plezier in alle drama van het leven wel precies wat ik hier nodig had.

'Was hij getrouwd?'

'Nee. Maar hij had wel een vriendin. Zij zat ook in het onderwijs, maar ze werkte buiten de stad. Ze zagen elkaar niet zo vaak. Ik weet nog dat we het voortdurend over haar hadden. We werden door haar geobsedeerd. We fantaseerden vaak over hoe we haar konden bespieden.'

Hoe hevig ik ook mijn best deed, ik kon mijn tranen van afschuw niet bedwingen toen ik me voorstelde hoe Roxy en Marianne op dezelfde manier over Roxy's situatie hadden gepraat, mij hadden besproken. Had mijn dochter me toen als een rivale beschouwd? Had ze zich een beeld van me gevormd, had ze zich mijn gevoelens voorgesteld, of negeerden alle tienerdochters de gevoelens van hun moeder, vonden ze ons te oud om 'echte' emoties te hebben? Misschien had Davis haar emoties zo goed weten te leiden dat ze geloofde dat zij in de eerste plaats degene was die bedrogen was? Die instorting die ze had gehad, dat weekend van ontroostbaar huilen, dat was inderdaad als reactie op mijn trouwplannen geweest, maar om volstrekt andere redenen dan ik oorspronkelijk had gedacht. Had ik nou maar een bekentenis uit haar los weten te krijgen voor het te laat was. In plaats van... wat? Ik had Davis met haar laten praten, hem zijn beroemde wonderen laten verrichten...

Ik knipperde mijn tranen weg. 'Is mama het ooit te weten gekomen?' vroeg ik.

Voor het eerst gleed er even iets van angst over het gezicht van Tash. 'Natuurlijk niet. Ik was in staat geweest hem te vermoorden en het lijk te verstoppen om dat te voorkomen.'

We zwegen even en dachten na over wat ze net had gezegd. 'Dat is nou juist zo raar aan dit alles,' zei ze ten slotte. 'Roxy die wegloopt en wel een briefje voor je achterlaat. Alsof ze wilde dat het bekend wordt, dat jij het weet. Misschien hoopt ze wel dat je achter haar aan komt, wat er ook in die brief mag staan.'

Ik wou dat ik daarmee kon instemmen. 'Het was impulsiever dan dat, Tash. Ze dachten dat ze geen keus hadden. Ze wisten dat ik het boekje had gevonden en dat dat het eind van alles zou betekenen. Als ik er niet achter was gekomen, mag de hemel weten hoe lang ze dit in het geheim hadden volgehouden.'

Alweer zo'n 'als' waarover ik niet verder wilde doordenken. Als ik niets had gezegd, als ik niet zo stom was geweest om Davis te bellen en die hysterische boodschap achter te laten, als ik had gewacht en Alistair en Victoria of wie dan ook had opgetrommeld, hoe anders had de uitkomst dan wel niet kunnen zijn? 'Ze dachten waarschijnlijk dat ik hem een straatverbod zou laten opleggen, of zoiets.'

'Waarom hebben ze dan de moeite genomen om een briefje achter te laten?'

'Zonder dat briefje had de politie misschien meer belangstelling gehad.' Ik zweeg even. 'Nee, ze moesten weggaan om bij elkaar te kunnen zijn. Ze denken dat zij de enige echte, ware geliefden zijn.'

'Denken we dat niet allemaal, op die leeftijd?'

'Op haar leeftijd, misschien,' zei ik scherp. 'Op de leeftijd dat jij voor die Russell van je viel. Maar er is een groot verschil tussen dat en een vent van vierenveertig.'

'Ja, natuurlijk. Sorry.' Ze keek me aan met een ernstig en bezorgd gezicht. We hadden Saint-Martin bereikt en we spraken niet meer tot ze de auto op de parkeerplaats had gezet, terwijl ze een blik op de lucht wierp – er waren dreigende donkere wolken boven ons samengetrokken. 'Wat gaan we nu doen? Ik weet niet zeker of ik zin heb om met dit weer te gaan fietsen en ik kan me dat ook niet van een ander voorstellen.'

We hadden afgesproken dat als onze eerste verkenningen over de weg niets opleverden, we ons zouden opsplitsen: Tash zou een fiets huren om op de fietspaden te zoeken en ik zou te voet gaan. Maar ik was het met haar eens dat in dit weer de meeste mensen ongetwijfeld binnen zouden blijven in plaats van het risico te lopen een nat pak te halen – vooral als ze om andere redenen toch al liever binnen bleven.

'Laten we nu maar even hier blijven,' besloot ik. 'Kom, dan gaan we op de markt kijken. Als ze hier zijn, zullen ze toch moeten eten.'

De grote overdekte markt lag aan de haven en trok honderden mensen uit het stadje en erbuiten, meer dan ik had gedacht dat hier buiten het seizoen zouden wonen. Toen we eenmaal binnen waren, leek dit me de meest voor de hand liggende plaats van het eiland om te zoeken, de plek waar we de hele dag hadden moeten zijn. Ik was ervan overtuigd dat we hen te pakken zouden hebben gekregen, of in elk geval een van hen, terwijl ze nietsvermoedend over de gangpaden tussen de kreeften en quiches en potten jam liepen om brood en melk en andere eerste levensbehoeften in te slaan. Maar nu, in de laatste uren van de handel, was er niemand. Of liever gezegd, iedereen was er, behalve zij: Davis' specht-buurvrouw, onze eigen gastvrouw, verscheidene mensen die we 's morgens nog Roxy's foto hadden laten zien en die ons de foto met een identiek stellig '*non*' hadden teruggegeven, die misschien kennissen van Davis waren en die het nieuws hadden doorgegeven dat er twee vreemden in de stad waren die op zoek waren naar een vermist meisje... Wat waren we naïef geweest om te geloven dat de enige mensen die van onze komst op de hoogte waren veilig in Londen zaten!

We weigerden echter om toe te geven aan paniek of teleurstelling en we wachtten tot de deuren van de markthal dichtgingen. We stelden ons op aan een cafétafeltje met goed zicht op de ingang. Tash herinnerde me eraan dat wij ook iets moesten eten, en juist toen we koffie en een broodje bestelden, rinkelde eindelijk mijn telefoon. Het was Alistair.

'Ze heeft weer een e-mail gestuurd. Gericht aan ons beiden.'

Mijn hart begon drie keer zo snel te kloppen. 'Wat staat erin?'

'Niet veel, alleen dat alles goed met haar gaat. Het is echt maar één regel, ik zal het voorlezen. "Lieve pap en mam. Dit is even om jullie te laten weten dat alles goed met me gaat. Maak je alsjeblieft niet ongerust, liefs, Roxy." Maak je alsjeblieft niet ongerust! Dat zullen we in gedachten houden, hè?' Hoewel hij grinnikte, kon ik me zijn grimmige blik goed voorstellen. 'Ik denk trouwens dat Marianne jouw bezoekje heeft gemeld en dat dit het resultaat is.'

'Ja, dat klinkt wel zo. Ze heeft zeker geen antwoord gegeven op je vraag waar ze is, hè?'

'Jammer genoeg niet. Maar het was nu eenmaal een schot in het duister.'

Tash keek me over haar kop koffie heen vragend aan, met een hoopvolle blik in haar ogen. Ik schudde mijn hoofd. 'Ga je haar terugmailen?' vroeg ik aan Alistair.

'Jazeker. Ik overwoog of ik iets zou zeggen over dat jij naar York bent, wat vind je? Gewoon voor het geval dat Marianne dat niet duidelijk genoeg heeft genoemd. We moeten hun een zo groot mogelijk gevoel van veiligheid geven, nietwaar?'

Ik dacht hierover na. 'Nee, dat zou ik niet doen, Alistair. Ze zullen meteen doorhebben dat het bluf is. Vergeet niet dat ze ons één stap voor zijn, niet andersom.'

'Dat is waar. Ik neem aan dat er nog geen voortgang is geboekt?'

'Nee, maar ik ben hoopvol gestemd. Het huis ziet er verlaten uit, maar we zijn hier pas een dag, dus het valt onmogelijk met zekerheid te zeggen. En misschien laten ze hun voorzichtigheid wat varen als ze weer een e-mail krijgen. Tash en ik splitsen ons morgen trouwens op om zo meer terrein te kunnen verkennen.'

Ik hoorde opnieuw het holle gegrinnik van Alistair. 'Ik vind het nog steeds onbegrijpelijk dat je háár hebt meegenomen. Ik wil niet zeggen dat het de lamme is die de blinde leidt, maar toch...'

Ik keek even naar mijn zusje die nu strak naar de deur van de supermarkt zat te kijken. Halverwege de dag, ergens op de winderige noordpunt van het eiland, had ze de bandana vervangen door een warme wollen muts. 'Dat vind ik niet,' zei ik kortaf. 'Ze is uitermate behulpzaam geweest. Maar als je hier wilt komen om haar plaats in te nemen, moet je het maar zeggen.'

'Goed, rustig maar. Het was maar een grapje.'

'Mooi zo. Want het is niet gemakkelijk, dat kan ik je verzekeren.'

'Hoor eens, ze komen heus wel weer boven water,' zei hij stellig. 'Weglopers komen altijd weer terug. Kijk maar naar Bonnie en Clyde.'

Nu was het mijn beurt voor een humorloos lachje. 'Ik zou wel graag die schietpartij willen vermijden, als het even kan.'

Alistair zou Alistair niet zijn als hij niet meteen reageerde. 'Laten we hopen dat zij er net zo over denken.'

We hadden het mis met betrekking tot het minder voorzichtig worden van hen of met betrekking tot welke andere theorie dan ook, want de rest van die dag en de twee volgende dagen bleef ons zoeken vruchteloos. Hoewel Tash en ik uren achtereen de rue de Loix in de gaten hadden gehouden, bleef het volmaakt stil in het huis, gingen de luiken nooit open en werd er niet één keer opengedaan als we aanbelden. We hadden een paar keer dezelfde wankele act opgevoerd om mij over de muur te laten kijken, waarbij ik Roxy's naam had geroepen, als iemand die wil dat de kat binnenkomt. Maar ze kwam nooit.

Onze retourvlucht, optimistisch ingepland voor donderdag,

werd gemist. Tash had geen werkgever om op de hoogte te stellen, maar ik stuurde een korte e-mail naar Ethan en gaf als reden van mijn afwezigheid mijn voortdurende herstel na het ongeluk. Ik wist dat hij me het voordeel van de twijfel zou geven, maar zijn reactie zou eerlijk gezegd niets uitmaken voor mijn acties: ik was nu hier en ik zou hier blijven tot ik zeker wist dat Roxy er niet was.

'Vandaag hebben we vast beet,' zei Tash op vrijdag, onze derde volle dag op het eiland, en haar woorden klonken als een slagzin.

'Ik hoop het echt!' Ik was vastbesloten net zo optimistisch te zijn als zij. Zonder optimisme zou deze expeditie binnen enkele minuten zijn gestrand. Ik hielp haar het zadel van haar huurfiets en de banden van haar rugzak te verstellen voor de verkenningen van die middag. Haar route over de drukste fietspaden tussen Saint-Martin en het dorpje La Flotte in de ene richting en Loix in de andere zouden grotendeels identiek zijn aan die van de vorige dag. Ondanks al haar flair en levenslust was Roxy niet sportief en het leek me niet waarschijnlijk dat ze bereid zou zijn grotere afstanden dan deze te fietsen, als ze al wilde fietsen.

'Bedenk goed, als je iets ziet, ook al ben je er niet zeker van, dan moet je me bellen en spring ik meteen in een taxi. Maar niet als je hen volgt, je mag hen niet kwijtraken. Staat je mobieltje aan? Heb je hem nog opgeladen?'

'Ja moeders, hou eens op met zeuren!' Het oude koosnaampje ontglipte Tash voor ze het kon bedwingen en ze keek me berouwvol aan. Ik deed alsof ik niets had gemerkt, bleef haar alleen maar instructies geven zelfs toen ze al wegfietste, maar toen haar gestalte steeds kleiner werd en ten slotte helemaal verdween, voelde ik al mijn kwetsbare gevoelens weer bovenkomen. De waarheid was dat haar woorden me wel hadden geraakt. Omdat ik voortdurend aan Roxy dacht en toch zoveel tijd met Tash doorbracht, waren er af en toe momenten dat die twee door elkaar raakten, dat ik het gevoel had dat ik inderdaad haar moeder was, dat we verstrikt waren in een surrealistisch, verwrongen universum waarin Tash op de een of andere manier Roxy had vervangen. Een plek waar Roxy niet langer bestond.

Die ochtend liep ik naar het strand. Het was vreemd hoe snel er een vaste routine, structuur, in onze dagen ontstond. Eerst naar het hek, zodra het ontbijt achter de rug was; dan het ochtendoverleg met Alistair; de controle van de terrasjes langs de haven en de markt; de voortdurende e-mails en controles op afstand van mijn antwoordapparaat thuis; en ten slotte 's avonds bijpraten met Alistair – ik had hem sinds onze huwelijksjaren niet meer zo vaak gesproken!

Saint-Martin had een eigen strand, een kleine strook zand aan de andere kant van het kasteel, waar een tweede nederzetting was ontstaan. Het was een leuk dorp met fraai aangelegde wegen en zomerhuizen met rode daken, die nu grotendeels waren afgesloten voor de winter. Tash en ik hadden de eerste dag met de auto de straten verkend en niets opgemerkt dat ons de moeite waard leek om de reis te herhalen.

Voor voetgangers was er een tweede toegang, een korte, winderige route langs het park en langs de muren langs de zee, en dat was de route die ik vandaag nam. Het was drukker dan anders, omdat de weekendgasten waren gearriveerd, maar ondanks dat was er niemand op het pad achter me en alleen maar een groepje fietsers voor me. Het enige geluid was dat van de wind en de meeuwen. Wat had Tash ook alweer gezegd toen we hier net waren? Dat iemand als Roxy zich hier ongetwijfeld kapot zou vervelen? Maar ik begon in te zien dat het niet zo eenvoudig lag. Want wie was Roxy tenslotte, buiten een meisje dat dol was op de zee? Ze voelde zich hier beschermd en tegelijk bevrijd, bevrijd van haar zware studieprogramma, de druk van de hoge verwachtingen van haar ouders en vooral van de barrières tussen haar en de man die ze dacht lief te hebben. Ja, ik dacht dat ze gelukkig kon zijn op een plek als deze.

Ik ging op een houten bank zitten op de met gras begroeide berm vlak bij het strand, en dronk wat uit mijn waterfles. Het was weliswaar droog, maar de wind was schraal en er stond een zware branding. De enige zwemmer was een opgewonden hond. Twintig meter in zee deinde een zwemvlonder op de golven. Er waren zoveel geelwitte wolken dat het leek of je je op de bodem van een kom met geklutst ei bevond.

Rechts van mij stond een rij strandhuisjes, allemaal witgeschilderd, en ik begon ze te tellen met de precisie van een ritueel, een, twee, drie... veertien, vijftien, zestien. Recht voor me lag een oude houten planken vloer op het strand, afgebladderd en scheefgetrokken, het soort plek dat Roxy vroeger zou hebben opgeëist als schip voor een prinses of een magisch volk. Ik herhaalde de regel van haar e-mail voortdurend: Alles is goed met me... Maak je niet ongerust... Dat was in elk geval iets, nietwaar? Er waren ouders op de wereld met kinderen die echt vermist werden, niet alleen maar op stap zonder ouderlijke toestemming, zoals ons kind, maar geroofd of vermist, of erger, veel erger. Die ouders zouden zonder zich te bedenken meteen met me willen ruilen.

Zoals gewoonlijk keek ik om me heen op zoek naar menselijk leven. Er zat een stel in het gras te picknicken, met hun fietsen plat achter zich neergelegd. Het waren serieuze fietsers, te oordelen naar alle uitrusting die om hen heen lag. Er was een gezin van vier bezig een zandkasteel te bouwen, met armen en benen overmoedig bloot. Er waggelde een peuter met voetjes in sandalen naar het water: Engelsen, dacht ik, vastbesloten een strandvakantie te houden, wat voor weer het ook was. Er liep een paar langs de waterkant te wandelen, precies even lang en zwoegend door het natte zand, in een zo volmaakt ritme dat het leek of ze samen drie benen hadden. Zij hadden zich tenminste warm ingepakt, ze begrepen dat het seizoen voorbij was, zeker Fransen. Ik zag drie of vier mannen met hengeluitrusting, waarschijnlijk mensen hier uit de buurt. Een jongeman en twee vrouwen in wetsuits, terug van het windsurfen, met gezichten die rood en schraal waren. En ten slotte een paar tienermeisjes in felgekleurde fleecevesten, te jong om Roxy te kunnen zijn, bovendien spraken ze rap Frans. Ik vroeg me terloops af waarom ze niet naar school waren, wat hun moeder tegen de directrice zou hebben gezegd. Ik deed mijn ogen dicht en hield mijn gezicht naar de lucht omhoog, biddend om verlichting van een andere soort. Mijn geest hield nu slechts de geluiden bij: het water, de kreten van de windsurfers, schel van opwinding of kou, het geluid van een blikje frisdrank dat werd geopend, het knarsen van een autoportier. Ik deed mijn ogen open. Voor het eerst zag ik de zwarte plukken zeewier op het zand. De kleine peuter verzamelde het in lange slierten en legde alles binnen de slotgracht van het kasteel dat zijn ouders hadden gebouwd. Iedere keer dat hij er weer een handje bij legde, slaakte hij een kreet van voldoening. Ik dacht aan Matthew, aan wat hij op dit moment zou doen, zittend in zijn klas met zijn schrift open voor zich, zijn ogen op het bord gericht, of misschien even naar het raam, voor een blik op zijn geliefde sportveld.

Dat vormde ook een deel van de routine hier, mijn avondgesprek met mijn zoon, en dat was in veel opzichten het moeilijkste moment van de dag. Want iedere keer dat ik zijn stem hoorde werden mijn gevoelens over de situatie met Roxy nog meer gecompliceerd door vreugde, schuldgevoel en – vaker wel dan niet – zelfmedelijden. Mijn arme jongetje, hij had helemaal niets verkeerds gedaan en toch leek hij de grote verliezer in dit alles te zijn, en dat was helemaal míjn schuld!

'Gaat alles echt goed met je?' had ik gisteravond gevraagd. 'Weet je het absoluut zeker?' Er was 's ochtends een soort misverstand geweest met Elizabeths nieuwe kinderjuffrouw en de verkeerde schooltas, een stuk huiswerk dat nu als te laat zou worden genoteerd. Het was slechts een klein incident, maar op deze afstand werd het danig vergroot en kreeg het veel betekenis.

'Jaha ma-am.' Was dit een nieuwe manier van praten, met die langgerekte klinkers? Of verbeeldde ik het me maar?

'Ik kom zo snel mogelijk terug, maar in elk geval aan het eind van het weekend.'

'Oké.'

'Je bent lief.'

'Jaha, ma-am.'

'Je zult hem wel missen,' zei Alistair, ongewoon gretig om ons eigen gesprek te hervatten nadat Matt gedag had gezegd.

Ik was niet erg op mijn hoede en sprak vrijer dan ik van plan was. 'Natuurlijk mis ik hem! Ik heb het gevoel alsof ik er de laatste tijd niet voor hem ben geweest en dat is ook eigenlijk zo, hè? Ik bedoel, hij is een tijd weggeweest toen hij met jou naar Zuid-Afrika was, daarna had ik de voorbereidingen voor de trouwerij en de reis naar Frankrijk' – ik kon het woord 'huwelijksreis' niet langer over mijn lippen krijgen – 'en nu ben ik weer weg. En we hebben hem nog steeds niet verteld waarom zijn zusje opeens is verdwenen...'

'Hé, kom op,' zei hij, zo meelevend als ik hem in geen tijden had gehoord. 'Het lijkt erger dan het is. Het gaat echt goed met hem. Er is hier van alles te doen, Elizabeth betekent veel afleiding voor hem.'

'Maar ik ben nu al vier nachten weg. Hij denkt vast dat ik hem in de steek heb gelaten!'

'Helemaal niet. Je weet hoe loyaal kinderen zijn. Accepteerden volwassenen de dingen ook maar zo gemakkelijk.'

Hij dacht ongetwijfeld aan zijn werk, maar zijn opmerking riep emoties bij me op die om heel andere redenen overweldigend waren: al die nachten dat hij van de kinderen gescheiden was geweest – mijn vier nachten zonder waren niets vergeleken bij al zijn jaren van alleen op zaterdag – en hoe vaak had ik hem die zaterdag ook nog misgund? Ik had geen moment begrip voor hem gehad. Ik had alleen maar gevonden dat hij dit had verdiend omdat hij uit eigen beweging was opgestapt. 'Je hebt het er zelf naar gemaakt,' had ik tegen hem gezegd toen hij klaagde dat de regeling om op te halen hem niet goed schikte en ik had het daarna ook nog talloze malen gedácht.

Accepteerden volwassenen de dingen ook maar zo gemakkelijk. Het was nu onmogelijk het woord 'volwassene' te horen zonder onmiddellijk aan Roxy te denken en aan de vraag die tijdens dit alles nog moest worden beantwoord. Was ze een volwassene, had ze het recht haar eigen beslissingen te nemen? Ik vond van niet, en Alistair vond ook van niet, maar ik begon zo langzamerhand in te zien dat wij misschien wel de enigen waren.

Ik schrok opeens op, net als wanneer je met een schok tot bewustzijn komt juist als je in slaap valt, en ik staarde naar het strandtafereel voor me: er ontbrak iets. Niet het gezin, niet de windsurfers – het paar met de capuchons! Mijn hart begon sneller te bonzen en ik wachtte een paar seconden tot mijn hersens het konden doorgronden. De man had aan de zeekant gelopen, zodat zijn laarzen in en uit het water spetterden, wat hem vergeleken bij zijn metgezel kleiner maakte, maar op vlak terrein zou hij een stuk langer zijn; hij had een waterdicht jack aan gehad, niet het mosterdgele dat ik kende, maar wie zei dat hij hier niet ook een jack had hangen, misschien wel een hele verzameling.

Ik sprong overeind en begon de berm af te hollen, naar het

natte zand, naar het punt waar ik hen het laatst had zien lopen. De mensen keken me verbaasd na toen ik het opeens op een lopen zette, en de hond, die nog steeds in het water was, stak zijn kop omhoog en blafte. Het strand werd in tweeën gedeeld door een golfbreker van rotsblokken en toen ik het eind van het tweede gedeelte bereikte, zag ik dat er verder geen pad liep, alleen maar een rotsig stuk dat snel onbegaanbaar werd. Tenzij ze langs de rotsen omhoog waren geklommen naar het terrein van een van de villa's die langs de kust stonden, konden ze alleen maar hetzelfde hebben gedaan als wat ik nu deed: teruggaan en de geplaveide weg omhoog nemen, langs het café en naar de parkeerplaats. Eenmaal op vlak terrein keek ik van links naar rechts: niets. Hoe kon dit nu? Hadden ze me gezien en waren ze gevlucht? Dat betwijfelde ik, want ze hadden hun rug naar me toe gehad en ze hadden rustig gelopen, gewandeld. Ik had daar in elk geval enige tijd zitten dagdromen – het konden enkele minuten zijn geweest – en ze hadden tijd genoeg gehad om op hun gemak terug te gaan, met de auto, de fiets, te voet. Ik tuurde over de weg die landinwaarts leidde, maar er waren nergens voetgangers of fietsers te bekennen. De route naar de muren langs de zee was eveneens verlaten, maar hij maakte wel een bocht voorbij een muur van struikgewas en het was onmogelijk om voorbij dat punt te kijken.

Ik moest een besluit nemen, weg of pad. Ik koos het pad, maar werd direct gehinderd door een lang konvooi van fietsers dat me tegemoet kwam, soms met twee naast elkaar, zodat ik opzij moest stappen om hen te laten passeren. Het duurde eindeloos, het gerinkel van de fietsbellen, de beleefde *bonne journées*, het geroep van de een naar de ander toen ze het strand zagen. Toen ik eindelijk vrij was om te passeren, zette ik het op een draf en toen ik de parkeerplaats bereikte en bij de schommels van de kinderspeelplaats tot stilstand kwam, voelde ik een steek in mijn zij en sloeg ik dubbel om naar lucht te happen. Ik greep mijn telefoon om Tash te bellen. Het apparaat schakelde over op haar voicemail, maar een paar seconden later belde ze terug.

'Sorry, ik moest even aan de kant, het is hier vandaag behoorlijk druk. Maar ik heb nog niets gezien.'

Ik viel haar buiten adem in de rede. 'Kom maar terug. Ze zijn hier in Saint-Martin. Ik denk dat ik hen zojuist heb gezien.'

Ze slaakte een kreet. 'Wat? Waar?'

'Op het strand.'

'Je méént het! Hebben zij jou gezien?'

'Nee, ik ben vrij zeker van niet. Ze liepen heel gewoon verder. Maar ik ben hen kwijtgeraakt, ik besefte niet dat zij het waren tot ze alweer weg waren.'

Er viel een stilte. 'Heb je hun gezicht ook gezien?'

'Nee, maar ik wéét dat zij het waren, er was zoiets bekends aan hen. Je weet wel, soms heb je zo'n heel sterk instinct. Ze zijn hier, Tash, en ze weten niet dat wij er zijn!'

Ze slaakte een vreugdekreet. 'Dan had je gelijk, Kate. Het is nu nog maar een kwestie van tijd!'

Ik hoorde haar vervolgens uitademen, niet een van haar theatrale kreten en kreunen, maar het geluid van een echte zucht van opluchting. Hoe ze ook aan dit avontuur begonnen was, ze was er nu aan toegewijd, ze was toegewijd aan mij. Ik voelde dat zich een brede glimlach over mijn wangen verspreidde, die tot dan toe stijf van de kou waren geweest (of van pure ellende, dat wist ik niet): ik had Roxy gevonden, en ik was niet langer alleen.

23

Nu dit punt was bereikt, werd mijn blik scherper en wist ik opeens dat ik haar zou kunnen vinden, dat ik haar kon oppikken uit dezelfde menigte waarin ze zich de vorige dag nog zo onopgemerkt had bewogen. Dat was het moederinstinct, zei ik tegen mezelf, een zesde zintuig dat tot nu toe als gevolg van de schok niet goed had gefunctioneerd.

Als om deze kentering te bevestigen, kwam de zon de volgende morgen tevoorschijn. Een fel blauw verjoeg het grijs en voordat we het wisten werden we in een schitterend licht ondergedompeld. Meteen gingen de deuren en luiken van Saint-Martin open, schalden er stemmen en kwamen er meer mensen dan anders naar de haven. Ze zaten in keurige rijen aan cafétafeltjes en keken allemaal blij naar het water, als toeschouwers bij een regatta.

Toen Tash en ik onze gebruikelijke plaatsen bij het café bij de poort van de *marché* innamen, trok ze haar jack uit en riep dankbaar naar de lucht: '*Le soleil!* Dat is beter. Nou, vandaag moet het de grote dag zijn, hè? Laten we nog een uur hier wachten en dan naar het strand gaan. Ik wéét gewoon dat ze daar weer zullen komen, vooral nu het weer beter is. Waar is de kelner?'

Ook al had ik mijn ochtendronde langs het strand en het huis al zonder succes gemaakt, toch bleef ik vol goede moed door de doorbraak van gisteren. De aanblik van mijn zusje, met haar opgewekte blik in de stralende herfstzon, maakte dat ik ervan overtuigd was dat ze gelijk had. En sterker nog, dat dit alles niet zou zijn gelukt als zij er niet bij was geweest, dat zij geluk bracht, de bron van energie vormde, dat zij had gezorgd dat dit gebeurde.

'Tash?'

'Ja?' Haar blik gleed langs me heen terwijl ze probeerde de aandacht van de ober te trekken.

'Ik wilde alleen maar even zeggen hoe geweldig...' Maar ik zweeg abrupt en zat ineens zo verstard in mijn stoel dat Tash zich razendsnel omdraaide en mijn blik volgde. Mijn hart begon opeens te bonzen en ik drukte mijn hand tegen mijn borst om het te kalmeren. Ze was het. Roxy. En dit keer was er geen twijfel mogelijk. Ze stond pal aan de overkant van het water, aan de binnenste inham van de haven, met haar handen op het stuur van een fiets. Ze droeg een spijkerbroek en een jasje dat ik niet kende – kakikleurig, legerstijl, met een riem strak om het middel – en een zonnebril, eveneens onbekend. Haar haar hing los op haar rug en wapperde in de wind. Ze zag er heel Frans uit, tot aan het *élan* waarmee ze de fiets over de keien loodste en stil bleef staan om haar handtas in de mand te duwen en haar zonnebril recht te zetten. Ze leek op een ster uit een oude film van Truffaut.

'Ze is daar, aan de overkant,' siste ik. 'Kijk maar! Met dat groene jasje.'

Tash hield haar hand boven haar ogen en tuurde. 'O grote hemel, ja. Ze ziet er heel anders uit, ik weet niet of ik haar zou hebben her...'

'Ja,' viel ik haar in de rede en ik sprong op. Zonder mijn ogen van de gestalte aan de overkant af te wenden stak ik mijn arm op om te zwaaien.

'Niet doen,' zei Tash terwijl ze me bij de arm greep.

'Wat?'

'We kunnen haar beter volgen naar waar ze heen gaat, nietwaar? Zoals we hadden afgesproken? Om uit te zoeken waar ze logeert. Als we nu naar haar toe gaan, kan ze ons misschien nog van zich afschudden en dan zijn we weer terug bij af.'

'Oké.' Ze had natuurlijk gelijk. Mijn dochter was het Kanaal overgestoken om mij te mijden, en nu namen Davis en zij niet eens het risico om in zijn eigen huis te logeren. Ze zou me vast niet met een kus begroeten en een praatje over het weer gaan maken. De vraag was, konden we haar bijhouden als zij op de fiets was, of ze nu wist dat we haar volgden of niet? Stel dat ze van verder weg was gekomen dan van Saint-Martin? Als dat zo was, zouden we haar kwijtraken zodra ze vaart zette op de fietspaden buiten het stadje. Maar er was geen tijd om terug te gaan naar het hotel om de fiets van Tash op te halen. Voor dit moment waren we te voet. 'Kom op, we moeten snel zijn.'

'Wacht,' zei Tash. 'Laat haar eerst de brug over gaan.'

Roxy was inmiddels op de fiets gestapt, stak in enkele seconden de brug over en sloeg linksaf, weg van ons. Ik liet een martelende tien seconden verstrijken en holde haar toen achterna, met Tash op mijn hielen. Op de hoek van de steile rue du Baron de Chantal hielden we in. Het was een stevige klim voor iemand die niet gewend was te fietsen, en ze reed langzamer dan we hadden verwacht, staande op de trappers om meer kracht te kunnen zetten. Bovenaan ging ze rechtsaf, opnieuw op vlak terrein en moesten wij uit alle macht sprinten om de kruising bijtijds te bereiken om haar weer af te zien slaan – de rue de Loix in.

'Dus ze zijn er wél,' fluisterde Tash. 'Ik snap het niet. We moeten minstens honderd keer bij dat hek hebben gestaan, dus hoe kan het dan dat we hen hebben gemist?'

'Daar moeten we achter zien te komen.'

Toen Roxy bij ons vandaan freewheelde, was haar zorgeloze blijdschap duidelijk te zien en ik voelde mijn hart ineenkrimpen. Als de omstandigheden anders waren geweest, was de prop in mijn keel van pure vreugde geweest. In plaats daarvan was het nu een dichte brok emoties, en geen daarvan bestond uit vreugde: opluchting, hoop, woede en, het sterkst van alles, angst, onverbloemde angst.

We hielden ons schuil om de hoek van de rue de Loix en zagen hoe ze van haar fiets gleed en een soort afstandsbediening voor het witte hek hield. Het hek begon langzaam open te gaan, heel langzaam en ze moest even wachten voor ze haar fiets over de drempel kon duwen. Intussen hadden Tash en ik ons zonder iets te zeggen aan de overkant van de straat opgesteld; we hadden duidelijk zicht op Roxy toen ze haar fiets naar het rek loodste en het voorwiel in het rek had geschoven, in het grind neerhurkte om het slot vast te maken. Het hek werd kennelijk door bewegingssensoren bediend, want het bleef verlokkend lang open zolang zij zich in de buurt bewoog.

Ik keek Tash aan. 'Ik ga naar binnen voor het hek dichtgaat.'

Ze ving het enkelvoud direct op. 'Ik blijf hier, oké?'

'Dat lijkt me het beste,' zei ik snel.

'Tuurlijk.' Ze greep mijn hand en kneep er even in, als om al haar kracht naar mij over te hevelen. 'Succes.'

Roxy was weer gaan staan aan de andere kant van het fietsenrek, met haar schouders van het hek gekeerd en naar het huis gericht. Het hek begon net dicht te gaan toen ik achter haar aan naar binnen glipte, maar als gevolg van mijn beweging stopte het en ging langzaam weer open. Ze had het aanvankelijk niet in de gaten, was te druk bezig om in haar tas te zoeken naar iets, vermoedelijk haar sleutels, en er was een pervers moment waarop ik besefte dat ik nog steeds van gedachten kon veranderen, dat ik me uit de voeten kon maken en me schuil kon houden, om te ontdekken wat er gaande was zonder dat die twee zelfs maar enig idee hadden dat ik hier was. Misschien was het niet meer dan natuurlijk dat na dagen van vergeefse zoekpogingen, geheimhouding mijn eerste instinct was.

Ik verschoof mijn voeten met onverwacht luid geknerp en ze keek omhoog op exact hetzelfde moment dat ik begon te spreken: 'Roxy!'

Haar handen verstijfden en alle kleur trok weg uit haar gezicht. 'O God, wat…?' Toen begon ze achteruit te lopen, bij me vandaan, over het stenen pad, en dat verijdelde mijn voornemen haar in mijn armen te nemen en weg te leiden voor ze had kunnen protesteren.

'Wacht!' Ik holde achter haar aan en bereikte haar bij de deur. Ik probeerde mijn stem kalm te houden. 'Loop alsjeblieft niet weg.'

Ze wachtte. Ik kon door haar jasje heen zien hoe hevig ze hijgde.

'Is Davis hier?'

Ze beet op haar onderlip en schudde haar hoofd.

'Weet je het zeker?'

Een knikje.

'Mooi zo.' De opluchting was groot. Ik had mezelf er honderd keer per dag aan herinnerd dat Roxy losmaken uit Davis' greep mijn belangrijkste doel hier was en iedere zenuw in mijn lichaam vertelde me dat dit beter zou gaan zonder zijn aanwezigheid. Dat hij een enorme invloed op Roxy had, was geen punt van discussie meer; of hij nog steeds enige invloed op mij had, was iets wat ik niet uit wilde proberen, niet voor ik mijn dochter terug had.

'Kunnen we dan naar binnen gaan om te praten? Alsjeblieft?'

Ze knikte opnieuw. Met gebogen hoofd en nog steeds volmaakt zwijgend maakte ze de voordeur open en onthulde een brede, betegelde gang met een groot eiken buffet en een paraplubak. Rechts was een keuken en links iets wat op een zitkamer leek. Roxy liep echter verder en ging door een tweede deur weer naar buiten. Ik verbaasde me over deze route, maar er was geen tijd om er een vraag over te stellen voor we langs nog een bijgebouw kwamen, een verbouwde schuur of zoiets, waarna we halt hielden bij een besloten terras aan de achterkant. Hier stond een tweede stel ligstoelen naast een lage houten tafel.

Ze gebaarde me te gaan zitten. 'Ik zal even thee zetten.' Haar stem was volstrekt emotieloos, er viel niets meer te bekennen van de jeugdige *joie de vivre* die we hadden waargenomen toen ze door de straten fietste, en mijn hart brak bijna bij het besef dat de aanblik van mij deze had doen verdwijnen.

'Thee lijkt me geweldig, dank je.' Ik bleef bevend staan en keek hoe ze terugliep naar het huis zelf (zou hij daar dan toch zijn? Ging ze hem halen? Of wilde ze hem waarschuwen dat hij weg moest blijven?), maar toen ik haar door het keukenraam inderdaad een ketel bij de kraan zag vullen, draaide ik me om en liep een paar stappen de tuin in. Deze was groter dan onze ommuurde ruimte in Francombe Gardens, en was symmetrisch aangelegd met gesnoeide haagjes en appelbomen die tot laag bij de grond waren geleid. Er stond een paarse bloem enthousiast te bloeien alsof het voorjaar was.

Er gingen minuten voorbij. Juist toen ik begon te vrezen dat ze er toch vandoor was gegaan, kwam ze terug met een dienblad vol theespullen. Ze had de thee al ingeschonken in kleine porseleinen theekopjes, wellicht ooit het bezit van Camilla's familie, want ze leken me niet Davis' smaak, hoewel ik natuurlijk niet langer kon beweren dat ik die kende. Ik vermoedde dat hij het huis had gekregen met alles erop en eraan. Roxy gaf me een kopje. Haar hand was kennelijk vaster dan de mijne, want zodra ik het had aangepakt begon het op het schoteltje te rammelen en morste ik daar thee op. Ik kon nauwelijks geloven dat dit gebeurde en ik besefte nu pas dat er steeds een restje hoop in mijn binnenste was geweest, tot aan dit moment, twijfel of hoop, die twee vielen niet van elkaar te onderscheiden, over of Davis en zij wel bij elkaar waren.

We zaten in de ligstoelen, geen van beiden ook maar enigszins ontspannen, ondanks de stijl van zitten. 'Heeft Marianne je verteld dat ik hier was?' vroeg ze ten slotte. Ze had haar eigen schoteltje laten staan en hield haar kopje aan de onderkant vast, als een soort beker. De vertrouwdheid van haar manier van doen deed mijn maag ineenkrimpen.

Ik schudde mijn hoofd. 'Nee, niemand heeft me iets verteld.'

'Maar hoe wist je dan…?'

'Dat doet er niet toe, Roxy.' Toen keek ik haar aan en durfde me nauwelijks voor te stellen wat voor emoties er uit mijn ogen spraken, en of ze bereid zou zijn die emoties te onderkennen. Het was mogelijk dat ze nu ook blind voor me was, net zoals ze zo lang doof had geleken. 'Het belangrijkste is dat we je gevonden hebben.'

Ze stak haar kin strak naar voren. '"We?" Is papa hier dan ook?' Haar onmiskenbare angst voor haar vader onthutste me.

'Nee, hij is in Londen, bij je broertje. We konden niet alles in de steek laten om jou over de hele wereld achterna te zitten.' Ik had me stellig voorgenomen geen beschuldigingen te uiten, maar ik kon nu al de neiging niet weerstaan haar enig schuldbesef bij te brengen.

'Het is Frankrijk maar,' kaatste ze terug. En toen, aarzelender: 'Hoe is het met Matt?'

'Die begrijpt er niets meer van, zoals je je wel zult kunnen voorstellen. Hij kan niet wachten tot je terug bent.'

Ze zweeg en keek langs me heen de tuin in. Ik nam de gelegenheid te baat haar uiterlijk wat nauwkeuriger te bekijken en te zien wat er veranderd was. Haar haar was in een pony geknipt, die heel soepel en natuurlijk in haar ogen viel, een verandering die haar aanzienlijk ouder deed lijken. Het was alsof ze het aarzelende van een tiener van zich af had geschud en nu zichzelf was geworden. Het was alsof ik haar jarenlang niet had gezien.

Ik was natuurlijk opgelucht haar veilig en wel aan te treffen, uit eigen vrije wil op deze plek en niet door een soort kidnapping die als liefde was vermomd, maar wat ik niet had verwacht was haar in zo'n goede staat aan te treffen. Het was niet alleen dat nieuwe kapsel, het was het feit dat ze zo ongeveer straalde, dat ze net zo licht en levend was als die paarse bloem achter haar. Ze was opgebloeid als... als wat? Een jonge bruid? Was dit het dan? De gedaanteverwisseling, het bewijs van de ontmaagding waarvan ik altijd had gedacht dat ik het onmiddellijk zou weten?

Ze ving mijn blik op en knipperde hevig met haar ogen, alsof haar wimpers te zwaar waren. De eyeliner liep in de buitenhoek van haar ogen iets omhoog en ze had haar wenkbrauwen wat aangezet met potlood, alweer een verandering van stijl. Tot mijn verbazing voelde ik opeens een hevige woede. Ik had geen spiegel nodig om te weten dat ik er vreselijk uitzag, vermoeid en met rimpels, grauw van de zorgen. Mijn gedaanteverwisseling onder Davis' handen was er een van jeugd naar middelbare leeftijd geweest. En alle tijd waarin ik bijna van verdriet was ingestort, waarin ik voortdurend had gezocht en gezocht, gevreesd en gevreesd, was zij bezig geweest met het perfectioneren van haar uiterlijk als weggelopen heldin, met de juiste oogmake-up. Ik stelde me voor hoe die twee samen oude films zaten te kijken, hoe Davis er een masterclass van maakte en Roxy zich afvroeg of ze liever Jean Seberg of Brigitte Bardot wilde zijn.

'Hoe heb je dit kunnen doen, Roxy?' riep ik uit, voor ik me kon inhouden. 'Hoe heb je het kunnen doen? Ik begrijp het gewoon niet.'

'Wat?' Maar haar ogen waren opeens minder zeker. Ze keek weer over mijn schouder, alsof ze hoopte te worden gered.

Ik wachtte tot ik weer oogcontact had, voor ik antwoordde. 'Moet ik het voor je spellen? Ik begrijp niet hoe een dochter een relatie kan beginnen met de verloofde, de nieuwe man van haar moeder. Het is afschuwelijk, onfatsoenlijk, ongelooflijk!' Het laatste woord klonk als een echo van Alistairs reactie toen hij hoorde van mijn relatie met Davis. 'Dat is ongelooflijk,' had hij gezegd. 'Weet je wel wat voor iemand hij eigenlijk is?'

Ze bleef me even aanstaren. Ik dacht dat ze weer zou vervallen in haar houding van niets zeggen, maar toen ze sprak was het op een kalme en redelijke toon, alsof ze had verwacht tekst en uitleg te moeten geven. En nu dat moment was aangebroken, zou ze dat dan ook eens heel goed gaan doen. 'Ik wist dat je dat zou denken, maar zo is het niet gegaan. We wisten wat we voor elkaar voelden, nog voordat jullie je verloofden, zelfs nog voordat ik naar Zuid-Afrika ging.'

Ik snakte verbijsterd naar adem. 'Bedoel je dat je nog vóór de vakantie met hem naar bed bent geweest?' Dit was iets wat ik me niet had kunnen voorstellen, dat Davis haar had verleid nog voor hij iets met mij had.

'Nee.' Haar stem was al scherper. 'Natuurlijk niet. Dat was pas toen hij me vertelde wat er was gebeurd, dat hij je per ongeluk ten huwelijk had gevraagd... Dat was het moment dat we elkaar onze gevoelens vertelden. Maar het was toen te laat voor hem om er nog vanaf te kunnen.'

Mijn hoofd duizelde door haar wrede taal. 'Per ongeluk', 'te laat', 'ervan af kunnen' en dan die zelfverzekerde stroom van 'wij's! Mijn enige reden tot hoop was dat ze Davis' naam nog steeds niet expliciet had gebruikt. Was dat misschien een bewijs dat ze besefte dat ze iets verkeerds deed? Maar toen ik de behoedzame blik in haar ogen zag, besefte ik dat het waarschijnlijk eerder kwam door de angst dat zijn naam me nog bozer zou maken. Want het was wel duidelijk dat mijn vermoeden juist was geweest: ze vond dat ik de man had gestolen die zíj liefhad en niet andersom. Het vergde mijn laatste beetje inlevingsvermogen om dit vanuit haar standpunt te benaderen, maar er zat niets anders op dan dit te proberen, want ze was zeventien en er was geen sprake van dat ze zou proberen het van mijn kant te bekijken.

'Waarom was het te laat?' vroeg ik kalm. 'Als het waar is wat je zegt, had hij onze relatie moeten verbreken. Dan had hij moeten bekennen dat hij van gedachten was veranderd.'

Ze schudde haar hoofd. 'Hij vond dat hij dat niet kon doen. Je begon het al aan iedereen te vertellen, de dag te plannen. Het was heel vernederend voor je geweest als je het af had moeten zeggen...'

'Vernederend?' Waar haalde ze het lef vandaan? 'En dit dan niet? Kom nou, Roxy, dit is veel, veel erger. Dat snap jij toch zeker ook wel?' Maar hier viel niet tegen te praten. Ik wist dat wat zij ook mocht zeggen, Davis' acties niets van doen hadden gehad met wat voor begrip voor mijn trots dan ook. Hij was gewoon bang geweest te worden verbannen. Terugkomen op zijn aanzoek zou aan mij dezelfde reactie hebben ontlokt als aan onze eerdere problemen. Ik hield van hem, ik had al tegen hem gezegd dat ik het niet kon verdragen bij hem in de buurt te zijn als hij niet hetzelfde voor mij voelde.

'Maar hoe zit het dan met wat ik tegen jou heb gezegd, Roxy? Toen we trouwplannen kregen heb ik je verteld dat ik er alleen mee door zou gaan als ik jouw zegen had. Waarom heb je toen niets gezegd? Waarom heb je me niet verteld dat je er ongelukkig mee was? Je had me niet eens hoeven uit te leggen waarom.'

Ze wierp me een minachtende blik toe. 'Natuurlijk wel. Jij zou nooit van gedachten zijn veranderd als ik alleen maar had gezegd dat het idee me niet beviel. Je zou een uitleg hebben geëist. En dan was je er gewoon mee doorgegaan, of ik het nou leuk vond of niet.'

Haar woorden bevatten een kern van waarheid, en ik voelde mijn zelfbeheersing wankelen toen ik mijn volgende vragen eruit flapte: 'Maar hoe kon je me zo gelukkig laten zijn over iets waarvan je wist dat het niet was wat ik dacht dat het was? En hoe kun je deze man vertrouwen wanneer je hebt gezien hoe hij je moeder heeft behandeld? Denk je niet dat hij hetzelfde met jou zal doen?'

De blik die ze me nu schonk was voor de helft nors, voor de helft minachtend, identiek aan de blik die Marianne had gehad om zich tegen de tirade van haar moeder te verdedigen. Het was duidelijk dat ik geen antwoord zou krijgen op mijn vragen, maar dat gaf niet, want ik kon er wel naar raden. Roxy kende geen angsten over haar eigen toekomst omdat Davis' liefde echt voor haar was, niet gespeeld, zoals voor mij. En wat het zien van mijn geluk betreft, was het enige wat zij had gezien een onnozele oude vrouw geweest die zich verschrikkelijk aanstelde, een oude vrouw wier gevoelens niet serieus konden worden genomen. Of misschien had ze, net als Davis, begrepen dat mijn gevoelens oprecht waren, maar was ze van mening geweest dat mijn verdriet op de korte termijn een kleine prijs was om te betalen voor hun mogelijkheid om samen te zijn, dat alles beter was dan níét samen te kunnen zijn, álles.

Mijn thee werd koud. Ik had geen idee hoelang ik hier al was. 'Waarom zijn jullie teruggekomen?' vroeg ik.

Ze fronste haar wenkbrauwen. 'Hoe bedoel je?'

Ik wees naar het huis. 'Jullie zijn hier de hele week niet geweest.' Maar terwijl ik het zei, zag ik dat het terras waarop we zaten toegankelijk was vanuit een stel openslaande deuren in de schuur. Het interieur werd aan het oog onttrokken door donkere, tot de vloer reikende gordijnen, maar tussen de vitrages was een streep lamplicht zichtbaar. Bovendien waren de luiken voor het raam rechts tegen de stenen muren geklapt, zodat de bewoners zicht hadden op de tuin zonder zelf vanaf het terras te kunnen worden gezien. Het was de volmaakte schuilplaats. Roxy mocht dan naar het huis zelf zijn gegaan om de keuken te gebruiken, maar Davis en zij woonden daar niet, ze woonden hier. Ze waren de hele tijd hier geweest. Het was domme pech dat we hun komen en gaan iedere keer hadden gemist.

'Bedoel je dat jullie hier al een week zijn?' vroeg Roxy, 'in Saint-Martin?'

'Bijna vijf dagen. Al die tijd heeft er niemand opengedaan als we belden. Ik dacht dat het huis voor de winter was afgesloten.'

Ze staarde me aan terwijl ze deze informatie verwerkte. Ze was heel koel, veel beheerster dan ik. 'O ja, dat is ook zo, behalve de keuken. Het huis is veel te duur om aan te houden, we zullen het in het voorjaar weer moeten verhuren. Je kunt hier achter de bel niet horen. Ik denk dat we daar nog iets aan zullen moeten doen.' Het gezag in haar stem maakte me zowel kwaad als bang. Tegen mij spreken alsof Davis en zij een gevestigd paar vormden dat samen huishoudelijke beslissingen nam, samen deurbellen repareerde – was ze vergeten dat de man van haar knusse meervoud mijn echtgenoot was? En haar zo zeker over de toekomst te horen spreken, alsof er allerlei plannen voor de lange termijn op stapel stonden, het was vreselijk.

'Ik heb je geroepen, Roxy, ik heb geschreeuwd, echt hard geschreeuwd. Iedereen kon het hebben gehoord.'

Ze duwde haar onderlip naar voren en trok een schouder op. 'Ik niet.'

Te druk bezig met haar make-up, te druk bezig om met hem in bed te liggen, om te luisteren naar al die geheimen die hij nooit aan mij had willen vertellen, maar die hij waarschijnlijk uitvoerig bij haar had uitgestort. Te druk om van haar heerlijke nieuwe seksualiteit te genieten.

Ik was zo uit mijn evenwicht gebracht dat mijn woede het won van mijn angst. 'Waar is hij? Mijn lieve, toegewijde echtgenoot. Wanneer komt hij weer terug?'

Ze trok haar knieën op naar haar borst en sloeg haar armen eromheen, alsof ze voelde dat de strijd nu pas echt zou beginnen. 'Dat doet er niet toe, mam. Hij wil je niet zien.'

Het was de eerste keer in dit gesprek dat ze me 'mam' had genoemd en dat deed me mijn laatste beetje zelfbeheersing verliezen. Tot haar ontzetting – en ook de mijne – sprong ik overeind en greep haar met mijn rechterhand bij de schouder en schudde haar heen en weer zodat haar kin wild tegen haar knieën stootte en mijn gewonde linkerhand tegen mijn eigen lichaam klapte. Er ging een scheut van pijn vanaf mijn pols naar mijn schouder toen ze worstelde om overeind te komen.

'Laat me los! Grote God, denk je nou echt dat ik van gedachten zal veranderen als jij me aanvalt?'

'Het spijt me.' Ik viel weer terug in mijn stoel, wanhopig en ontzet. Ik wist echt niet wat me had bezield of waar ik nog meer toe in staat zou zijn. Naarmate de stilte voortduurde, besefte ik dat de enige mogelijkheid die mij nog restte, haar te smeken was.

'Kom naar huis, Roxy, kom alsjeblíéft naar huis. Kom terug om hierover te praten. Ga terug naar school, doe eindexamen. In februari word je achttien, beslis dan. Dat is nog maar een paar maanden, het is zó voorbij en dan zul je vrij zijn om te doen wat je wilt.'

Ze schudde haar hoofd, kalm en nadrukkelijk. Ik had kunnen denken uitdagend, als ik niet het trillen van haar mond had gezien. Ze had de grootste moeite om zich te beheersen, net als ik. Ze was kwetsbaar. Ik ging snel verder. 'Je weet niet wat je doet, liefje, je gooit mogelijkheden weg die je onmogelijk in kunt halen. Ik weet hoe het voelt op deze leeftijd, alles lijkt verwrongen omdat je nog steeds opgroeit en dingen voor het eerst doet, dingen die enorm lijken wanneer...'

Op dat moment viel ze me in de rede en terwijl ze sprak besefte ik dat haar trillende mond niet op kwetsbaarheid maar op woede had geduid. 'Het is maar een getal, mam! Begrijp je dat dan niet? Het maakt niet uit of ik zeventien of achttien of vijfendertig ben, ik weet gewoon hoe ik me voel. Er is niets "verwrongen" aan deze situatie. Het is gewoon geweldig! Ik houd van hem en hij houdt van mij en dat is waar alles om gaat!'

Ze haalde zwaar adem en haar borst ging bijna synchroon met mijn borst op en neer. Ik klemde mijn lippen op elkaar om haar niet nog verder tegen te spreken, om haar tienerclichés niet met mijn eigen clichés te beantwoorden: Je houdt niet echt van hem, je weet niet wat liefde is, als je hier later op terugkijkt zul je je erover verbazen dat je alles zo serieus hebt genomen, en dat gebeurt sneller dan je denkt! Maar dan is het nog steeds te laat... Ik ademde diep in en zei: 'Oké, ik accepteer dat jij er zo over denkt. Maar toch zul je je soms af moeten keren van iemand van wie je houdt, Roxy.'

'Waarom?'

Ik staarde haar treurig aan. 'Vanwege de gevolgen die dit voor andere mensen heeft.'

Ze keek me woest aan en ik zag in haar ogen niet, zoals ik had verwacht, de zekerheid dat we nu als gelijken discussieerden, maar veel erger, de arrogantie dat ze me had achtergelaten, dat er niets was dat ik haar kon vertellen dat ze inmiddels niet zelf had ontdekt. Dat er een doorslaggevende theorie was over deze daden van haar ten aanzien van mij en dat dit zowel de meest waarschijnlijke als de meest afschuwelijke theorie was: ze had gewoon helemaal niet bij mijn gevoelens stilgestaan. Of er in elk geval niet voldoende over nagedacht. En was dat tenslotte niet het verschil tussen een meisje en een vrouw, een kind en een volwassene? Je begrijpt dat anderen net zulke intense gevoelens kunnen hebben, dat ieders eigen ervaring voor diegene even belangrijk is, even beslissend; alleen is die ander nog niet ver genoeg bij zichzelf vandaan gestapt om dat te kunnen weten.

Ze stak haar kin koel en bits omhoog. 'En ben jíj weggelopen van de eerste man van wie je hield?'

Alistair, haar vader. Ik was nauwelijks achttien geweest, een jaar ouder dan zij nu, maar in veel opzichten jonger dan zij, een tiener uit een andere tijd. 'Nee.'

Toen ik omlaagkeek, hield ze haar hoofd zelfs nog hoger. 'Tja, dat bedoel ik nou net.'

En zo vertrok ik een paar minuten later, terug over het met keien geplaveide pad, zonder mijn dochter, zonder te weten of ik ooit terug zou mogen komen.

24

Er zat niets anders op dan Alistair te vertellen dat ik had gefaald. Zijn reactie was geheel voorspelbaar en begrijpelijk: hij vloekte hevig, maakte zijn agenda onmiddellijk leeg en vloog naar La Rochelle. Na mijn confrontatie met Roxy maakte ik me zorgen dat ze zoiets zou verwachten en er voor de tweede keer halsoverkop vandoor zou gaan (haar paniek bij de gedachte dat haar vader misschien al hier was, was tijdens ons gesprek zo ongeveer het enige moment geweest waarop ze enige zwakheid had vertoond), maar ik zei tegen mezelf dat ze onmogelijk kon verwachten dat hij dezelfde dag nog voor haar neus zou staan, en dat nog wel op zondag. Ik voelde me hier zo ver weg, lichtjaren verwijderd van La Rochelle, laat staan Londen. De brug naar het vasteland, wanneer die in zicht kwam, leek met pen en inkt op een papieren lucht te zijn getekend, niet van beton en staal gebouwd.

Voor mij kon hij er niet snel genoeg zijn. De adrenaline die me zo lang op de been had gehouden was uit mijn systeem weggevloeid in de paar minuten die ervoor nodig waren om van Roxy in de rue de Loix naar Tash in ons onderkomen te lopen. De details van de ontmoeting kwamen er met horten en stoten uit, te midden van veel tranen, maar mijn zusje begreep in grote lijnen wat er was gebeurd.

'Je moet het niet opgeven,' zei ze, met zelf ook tranen in haar ogen. 'Je hebt de onderhandelingen alleen maar geopend, dat is alles.'

'Nee,' zei ik. 'Er valt hier niets te onderhandelen, niet met haar.'

'Maar hoe kun je dat nu zeggen? Misschien heb je haar echt wakker geschud en aan het denken gezet.'

Ik schudde mijn hoofd zo heftig dat de tranen langs mijn oren gleden. 'Ik ken haar. Dat is het punt, Tash, het punt dat ik was vergeten: ik ken haar langer dan vandaag. Ik heb zeventien jaar de tijd gehad om te zien hoe stukjes van Alistair en mij bij elkaar zijn gekomen en zijn verenigd tot dit...' Ik zweeg huilend, niet bij machte de juiste woorden te vinden, en Tash keek me hulpeloos aan.

'Maak je alsjeblieft niet zo overstuur, ik besef dat het vreselijk is, maar laten we even afwachten wat Alistair zegt. Misschien heeft hij een nieuw idee. Je moet proberen even wat te slapen, Kate. Je bent totaal uitgeput.'

Terwijl ik op het bed in elkaar zakte, veranderde haar stem in die van mijn moeder, sterk, nijdig, maar ook vreemd bewonderend. Ze had het over Roxy – of was het over mij? Een opmerking van twintig jaar geleden? – 'Ze weet wat ze doet, dat meisje. Dat moet ik haar nageven, ze weet wat ze doet.' Die stukjes van ons die Roxy hadden gevormd, die stukjes van mijn ouders die mij hadden gevormd, dat waren de ergste stukjes en de beste stukjes door elkaar, want alleen de beste bleven over. Ze weet wat ze doet...

Ik zakte langzaam weg.

Ik sliep de hele middag, een diepe, hardnekkige slaap, en ik moest worden wakker geschud om Alistair beneden te komen begroeten.

'Hallo meisjes...' Toen Tash en ik haastig de trap af kwamen, keek hij op van de incheckbalie en stak zijn hand op ter begroeting. Hoewel ik hem nog maar een paar dagen geleden had gezien, viel me nu opeens op een volstrekt nieuwe manier op hoeveel hij op Matthew leek, als een voorbode van de toekomst, van een tijd dat onze zoon ook volwassen zou zijn. Zoals hij daar stond, lang en breedgeschouderd, in het halletje van ons pension, met een heldere en oprechte blik, leek hij opeens de belichaming van alles wat sterk en goed was. Bijna heroïsch. Toen we elkaar omhelsden, voelde ik een plotselinge golf van emotie doordat ik me exact herinnerde hoe het was geweest toen wij nog samen en gelukkig waren geweest, hoe we op een zonnige zaterdag door de hoofdstraat waren gelopen met Roxy zwaaiend tussen ons in, zonder ons ooit te kunnen voorstellen dat we nog eens in een situatie als deze zouden belanden.

Hij kuste Tash en behandelde haar aanzienlijk hoffelijker dan de vorige keer dat ze elkaar hadden ontmoet. Dat was een opluchting; ik dacht niet dat ik de energie bezat om zijn onhebbe-lijkheden in goede banen te leiden. 'Geen slechte reis, hè? Ik ben nog maar net uit het vliegtuig gestapt, zo'n... eens even kijken, drie kwartier geleden.' Hij droeg een spijkerbroek, een groene wollen trui en een regenjas, en hij had als bagage niet meer dan een boodschappentas van het vliegveld bij zich. Wat was hij ervan overtuigd dat dit niet meer zou zijn dan een bliksem-bezoek, dat hij op het toneel zou verschijnen om in één morgen te bereiken wat mij in bijna een week nog niet was gelukt. Hij had waarschijnlijk zelfs geen tweede paar sokken meegebracht. 'Ik ben letterlijk de deur uit gehold,' zei hij, toen hij mij naar de boodschappentas zag kijken. 'Paspoort, portemonnee, telefoon. O, en mijn legendarische overredingskracht, uiteraard.'

'Vond Victoria het goed dat je zo snel verdween?'

'Ja hoor. Ze had het al zo'n beetje verwacht.'

'En Matt?'

'O, die is eraan gewend dat ik opeens naar mijn werk moet.'

Echt? Zelfs in de weekends? Dat wist ik niet. Ik had altijd ge-dacht dat ze hun tijd samen in wederzijdse en ademloze toewij-ding zouden doorbrengen. 'Nou, ik ben echt blij dat je er bent,' zei ik. 'We hadden gedacht je bij het eten van alles op de hoogte te brengen. Is dat goed? Dan beslissen we daarna wat we verder gaan doen.'

'Klinkt goed. Ik rammel.'

Het was op zijn zachtst gezegd vreemd om in deze opstelling naar de haven te lopen: Alistair, Tash en ik. Ik liep in het midden en probeerde kracht uit hen beiden te putten, terwijl ik me af-vroeg of ik in staat zou zijn zonder hen overeind te blijven. Ter-wijl zij de menukaarten bekeken en bespraken welk restaurant we zouden proberen, voelde ik me levend begraven onder de la-wine aan gebeurtenissen van de afgelopen weken, gebeurtenissen die bijna alles hadden uitgewist waarvan ik had gedacht zeker te zijn: Roxy de trouwe dochter, Tash het hopeloze jonge zusje, Alistair de vijand, Davis de held. Nu was alles in de war, was nie-mand nog herkenbaar, en de uitkomst... tja, als Alistair geen succes had waar ik had gefaald, dan zou het niemand lukken.

In de bistro voelde ik mijn humeur langzaam weer wat stijgen. De muziek en de warmte waren geruststellend, net als de volle karaf wijn en de warme, heerlijke geuren die uit de keuken kwamen, *cuisine de grandmère* noemden ze het hier. Ik had maar één grootmoeder gekend, de moeder van mijn vader, die was gestorven toen Roxy een baby was. Ik wist nog hoe we in het verpleeghuis aan haar bed waren ontboden, zodat ze haar achterkleindochter kon zien, en hoe er een heel dun traantje in haar zwakke oude ogen was verschenen bij de aanblik van een nieuwe generatie. Er zat nog maar zo weinig leven in haar dat ze niet eens een hele traan kon plengen! Goddank had zij – evenmin als mijn ouders trouwens – geen idee van wat zich op dit moment in een plaatsje aan de westkust van Frankrijk afspeelde.

'Juist ja.' Alistair was zakelijk, telefoon op tafel, tikkend met zijn vingertoppen, klaar voor zijn briefing. 'Vertel me nu eens wat er is gebeurd, van het begin af aan.'

We hadden er twee gangen en een tweede karaf wijn voor nodig om dit te doen. Als Tash en ik op kantoor verslag hadden moeten uitbrengen aan een chef hadden we het niet grondiger kunnen doen, maar het resultaat bleef hetzelfde, hoe gedetailleerd we ook waren geweest: Roxy zat niet bij ons aan tafel, dit was geen afscheidsetentje voordat we haar de volgende morgen mee naar huis namen.

'Ik denk dat we ervan uit moeten gaan dat ze weg zullen gaan wanneer we hen lastig blijven vallen,' zei ik. 'Dit is niet het soort plek waar problemen onopgemerkt blijven.'

'Volgens mij moeten we wel bedenken wie hier nou wie lastigvalt,' zei Alistair grimmig. 'Deze man heeft misbruik gemaakt van een minderjarige. Als er iemand problemen zal krijgen, is hij het, en ik ben van plan hem dat heel duidelijk te maken.'

'Dat weet ik, maar laten we toch proberen alles zo beschaafd mogelijk te houden wanneer we er morgen heen gaan. Misschien is hij er wel niet.'

Alistair viel me in de rede, met een ongelovige blik in de ogen. 'Morgen? Waar héb je het over?' De eters aan het tafeltje naast ons keken op bij zijn luide stem, en ik zette me schrap voor een scène. Maar Alistair wenkte de ober slechts om de rekening. 'Ik ga er nu naartoe. Als we tenminste allemaal klaar zijn. Tash?'

Tash keek spijtig naar haar lege koffiekopje. 'Kate heeft gelijk, Alistair, we kunnen beter tot morgenochtend wachten.'

'Waarom? Het is laat, dan zijn ze er vast niet op verdacht. En als ze, zoals jij zegt, niet opendoen als er gebeld wordt, nou, dan is het gemakkelijker om in het donker over de muur te klimmen zonder te worden gezien dan bij daglicht, nietwaar?'

Ik probeerde de vestingachtige indeling van het huis te beschrijven, het feit dat hij om Roxy te bereiken niet alleen over een muur van tweeënhalve meter hoog zou moeten klimmen maar ook nog eens door een reeks gesloten deuren heen zou moeten, maar hij viel me gewoon weer in de rede. 'Het kan me niet schelen, Kate. Ik ben niet helemaal hierheen gekomen om eens een nachtje bij te slapen.' Zodra de rekening was betaald, sprong hij overeind, met een rood hoofd van de wijn. 'Kom mee, wijs me de weg.' Hij was de deur uit voor ik antwoord kon geven. Tash en ik keken elkaar even aan voor we hem volgden, en ik kon zien dat ze dacht: er zit niets anders op. We konden hem ook niet de andere kant uit sturen, want we hadden hem nog geen drie uur geleden, op weg naar het eten, de kruising gewezen die naar Davis' huis leidde. Het hele stuk over de rue du Baron de Chantal probeerde ik hem op andere gedachten te brengen, maar het was zonde van mijn energie. Ik kende mijn ex-man. Hij was hitsig door de wijn en een door drank overmoedige man die altijd al doortastend van aard was, vormde een reëel gevaar. Hij was niet tegen te houden.

'Dit is de straat,' zei ik, terwijl ik automatisch begon te fluisteren, hoewel we nog een eind bij het hek vandaan waren.

'Het is zo stil,' mompelde Tash. 'Meestal ziet het er niet zo spookachtig uit.'

Ze had gelijk. Het was er donker, koud en volmaakt stil. Ik begon te antwoorden dat we hier meestal niet zo laat rondslopen, maar ik werd afgeleid door een scherp gesis van Alistair: 'Ik dacht dat jullie zeiden dat ze zich steeds schuilhielden? Is dat die klootzak niet, daar bij het witte hek?'

Tash en ik gaapten vol ongeloof. Wonderbaarlijk genoeg hadden we, na dagenlang zonder succes de wacht te hebben gehouden, Davis betrapt op het moment dat hij zijn huis verliet. Hoewel het koud was, had hij geen jack of jas aan gedaan, glipte hij kennelijk even de deur uit om iets te halen. De aanblik van zijn gestalte, de schaduwen van zijn jukbeenderen, het verwarde krullende haar, zijn soepele gang, het was allemaal vreselijk nabij. Het was bijna alsof ik hem kon ruiken en hem ook kon proeven, zijn huid onder mijn vingers kon voelen.

'Blijf stil,' zei ik hees in Alistairs richting. 'Hij mag ons niet zien.' Ik nam aan dat we Davis zouden volgen, naar waar hij ook naartoe mocht gaan, maar Alistair had kennelijk andere ideeën en hij negeerde me volledig en schreeuwde door de stilte: 'Hé makker! Kom eens hier!'

Davis bleef meteen staan. Toen, na een kort moment en zonder zelfs onze kant maar uit te kijken, draaide hij zich om en begon terug te lopen naar het hek.

'Denk je dat hij heeft gezien wie het was?' fluisterde Tash tegen me.

'Natuurlijk heeft hij dat gezien,' zei ik, als verdoofd. 'We moeten naar binnen voor het hek weer dichtgaat.'

Maar de dingen gebeurden zo snel dat mijn zin overbodig was. Alistair was de weg overgestoken en duwde Davis met zijn voorkant tegen de muur naast het hek, precies zoals een politieagent dat deed bij het aanhouden van een verdachte, en er klonk veel geschuifel en gehijg toen Davis erin slaagde zich om te draaien en zijn belager recht aan te kijken.

Tash en ik stonden als aan de grond genageld. 'Snel!' zei ze, toen ze als eerste reageerde. 'We moeten hem tegenhouden voor hij iets doms doet!' Ze bedoelde Alistair, besefte ik. Verbijsterend genoeg was hij het gevaarlijke element in deze situatie, niet Davis. Ze stapte de weg op en bleef staan bij de auto die het dichtst bij het hek stond, vlak bij de worstelende gestalten van de mannen, en draaide zich toen om en keek me vragend aan, niet wetend wat te doen. Ik kon haar echter moeilijk advies geven, want ik kon mijn eigen reacties nauwelijks bedwingen, laat staan tussenbeide komen. Ik voelde misselijkheid en verwarring, maar ook het begin van een duister soort opwinding. Was dit wat ik onbewust had gewild, althans voor een deel, toen ik Alistair had aangespoord te komen? Om fysiek de man aan te vallen die mij had bedrogen?

'Waar is ze?' vroeg Alistair dreigend, met een afschuwelijk moordzuchtige stem. 'Doe verdomme dat hek open en breng haar hier!' Ik zag nu dat Davis Alistair evenzeer in een greep hield. Ze waren met elkaar verstrengeld als worstelaars in een vooraf vastgestelde reeks bewegingen. Tot Alistair losbrak, Davis van zich afschudde en met zijn eigen lichaam tegen het hek sloeg, in een poging het open te rammen, hamerend met zijn vuisten.

'Kate, we moeten iets doen!' zei Tash, maar bij al het misbaar zag ik alleen haar lippen bewegen.

'Maak niet zoveel lawaai,' zei Davis vanuit de schaduwen erachter, en ik voelde een lichte huivering bij het geluid van zijn stem. Zijn ademhaling klonk hijgend na hun schermutseling maar zijn stem was even beheerst als altijd. 'Ze is er trouwens niet. Je verdoet je tijd.'

'Maak mij wat wijs!' snauwde Alistair. 'Je hebt haar zeker in de kelder opgesloten?' (Het was waarschijnlijker dat Davis met Roxy had afgesproken dat zij zich op zou sluiten wanneer juist dit scenario zich zou voordoen.) 'Waar is de sleutel, hè? Dit is een ontvoering!'

'Ontvoering? Ik zou u willen adviseren dit soort termen hier niet te gebruiken, meneer Easton. Het zou als smaad kunnen worden uitgelegd. En hetzelfde geldt voor uw vrouw.' Hierop gebaarde Davis met één hand in de richting van Tash en mij – de eerste aanduiding dat hij zich van onze aanwezigheid bewust was.

Alistair hield op met timmeren en draaide zich woest naar hem om. 'Míjn vrouw? Als je het over Kate hebt, dan denk ik dat je bent vergeten wiens vrouw ze is, makker. Je hecht niet veel waarde aan je trouwbelofte, hè?'

Davis keek hem smalend aan. 'Ongeveer evenveel als jij, denk ik. Het is niet zo dat ik de eerste ben die haar in de steek heeft gelaten, hè? Ik laat tenminste niet een heel gezin achter.'

Hierop greep Tash mijn hand en hield die stevig vast. We hadden misschien nog iets van een grimmige komedie kunnen zien in deze situatie van twee echtgenoten die ruzie maakten over wie mij het meest niet wilde, als ze niet meteen weer waren gaan vechten. Alistair had opnieuw naar Davis uitgehaald en wankelend knokten ze heen en weer, in en uit de lichtbundel van een veiligheidslamp. Toen Alistair aan de winnende hand leek te zijn, hoorde ik de bons van Davis' lichaam toen hij tegen de stenen muur achter hem klapte. Dit begon gevaarlijk te worden;

het hout van het hek had tenminste nog iets meegegeven, maar zware blokken steen hadden een ander effect.

'Dit is niet goed,' riep Tash. 'Straks komt de politie er nog bij. We moeten iets doen!'

Ik kwam nog steeds niet in actie, er was nog steeds een deel van me dat wilde zien tot hoever Alistair hiermee zou gaan. Maar ten slotte stapte ik toch naar voren. 'Stop!' gilde ik. 'Hou alsjeblieft op!'

Alistair hield onmiddellijk op met duwen, hoewel hij Davis nog steeds in zijn greep hield, met hun gezichten slechts centimeters bij elkaar vandaan. Toen hij iets zei, klonk zijn stem hees. 'Luister, Calder, ik doe je een voorstel. Ik kom morgenochtend om acht uur hier terug en als ze er dan niet is, trap ik die deur in en vermoord ik je, begrepen?'

'Doe niet zo dwaas,' zei Davis. 'Er wordt hier niemand vermoord.'

'Ik denk dat je me onderschat.'

'En je bedreigt me, iets wat zowel de politie als je dochter heel interessant zullen vinden om te horen.'

Bij deze eerste directe verwijzing van Davis naar Roxy werd Alistair weer briesend. 'Hier zul je niet zomaar mee weg kunnen komen, jij smerige pedofiel!'

'Ik heb je al eerder gezegd dat je op je woorden moet passen…'

'Ik zal verdomme zeggen wat ik wil, beest dat je bent.'

'Alistair, hou op!' riep ik voor de tweede keer. 'Je maakt alles nog veel erger!' Deze keer reageerden ze geen van beiden, ze bleven maar doorgaan met hun gruwelijke krachtmeting, hijgend en wel, totdat een plotseling vertoon van kracht van Davis' kant Alistair moeizaam achteruit deed stappen naar de stoeprand. Ik dacht dat hij er op dat moment mee op zou houden, maar in plaats daarvan dook hij naar voren om Davis te raken, niet met het krakende geluid dat ik misschien had verwacht, maar met een klein, plat geluid, alsof iemand een appel op het betonnen pad liet vallen. Davis deinsde achteruit, tegen de muur aan, terwijl hij naar zijn gezicht greep, pal onder de lichtbundel van de lamp. Er was geen bloed te zien.

'Ik meen wat ik zeg,' zei Alistair. 'Ik wil haar morgenochtend terug hebben.'

Davis mompelde iets bij wijze van antwoord. Het was onverstaanbaar voor mij, maar het was binnen gehoorsafstand van Alistair, die prompt een paar stappen achteruit deed als om de beste afstand te schatten om een nieuwe aanval te doen. Omdat ik dacht dat hij Davis wilde schoppen, schoot ik toe om hem weg te trekken, waardoor we allebei even wankelden. Ik merkte dat Tash haar gezicht achter haar handen verborg, alsof ze bang was zelf een klap op te lopen.

'Je hebt geluk dat ik weet wanneer ik moet ophouden,' spuwde Alistair in Davis' richting terwijl ik hem weg bleef trekken. 'Kom Kate, we gaan hier weg.'

Tash holde ons achterna als een bang kind, stilletjes huilend, en ik voelde me ontzet omdat ze dit drama had moeten meemaken. Maar dat niet alleen, ik had ook gewild dat het voortduurde! Wat was ik toch een armzalige beschermster geweest, op ieder denkbaar niveau.

Toen ik op het punt stond de hoofdstraat in te gaan, keek ik als enige nog een keer achterom naar het witte hek. Davis stond daar en profil en betastte voorzichtig zijn linkerjukbeen. Tijdens de hele episode had hij niet één keer in mijn richting gekeken.

Bij het pension excuseerde Tash zich en ging rechtstreeks naar bed. Ik begreep dat ze ons zowel vanwege een gevoel van shock als uit een besef van discretie alleen liet. De zitkamer was verlaten. Ik was er vrij zeker van dat wij de enige gasten waren en dat de eigenares elders woonde – en dat was maar beter ook als Alistair weer zou beginnen te schreeuwen. Ik zag hoe hij zich op de zelfbedieningsbar stortte om een fles cognac en twee glazen te pakken. Daarna schoof hij de glazen deur naar het terras open en stapte naar buiten. Het was kennelijk de bedoeling dat ik hem zou volgen.

Er was een kleine binnenplaats met keien, niet groter dan een boksring, met hoge, lichte muren, een plastic tuintafel met stoelen en een gele parasol die voor de winter was dichtgebonden. Er fonkelden kerstboomlichtjes in een varen in een pot in een hoek. Nuttiger, leek me, was een antieke reddingsboei die aan de muur was vastgespijkerd. Ik was in staat me eraan vast te klampen en nooit meer los te laten.

Alistair goot wat vloeistof in de glazen en we bleven een paar minuten zwijgend zitten drinken.

'Dit is niet de manier om het te doen,' zei ik ten slotte. 'Als ze eerder al niet op de vlucht zijn gejaagd, dan nu wel.'

Hij glimlachte half. 'Ik heb je daar anders niet zien protesteren.'

'Dan heb je misschien niet geluisterd,' zei ik. Onze ogen vonden elkaar. Ik had hem noch mezelf voor de gek kunnen houden. 'Of misschien had ik wat doortastender moeten zijn. Maar het is in elk geval niet wat ík wil dat er met hem gebeurt.'

'Hij mag blij zijn dat ik hem niet het ziekenhuis in heb geslagen,' zei Alistair, sprekend in de holte van zijn glas. 'Dat zou ik wel met hem willen zien gebeuren.'

Ik zuchtte. 'En dan? Jij naar de gevangenis terwijl Roxy aan zijn bed Florence Nightingale zit te spelen?'

Hij erkende dit punt met een hoofdknik.

'We willen niet dat ze op de loop gaat, Alistair.' Ik zei niet hardop wat mij voortdurend door het hoofd had gespeeld sinds deze crisis was begonnen: gedachten die te maken hadden met mijn ervaring in het werken met daklozen, al die statistieken over ziekte, drugs, geestelijke gezondheid, levensverwachting. Incidentele ontmoetingen op het adviescentrum hadden mij er niet aan doen twijfelen dat de meeste van deze arme zielen bewust het gevaar van een leven op straat hadden verkozen boven een verzoening met hun familie, waarbij velen in eerste instantie het huis hadden verlaten om minder ernstige redenen dan waarom Roxy was vertrokken (en soms aanzienlijk minder ernstige redenen). 'Het is beter als we weten waar ze is, met een dak boven haar hoofd, fatsoenlijk te eten...'

Alistair viel me in de rede. 'Het is nog beter als ze terug is waar ze thuishoort.'

'Maar niet op deze manier. Davis in elkaar slaan zal haar niet naar huis doen komen.'

'En onderhandelen kennelijk ook niet.' Hij nam een flinke slok uit het glas voor hij zich nog eens royaal inschonk. Toen hij zag dat ik mijn glas nauwelijks had aangeraakt, zette hij de fles met een zware bons op de tafel, maar ik was te uitgeput om te reageren.

'Niet met haar, nee,' zei ik. 'Maar ik heb nog niet de kans gehad met hém te praten.'

'Bedoel je dat je werkelijk met die klootzak wilt praten?'

Ik knikte. Het zou niet voorbij zijn voordat ik dat had gedaan, besefte ik nu. En ik zou mijn kans krijgen, Davis zou me niet eeuwig kunnen ontwijken. Maar Alistair moest er niet bij zijn als ik dit deed, dit ging tussen Davis en mij. 'Ik denk eerlijk gezegd, Alistair, dat we het hier voorlopig bij zullen moeten laten. En moeten terugkomen wanneer alles weer een beetje tot rust is gekomen.' Ik wist niet hoe of wanneer dat zou gebeuren, maar mijn jarenlange ervaring met de rampen van andere mensen vertelde me dat dit het geval zou zijn. 'We moeten zorgen dat voor Matt het leven weer normaal wordt.'

Bij het noemen van de naam van zijn zoon kreunde Alistair lang en gekweld, en het leek of al mijn eigen wanhopige emoties ook in dat geluid waren besloten. Ik keek hem aan met meer tederheid dan ik in heel lange tijd had gevoeld. Al die jaren van denken als één, van liefhebben als één, die verdwenen niet zomaar, en juist nu waren wij de enige mensen op de wereld die precies begrepen hoeveel verdriet de ander had.

'Arme kleine knul,' zei hij, 'hij zit daar maar en heeft geen flauw benul.'

'Hopelijk diep in slaap.' Ik probeerde te glimlachen. 'Het is al laat, weet je.' Ik vond het een vreselijk idee dat mijn kleine jongen moest slapen zonder dat een van ons bij hem was. Het was morgen maandag en ik zou er niet zijn om zoals anders de nieuwe schoolweek met hem te beginnen. We moesten écht een punt zetten achter deze achtervolging. 'Hoor eens, ik denk dat we wel zeker weten dat ze morgenochtend om acht uur niet bij het hek zullen staan. Waarom gaan we niet gewoon naar huis, om onze wonden te likken en over een paar weken weer terug te komen?'

Alistair knikte en zweeg een tijdje, terwijl hij peinzend de cognacfles bekeek. Ik kon voelen dat hij wilde dat de cognac zijn werk deed en alle gebeurtenissen van die avond uit zou wissen.

Ik nam nu een flinke slok. 'Ik zal nog één keer proberen hem te bereiken, en dat zal het voorlopig moeten zijn. Maar ik weet niet zeker of hij met me zal willen praten, deze keer. Zoals je zag heeft hij op geen enkele manier gereageerd op het feit dat ik erbij was.'

De meelevende blik waarmee Alistair me aankeek was onverwacht roerend. 'Ik kan gewoon niet geloven dat hij jou zó heeft behandeld. Het is echt weerzinwekkend.'

'Hij zal het niet winnen,' zei ik kalm. 'Hij zal het verliezen. Alleen gebeurt dat misschien niet meteen.'

Hij trok zijn wenkbrauwen op. 'Je doet er opeens wel heel filosofisch over.'

'Ik denk alleen maar dat we de dingen niet kunnen forceren. Dat ben ik gaan inzien toen ik vanmorgen met Roxy sprak. Zoals zij het ziet is dit de grote liefde van haar leven. Ze zal zelf moeten beseffen dat dat niet het geval is.'

Alistair staarde me aan. 'Weet je, Kate, toen ik…' Hij kreunde opnieuw, alsof hij door een onverdraaglijke waarheid werd gekweld. 'Toen ik wegging, was het een heel andere situatie, weet je…'

Ik knikte. 'Dat was inderdaad heel anders. Hij is echt gestoord, terwijl jij alleen maar…' Ik zweeg. Zelfs na negen jaar had ik moeite om onder woorden te brengen wat de oorzaak van Alistairs vertrek was geweest. 'Jij was alleen maar een man.'

Daar moest hij om lachen, niet alleen maar uit ongenoegen, en we staarden elkaar opnieuw aan. Toen, op hetzelfde moment, ontdekten we allebei dat ik hevig zat te rillen. 'Je bent ijskoud,' zei hij, en hij schoof zijn stoel om de tafel heen naar mij toe en sloeg zijn arm om me heen. Zonder erbij na te denken legde ik mijn hoofd in de holte tussen zijn schouder en oor. Het was niet alleen zijn warmte die troostvol was, het was ook de vertrouwdheid van die plek. In gelukkiger dagen had ik iedere nacht geslapen met mijn gezicht in zijn hals. Ik keek omhoog om verontschuldigend te glimlachen, maar ik had nauwelijks de tijd gehad om mijn mondhoeken omhoog te doen of hij draaide zijn gezicht nog dichter naar me toe en kuste me.

Ik maakte me los. 'Wat doe je nou?'

'Geen idee,' mompelde hij.

'Dit is niet de oplossing, Alistair.'

'Natuurlijk niet, zo bedoel ik het niet.'

'Doe het dan ook niet, alsjeblieft.'

'Ik bedoelde niet… Ik wilde alleen maar…'

Terwijl we deze woorden fluisterden, bewogen onze lippen

zich weer naar elkaar toe, tot we op luttele centimeters afstand waren en hij me opnieuw wilde kussen. Een seconde lang kwam ik in verleiding, zoveel behoefte aan menselijke troost had ik. Het maakte niet uit wie die troost aanbood, nu alle details van het waarom en waarvoor toch al wazig waren doordat ik veel meer alcohol had gedronken dan ik van plan was geweest. En dan was er het grote verdriet in zijn ogen, en ik besefte dat ik het fout had gehad, dat zijn verdriet inderdaad anders was dan het mijne. Ik was er al aan gewend, ik berustte in het verlies van Roxy, niet alleen door de gebeurtenissen van de afgelopen week maar ook door die van de afgelopen maanden, maar hij had tot vanavond niet echt geweten hoe hopeloos onze zoektocht eigenlijk was. Wat hij nu onderging was het schrijnende, het harde, van die eerste momenten van inzicht.

Hij drukte zijn lippen een tweede keer tegen de mijne en zei zacht: 'Kunnen we alsjeblieft niet...'

'Nee Alistair!' Ik schoof mijn stoel een eind bij hem vandaan, zodat we nu allebei een kwart cirkel rond de tafel waren verschoven. Dit kwam wat lachwekkend bij me over, alsof we stukken waren in een soort levensgroot bordspel. 'Kom, laten we naar binnen gaan voor we allebei onderkoeld raken.'

We deden de deur achter ons op slot, spoelden onze glazen om, deden de kurk weer op de fles en beklommen de trap. Toen we voor onze kamerdeuren uit elkaar gingen, werd ik opeens getroffen door een echo uit het recente verleden, van Davis en ik die buiten onze voordeuren in Francombe Gardens stonden, met onze sleutels gereed bij onze respectievelijke sloten, en ons gelijktijdig van elkaar afwendden teneinde op exact hetzelfde moment de deur open te doen.

'Is alles nog goed tussen ons?' vroeg Alistair, die mijn gekwelde blik voor misnoegen jegens hem aanzag.

'Natuurlijk wel.' Ik moest me bedwingen om niet zijn hand te grijpen, zo jongensachtig en hulpeloos zag hij eruit, net als Matthew wanneer hij iets verkeerds had gedaan. Hij stond wat onvast op zijn benen toen hij zich bukte om mijn wang te kussen.

'Tot morgen, Alistair.'

'*A demain*, bedoel je?' grijnsde hij. 'Klinkt beter in het Frans, vind ik altijd. Alsof er alleen maar goede dingen kunnen gebeuren.'

'*A demain.*' Ik glimlachte terug. En op dat moment klonken de woorden inderdaad hoopvoller.

Net als de slimste van de drie biggetjes was Alistair ver voor de bestemde tijd ter plaatse. Het enige probleem was dat hij dit zo had bestemd, en de wolf niet, en het verbaasde ons dan ook niet in het minst dat Davis niet kwam opdagen om Roxy aan haar vader over te dragen, met de koffer in de hand, klaar om te vertrekken. Na een uur van bellen en roepen en het naar buiten komen van buren om te klagen, wist ik Alistair over te halen naar Londen terug te vliegen.

'Ga jij met hem mee,' zei ik tegen Tash toen we alleen waren, deels omdat ik wilde dat er iemand voor de veiligheid met hem meeging, maar ook omdat het voor haar eveneens tijd was om te vertrekken. Ze moest de huurauto, die we dagenlang niet meer hadden gebruikt, terugbrengen en, nog belangrijker, ze moest haar eigen leven weer gaan leiden. Terwijl ik haar hielp inpakken gaf ik haar de sleutels van mijn huis en zei dat ze voorlopig in de flat kon bivakkeren.

'Bedankt Tash, voor alles.'

Ze keek verbaasd. 'Ik wilde graag mee. Ik had toch niets beters te doen.'

'Nou, ik zal dit desondanks niet vergeten.'

'Volgens mij kun je het beter wél vergeten.' Ze glimlachte, het was maar voor de helft een grap geweest.

'Misschien. Maar ik meen het, eerlijk. Ik heb het gevoel dat dankjewel eigenlijk niet genoeg is. Ik ben je ook mijn excuses schuldig.'

Ze zette grote ogen op. 'Doe niet zo gek. Jij hebt niets gedaan, dat was Alistair.' Ze dacht dat ik het over die horrorfilm van gisteravond had.

'Dat bedoel ik niet, ik bedoel, nou ja, voor de manier waarop ik me altijd heb gedragen.'

Ze bloosde. 'Ik begrijp het niet. Wat bedoel je?'

'Nou, gewoon alles. Dat ik nooit veel voor jou heb gedaan, je aan papa en mama heb overgelaten.' Haar niet serieus had genomen, dat was wat ik eigenlijk bedoelde, of om preciezer te zijn, dat ik mezelf zo serieus had genomen dat er weinig plaats voor iets anders was geweest, zelfs niet voor mijn eigen zusje.

Tash keek me met heldere ogen aan en glimlachte. 'Jij verwijt jezelf wel erg veel, weet je dat? Het is niet jouw schuld dat ik in het verleden nutteloos ben geweest. Bovendien heb ik dat allemaal misschien wel leuk gevonden, bij papa en mama. Het was lekker makkelijk om zo lang studente te kunnen zijn zonder me af te hoeven vragen wie de rekeningen betaalde. Maar misschien ben ik nu wel zover om mijn vleugels een beetje te spreiden.' Ze lachte. 'Klinkt wel een beetje mallotig uit de mond van iemand van zevenentwintig, hè? Maar ik denk dat we allemaal in ons eigen tempo volwassen moeten worden.'

We keken elkaar aan. Manieren van spreken, versleten frases, ze hadden nu allemaal een zoveel sterkere betekenis, en te oordelen naar de manier waarop de ogen van Tash instinctief naar het raam gleden, was ik niet de enige die opnieuw aan Roxy werd herinnerd. Dacht ze net als ik dat er laat- en vroegbloeiers waren? Gisteravond was ik bij het eten voor negentig procent verzoend geweest met het feit dat ik, wanneer ik naar Londen terugging, mijn dochter niet mee terug zou brengen. Nu was dat negenennegentig procent.

Ik pakte de koffer van Tash. 'Laten we naar beneden gaan. Alistair zal staan te wachten. Sorry dat ik je samen met hem naar huis stuur, ik vermoed dat je tijdens de reis nog wel het een en ander te horen zult krijgen.'

'Hij heeft het volste recht om kwaad te zijn. Jullie allebei.' Ze knoopte haar jasje dicht. 'Dus je gaat echt niet met ons mee?'

'Nee. Ik blijf de rest van de dag en als ik Davis dan nog steeds niet te spreken heb kunnen krijgen, kom ik naar huis. Er gaat vanavond om negen uur nog een vliegtuig, ik neem dat als er nog plaats is, en dan ben ik tegen twaalf uur thuis. Ik kan Matthew niet langer alleen laten, voor niemand.'

Zelfs niet voor Roxy.

Beneden stond Alistair voor de oude stenen schouw al op zijn BlackBerry te tikken, om op zijn werk de zaken van maandagochtend te regelen. 'Rupert? Wilde je me spreken? Hoe is die telefonische vergadering verlopen? Mooi zo. Is Ellen er vanmorgen? Wanneer vertrekt ze naar Boedapest?' Op iedere pauze van tien seconden die vragen bevatten van zijn collega's, reageerde

Alistair met een snelle beslissing. Alleen maar ja of nee. Deden we het beter wanneer we als ouders fungeerden, met het nemen van beslissingen en het bestrijden van problemen, of deden we het gewoon roekelozer?

'Zeg het maar wanneer je klaar bent, Alistair,' zei Tash toen hij de telefoon opborg. 'Ik wacht wel in de auto.'

We keken haar na toen ze naar buiten liep, het zonlicht in. 'Sorry,' zei Alistair, en hij keerde zich naar me toe om me een onhandige afscheidsomhelzing te geven. 'Ik geloof dat ik niet van veel nut ben geweest, hè?'

'Het geeft niet. Het is een onmogelijke situatie.' Toen keken we elkaar aan. Zijn gezicht was een collage van schaapachtigheid, berouw, angst en vermoeidheid. Ik had zo'n idee dat mijn gezicht ongeveer net zo'n compositie vormde, maar ik probeerde de laatste tijd, als het even kon, niet meer in spiegels te kijken.

'Sorry,' zei hij nogmaals. 'Ik meen het, Kate.' Ik had het gevoel dat hij niet alleen aan de gebeurtenissen van gisteravond dacht maar ook aan andere, uit het verleden.

Dit bleek een morgen te zijn om eindelijk sommige excuses te laten horen.

Toen ze weg waren, wachtte ik bij de poort in de rue de Loix. Ik wist niets anders te bedenken om naartoe te gaan. Hoewel ik er die morgen al eerder met Alistair was geweest, naderde ik voorzichtiger dan anders, half in de verwachting bewijzen van geweld te vinden: vechtsporen, druppels bloed, een afgescheurd stuk kleding. Maar het was er net als anders. Hetzelfde glanzende, ondoordringbare hek, dezelfde eeuwenoude steen. Ik vroeg me af wie er in de loop der jaren naar dit huis waren gekomen met een gebroken hart, een gebroken leven. Ik kon niet geloven dat Alistair en ik de eersten waren.

Aanvankelijk drukte ik zelfs niet op de bel, stelde ik me haar slechts aan de andere kant voor zoals ze over dat mooie pad van keien liep en een sleutel omdraaide in het slot van die elegante glazen deur. Het was als een beeld uit een sprookje. *Hans en Grietje* of *Roodkapje*, met een onschuldig iemand die het hol van een beest binnengaat. En toch was ze eraan toe geweest om te gaan, dat besefte ik nu. Nog een jaar onder mijn hoede – onder de hoede van wie ook – was een ondraaglijk vooruitzicht voor haar geweest. En zelfs zonder Davis' catastrofale verleiding zou het een wonder zijn geweest als ik haar thuis had kunnen houden, haar ervan had kunnen weerhouden minstens een deel van de tijd naar Marianne te vluchten of naar haar vader of naar het huis van weer een andere geliefde. (En dan te bedenken dat ik me het ideale vriendje voor haar probeerde voor te stellen, iemand met wie ze samen op kon groeien, samen kon leven, en ook te bedenken dat Damien niet in de termen was gevallen, althans in Alistairs ogen. 'Volstrekt onschuldig' had hij hem genoemd! Nou, alles was beter dan degene die ze had gekozen.

Ik reikte naar de bel en drukte tot mijn vingertoppen wit werden. Ik wist dat ze de bel niet konden of wilden horen. Het was trouwens ongelooflijk dat het ding het nog steeds deed na zoveel misbruik. Ten slotte gaf ik het op, gleed op de grond en deed mijn ogen dicht.

De tijd verstreek, ik wist niet zeker hoe lang, maar mijn oren vingen opeens het geluid op van een deur die openging, gevolgd door voetstappen op de tegels, vaag, met zachte zolen, ongehaast. Toen hielden ze stil. Ik verstrakte. Het hek ging niet open, wat betekende dat wie het ook was net buiten het bereik van de sensoren stil was blijven staan. Ik zat nog steeds in de hoek van de poort op de grond en gleed nu met mijn hand langs de muur omhoog om opnieuw naar de bel te reiken.

Er was een stem die riep: 'Wie is daar?' Roxy.

Mijn hart sprong op en ik krabbelde overeind. Ik legde mijn mond tegen de kier tussen het hek en het kozijn. 'Roxy, ik ben het, laat me erin!'

Even bleef het stil. 'Is papa daar?'

'Nee, hij is weg.'

'Ik geloof je niet.'

'Hij is echt weg, ik zweer het. Hij zit op dit moment in het vliegtuig terug naar Londen.' Ik begon met mijn goede vuist tegen het hek te timmeren, te schreeuwen dat ze open moest doen, tot ze riep: 'O, hou in vredesnaam op, dit is krankzinnig! Ik doe wel open!'

Het hek begon eindeloos langzaam open te gaan, en onthulde stukje bij beetje iets van haar, als een soort spelletje, waarbij je moet raden wie het is. Ze stond daar in een korte jurk van roze tricot, met blote benen in bemodderde rubberlaarzen, terwijl ze wat kleine appeltjes in haar hand hield, alsof ze was gestoord bij het plukken. 'Ik dacht al dat ik iets hoorde. Ben je de hele tijd hier geweest?' Ze aarzelde even. 'Sinds acht uur?'

'Heeft hij het je dan verteld? Dat we gisteravond hier zijn geweest? Dat je vader had geregeld dat hij je vanmorgen zou komen ophalen?'

Haar mond bleef onbewogen, maar in haar ogen fonkelde protest. 'Je kunt niet "regelen" iemand mee te nemen, mam. Ik ben geen pakketje.' Ze grinnikte opeens. 'Wat wilden jullie dan trouwens met me doen? Me intapen en in de kofferbak stoppen? Wie moest er in Londen voor mijn ontvangst tekenen? Mijn broertje?'

Ik gaf geen antwoord. Ik was weer terug op het punt waarop ik bij Roxy altijd weer terechtkwam, verstrikt in mijn ontoereikende verbale vaardigheden, terwijl zij met alle gegevens jongleerde tot ik te duizelig was om nog te weten wat mijn oorspronkelijke punt was geweest. Goed, dat was het dan. 'Waar is mijn man?' wilde ik weten. 'Ik vind dat hij met zijn vrouw moet komen praten.'

Ze verbleekte. Kennelijk had ze die plompverloren bevestiging van mijn technische status – van mijn belang bij Davis – niet verwacht, en toen haar ogen weer mijn kant uit gingen, keken ze me opeens niet echt aan. 'Ik vrees dat hij moet bijkomen van de mishandeling van gisteravond.'

'Je weet heel goed waarom papa kwaad werd,' zei ik scherp. 'En dat is om dezelfde reden als waarom ik nog steeds hier ben, waarom ik bij jou op de stoep blijf zitten als een soort...' Ik zocht naar het juiste woord, een woord dat niét op slag door haar zou worden veroordeeld, '...betoger. We willen je mee naar huis nemen, waar je hoort te zijn.' Ik stapte naar voren, over de drempel, smeekte haar met mijn ogen en mijn handen, maar ze bleef als een levenloos standbeeld voor me staan.

'Dat gaat niet gebeuren, mam. Begrijp je dat dan niet? Ik maak zelf uit waar ik thuis hoor, niet jij. Laat me alsjeblieft met rust.'

We staarden elkaar aan. Ik knipperde het begin van tranen weg. 'Ik zal gaan, maar niet voordat ik hem heb gesproken, niet voordat ik heb gehoord wat hij te zeggen heeft.'

Ze zuchtte. 'Hij is er niet.'

'Ik geloof je niet.' Ik herhaalde wat zij eerder had gezegd, maar ze zwichtte niet.

'Ik zweer je, hij is er niet. Hij is naar een vriend aan de andere kant van het eiland en hij komt vanavond pas weer terug.'

'Waarom ben je dan niet met hem mee gegaan?'

'Ik wilde even alleen zijn.'

Ik probeerde oogcontact te krijgen, maar zag alleen diezelfde zielloze blik. Hoe onzeker mijn gevoelens over haar ook mochten zijn geworden, ik was er vrij zeker van dat ze de waarheid over Davis vertelde. Hij was er niet. Ik zou hem niet te zien krijgen. Mijn ogen gingen naar haar blote benen, wit van kou, en heel even vergat ik mezelf. 'Heb je het niet vreselijk koud, liefje? Heb je een jas bij je? Je mag de mijne wel hebben.'

Maar ze gaf geen antwoord op de vraag. 'Toe mam, hou hiermee op. Ik word er dol van.'

Ik keek haar treurig aan. 'Laten we dan samen koffie gaan drinken, of ga mee wandelen of zo, zodat we kunnen praten.'

'Ik denk het niet.'

Ik had me voorgenomen geen ruzie met haar te maken, niet uit elkaar te gaan op een manier waar ik niet mee kon leven. 'Oké, ik ga wel. Maar zou je wel een boodschap aan hem door willen geven? Zeg maar…' Mijn stem dreigde te breken. 'Zeg maar tegen hem dat hij een lafaard is. Zeg hem dat ik beter verdien dan dit en dat hij dat weet. En jíj weet dat ook.'

'Mam…' Eindelijk verscheen er iets in haar ogen, iets echts en breekbaars, iets voor mij. Medelijden dat ik gereduceerd was tot deze gebroken, smekende staat, of misschien verdriet om de scheiding die voor ons lag. Als het geen berouw was, was het tenminste toch dit.

25

Er was een fase geweest toen Roxy dertien of veertien was dat ze belangstelling had gekregen voor familiefoto's en dat ze haar kinderjaren wilde documenteren. Ze verzamelde de beste foto's uit mijn voorraad in een album, lijstte haar favoriete foto's in en hing die aan de wand van haar slaapkamer. Een van die foto's was die dag bij Camber Sands genomen en ik herinnerde me nog heel goed dat Alistair een van de badgasten had gevraagd een foto van ons drieën te maken. Ik tilde Roxy op, ze sloeg haar lange benen om mijn rechterheup en ik genoot van het gevoel dat ze zich aan me vastklampte, terwijl ik haar hart door haar borstkas heen voelde kloppen. Ze was op de leeftijd dat ze verlegen werd bij het maken van foto's, dat ze vaak een gek gezicht trok of haar tong uitstak, maar deze keer drukte ze haar wang plat tegen de mijne en keerde zich met haar liefste glimlach naar de camera. Ik was blij dat die herinnering haar net zo dierbaar was als mij, want uiteindelijk zou Alistairs impulsieve besluit om die dag zijn werk terzijde te schuiven om iets leuks met zijn gezin te doen, nooit meer worden herhaald.

Er was ook een blik met schelpen, waaronder haar beroemde 'Russische' schelpen, zoals ze ze noemde (hoewel ze niet in Rusland maar in Cornwall waren gevonden). Het waren waaiervormige schelpen die ze nauwgezet had geselecteerd op hun afnemende grootte zodat ze ze in elkaar kon passen, net als de *matroesjka* die ze in een speelgoedwinkel had gezien. Ze vormden een zeldzaam souvenir, die Russische schelpen, want Roxy was nooit een verzamelaar geweest, niet zoals Matthew, die een oogst van vele jaren aan stenen en dennenappels onder zijn bed had liggen. Toen hij klein was, wilde hij er altijd graag op uit om 'interessante dingen' te verzamelen en dan gingen we naar de tuin of naar het park om die te zoeken. Hij wees me een afgevallen blad of een weggegooid lollystokje en vroeg dan: 'Is dit interessant?' En wee mijn gebeente wanneer ik iets in de vuilnisbak stopte, want hij bezat de grondigheid van een boekhouder en hij merkte een ontbrekend artikel onmiddellijk op.

Nee, Roxy was geen verzamelaar. Ze bewaarde nooit iets. Dat wilde niet zeggen dat ze, toen ze opgroeide, niet net zo materialistisch werd als de eerste de beste tiener, want ze was heel intens in haar verlangens, begeerde een bepaald voorwerp met hartstocht en voerde er behendig en geduldig campagne voor. Haar volharding zou bewonderenswaardig zijn geweest als ze niet onfatsoenlijk snel genoeg had gekregen van haar buit. Ze ging er heel nonchalant mee om en behandelde die alsof er niets bijzonders mee aan de hand was.

Daarna zou ze, even snel, vergeten dat ze zoiets had bezeten.

Later, toen ik nog een flink aantal uren over had voor mijn avondvlucht vertrok, slenterde ik door de hobbelige straatjes van Saint-Martin, denkend aan Roxy, in haar vesting op slechts enkele straten afstand. Dat was precies wat deze plaats voor mij was geworden, een reeks beschermende lagen tussen mijn dochter en mij, net als die Russische schelpen van haar. Individueel mochten die lagen gescheiden zijn, maar als geheel waren ze hecht met elkaar verbonden.

Ik klom naar de top van de oude klokkentoren, waar ik een mooi uitzicht had op de donkerrode terracotta daken onder me, het spinnenweb van straten dat omlaag voerde naar de haven, met overal de grijze streep van de oceaan en zelfs een hoekje van Davis' tuin. Er waren in Saint-Martin uitkijkposten op iedere straathoek, het was een stadje dat was gebouwd om toezicht te houden, lachwekkend als je bedacht hoe moeiteloos Davis uit het zicht had kunnen blijven. Zonder het verhitte leiderschap van Alistair hadden Tash en ik hem misschien helemaal nooit gevonden.

Ik slenterde omlaag naar de haven. Het was maandag, maar het was aanzienlijk drukker dan de vorige week; misschien een Franse vakantie. De draaimolen was in beweging, de lichtjes schitterden en de muziek speelde terwijl een aantal kinderen schrijlings op pony's en andere wezens zat. De ouders, van wie sommigen met camera, zaten op de halve cirkel van stoelen die op de straatkeien waren gezet. Ik nam een lege stoel aan de rand en keek hoe de man van de molen erin stapte tijdens het draaien en kaartjes begon op te halen. Ik vroeg me af hoe het moest voelen om dit soort werk te doen, steeds maar in het rond draaien en nooit ergens komen, iedere dag hetzelfde als de vorige.

De muziek veranderde. 'Somewhere over the rainbow'. Een klein meisje, dat een minuut geleden nog had zitten lachen, was verveeld geraakt en legde haar hoofd op de hals van de pony, terwijl ze naar het publiek keek en wachtte tot de rit was afgelopen. Ze had haar dat een beetje leek op dat van Roxy op die leeftijd, donker en glanzend, de kleur van de middernachtelijke hemel en bijna slap van zachtheid. Wanneer je het in zulk weer aanraakte, was het alsof je een koele lap geborduurde zijde betastte. Davis had ongetwijfeld een koosnaam bedacht voor dat gevoel.

De draaimolen hield stil. Het meisje klom eruit en voegde zich bij haar ouders. Ze was tengerder dan Roxy, zag ik nu, ze leek helemaal niet op haar.

Ik liep verder. Aan de overkant was een galerie open, en ik bleef er bijna een uur de expositie bekijken, vierkante schilderijen met een donkerbruine kleur die met een mes was aangebracht, als sneden brood die plat waren neergelegd en met stroop waren besmeerd. Onbegrijpelijk. Ik stelde me voor dat Davis en Roxy samen voor hetzelfde schilderij zouden staan en verhalen voor elkaar zouden bedenken, er een betekenis in zouden vinden, domweg omdat ze er samen naar hadden gekeken. En ik begreep toen dat ik hier geen voortgang zou boeken, dat ik Davis niet te spreken zou kunnen krijgen, dat ik alleen maar, net als Alistair en Tash, naar Londen terug kon gaan om daar vanuit mijn huis te proberen dit alles op een rijtje te krijgen en een nieuwe strategie te ontwikkelen die misschien meer kans van slagen zou hebben.

Vastbesloten om terug te gaan naar ons onderkomen en mijn spullen te pakken, aarzelde ik bij het zien van de eilandbus die stilhield tegenover de galerie. De namen van de dorpen langs de route draaiden verlicht boven de voorruit rond en ik bleef staan om ze te lezen. Sommige namen waren me inmiddels heel vertrouwd geworden: Le Bois-Plage-en-Ré, La Couarde-sur-Mer, Loix, Ars-en-Ré, Saint-Clément-des-Baleines, Les Portes-en-Ré.

Het leek wel of ik hier al maanden was. Toen alle namen voor een tweede keer voorbijkwamen, fronste ik mijn wenkbrauwen. Die een-na-laatste kwam me bekend voor, maar ik wist niet hoe of waarvan. Ik wachtte tot de namen een derde keer te zien waren: Loix, Ars-en-Ré, Saint-Clément-des-Baleines. En deze keer wist ik het: Phare des Baleines, de vuurtoren op de poster boven Davis' schoorsteenmantel. Wat had hij ook alweer gezegd toen hij had gezien dat ik ernaar keek? Zoveel stappen naar de top, dat was het, en... en een vriend die 'daar vlak in de buurt' woonde.

Terwijl ik stond te kijken gingen de deuren van de bus met een korte hydraulische puf dicht en kon ik door de voorruit heen zien hoe de chauffeur aanstalten maakte om weg te rijden. 'Wacht! Wacht!' riep ik in het Engels, hoewel hij me toch niet kon horen en ik rende de weg op. Hij deed de deur weer open voor hij startte, en ik zegende in gedachten de ouderwetse hoffelijke manieren van deze Fransen terwijl ik een kaartje kocht en instapte. Toen we Saint-Martin uit reden, bekeek ik de dienstregeling die een vorige reiziger op de zitting had achtergelaten. Het dorpje Saint-Clément-des-Baleines lag helemaal aan de andere kant van het eiland. Tash en ik moesten erdoorheen zijn gereden bij onze rondrit op de eerste dag, hoewel we niet naar de vuurtoren zelf waren gegaan, want dat zou ik me beslist hebben herinnerd. En we waren ook niet gestopt in een tweede plaatsje daar in de buurt, een gehucht dat Le Gilleux heette.

Ik kon mijn ongeduld nauwelijks bedwingen toen de bus langzaam door de dorpen reed, hier en daar passagiers aan boord nam en boerenakkers, wijngaarden, zoutpannen en kilometerslange fietspaden passeerde, waarbij de vlakke uitzichten door een kerktoren of molen werden onderbroken. In Le Gilleux was ik de enige die uitstapte en ik zwaaide de chauffeur gedag met een enthousiasme dat mij net zoveel verbaasde als hem, alsof ik verwachtte nooit meer menselijk leven te zien.

'Ben je hier?' fluisterde ik. 'Ben je hier? Ik heb zo'n idee van wel.' Maar de enige wezens die er te bekennen vielen waren twee fietsers die in de richting gingen waar ik vandaan was gekomen. Ze waren pezig en hadden blote benen, en ze keken niet eens op om me te groeten. Het was een klein eindje lopen in de andere richting om de rand van het dorp te bereiken, waarbij de achterkant van de bus nog te zien was, en ik keek om me heen. Er stonden hier meer van die lage witte huisjes van één verdieping zoals ik ze nu een week op het eiland had leren kennen, en sommige waren in schilderachtige rijen rond pasgeploegde akkers gebouwd. Op het wegdek leken de sporen van de banden van een tractor op de voetafdrukken van een reusachtige vogel. Een kilometer of zo verderop stond de vuurtoren zelf, hoog en zwaar tegen een koude, gemarmerde lucht. Zelfs op deze afstand bezat het bouwwerk een soort aantrekkingskracht, alsof hij ooit de mensen op het land net zo hevig naar het water had gelokt als dat hij de zeelieden naar de kust had geleid.

Ik liep terug naar de bushalte op het plein en bekeek de plattegrond van het dorp die daar hing. Ik had nog steeds royaal de tijd voor ik terug moest naar Saint-Martin, tijd om alle straatjes te belopen, de winkels en restaurants te bekijken (als die er al waren) en, als ik durfde, door ramen en in tuinen te gluren. Hij kon in elk van die witgekalkte huisjes zijn – of niet.

Mijn oog werd getrokken naar iets dat in de ruit van de vitrine werd weerkaatst, niet zozeer een beweging als wel een vermoeden ervan, en ik draaide me met een ruk om, met al mijn zintuigen gespannen. Aan de andere kant van het plein was opeens een gestalte blijven staan, iemand in een grijs tweedjasje, iemand van de lengte en met de bouw van Davis – de afstand tussen ons was alleen te groot om zeker te weten of onze ogen contact hadden gemaakt. Hij was kennelijk bezig geweest een pakje sigaretten open te maken, en het cellofaan wapperde in zijn vingers. Ik herinnerde me dat de bus iets verderop langs een *tabac* was gekomen; hij had ze waarschijnlijk daar gekocht en was nu weer op weg terug naar het huis van zijn vriend (al die uren op de *marché* in Saint-Martin, terwijl we de hele tijd bij een *tabac* hadden moeten zijn!). Mijn ogen gingen onwillekeurig naar de hoofdweg, als om het bordje *tabac* te zoeken, om zeker te weten of ik het echt had gezien, en in de seconde die ik nodig had om mijn vergissing in te zien en naar hem terug te kijken, was hij verdwenen.

'Davis!' riep ik, schallend door de stilte. 'Waar ben je naartoe gegaan? Waar ben je gebleven?' Ik rende naar de plek waar hij slechts enkele seconden geleden nog had gestaan, en ik draaide me vol ongeloof om, zoekend naar een aanwijzing, een spoor. Het lint van het cellofaan van het pakje sigaretten was langs de stoeprand op de weg blijven liggen en ik kwam in de verleiding het op te rapen, het aan te raken – het enige bewijs dat hij hier was geweest. Hoe kon hij zomaar zijn verdwenen? Er liepen smalle steegjes tussen verscheidene huizen hier vlakbij en ik keek in elk ervan, maar nergens viel iets te horen of te zien, geen bewegend hekje of zwiepend struikgewas. Ik haastte me terug naar de hoofdstraat en keek eerst in zuidelijke richting over de weg die de fietsers hadden genomen en daarna in noordelijke richting naar de vuurtoren. En daar was hij, de lafaard, al op enige afstand, in volle draf. Ook al rende ik nog zo hard, ik kon het gat tussen ons niet dicht krijgen. Hij was duidelijk in veel betere conditie dan ik. Maar ik hield hem tenminste in het zicht, nu dankbaar voor de eindeloze vlakheid van deze omgeving, terwijl ik hem volgde voorbij de ingang van een themapark, over een stuk lange, lichte weg naar een parkeerplaats. Toen pas bleef hij even staan om over zijn schouder te kijken. Instinctief hield ik ook in, en toen hij me zo dicht achter zich zag, rende hij verder. Hij ging recht op de vuurtoren af, aan het eind van de weg, het eind van het eiland.

'Davis! Stop!' Struikelend en hijgend ging ik hem opnieuw achterna, langs auto's, cafés en souvenirwinkels, gehinderd door alle uitstallingen van snoepgoed, zeep, houten meeuwen en pluchen ezels, tot ik hem het lage, brede gebouw binnen zag gaan waaruit de vuurtoren verrees. Ik was nu uitgeput, mijn eerdere tempo viel onmogelijk vol te houden, en toen ik de ingang had bereikt, had ik hem uit het oog verloren. Het maakte echter niet uit, want ik wist nu wat hij deed. Hij was op weg naar boven. Waarom had hij me anders helemaal hierheen geleid, als het niet voor het drama van de top was geweest?

Het bleek dat er kaartjes moesten worden gekocht bij de kassa van de cadeauwinkel en er stond een hele rij toeristen die ansichtkaarten en snuisterijen wilden kopen, terwijl ze met creditcards en buitenlands geld stonden te stuntelen. Tegen de tijd dat ik mijn kaartje had, had ik minstens vijf minuten verspeeld. Als mijn instinct het mis had, als dit alleen maar een ingewikkelde manier was geweest om mij van zich af te schudden, dan was hij inmiddels alweer halverwege terug naar het dorp. Dan zou ik hem misschien vanaf de top kunnen zien, voor eens en voor altijd buiten bereik. Ik stelde me voor hoe hij een sigaret zou opsteken en zou gniffelen om mijn amateurisme, terwijl hij allerlei grappige opmerkingen bedacht die hij zou gebruiken wanneer hij later het drama voor Roxy verhaalde. Drama: het kwam altijd weer op dat woord neer.

Ik bedankte de caissière en liep door het laatste stel deuren de toren in. Ik herkende hem onmiddellijk van Davis' poster, het gladde gebogen metselwerk, de elegante spiraal van de wenteltrap, de manier waarop hij in en uit de schaduw draaide tot er niets anders over was dan een schelpkleurige cirkel in het midden. Davis echter was nergens te bekennen en ik bleef een tijdje omhoog staan kijken, tot ik duizelig werd van het perspectief en me afvroeg of ik naar boven zou gaan of nog een tijdje zou wachten op een teken of zo. Toen zag ik iets lichts en ronds op de leuning, op ongeveer een derde van boven, een hand rond het traphek, de onderarm gemaskeerd door de spil, net als op de foto.

'Davis! Ben jij dat?' Mijn stem weergalmde door de stenen toren, spookachtig door de stilte die me tegemoet kwam. Ik begon de trap te beklimmen. 'Zeg toch eens wat in godsnaam!'

De hand verdween. Nu kon ik het vage ritmische getik van zijn zolen boven me horen, tussen het zwaardere geluid van mijn eigen stap. Hij was weer in beweging. De leuning was aan de linkerkant, wat betekende dat ik die niet goed met mijn gewonde hand vast kon pakken, een aanzienlijk ongemak, terwijl ik bij ieder raampje zag hoe de grond steeds verder bij me vandaan raakte. Beneden kromp de cirkel van zwart en wit marmer aan de voet van de trap eerst tot het formaat van een dartboard en daarna tot dat van een dambord. Ik voelde me duizelig, vreemd gespannen. Ten slotte maakten de stenen plaats voor een smallere spiraal van groengeverfd ijzer, en toen ik mijn hand van warm hout op koel metaal overbracht, voelde ik mijn vingers trillen. Mijn longen brandden van het klimmen en mijn hart bonsde in mijn oren, ongekend luid, alsof mijn hartslag werd versterkt door de akoestiek buiten mijn lichaam.

'Davis, geef antwoord!' Maar er kwam niets. Hij wilde me gek maken, dat was wel duidelijk. Hij wilde me uitputten en kwaad maken tegelijk, om in het voordeel te zijn als we eindelijk van aangezicht tot aangezicht stonden. En hoewel ik hem tot mijn laatste snik zou achtervolgen, wenste ik voor een deel dat de trap nooit op zou houden, maar door zou gaan en door zou gaan, tot de grond was verdwenen en er alleen maar lucht over was.

Ik kwam uit in een lege, met hout betimmerde kamer waar de vuurtorenwachters ooit moesten hebben geslapen, te oordelen naar het houten bed met ombouw, dat nu dienst deed als plek om uit te rusten voor toeristen die buiten adem waren geraakt. Het was het enige voorwerp tussen twee hoge ramen, waarvan het ene uitkeek over de zee en het andere over het land, en bij beide ramen hingen zwermen zwarte vliegen die probeerden binnen te komen. Onder andere omstandigheden zou ik me hier veilig hebben gevoeld, beschermd door de stenen en het hout. Ik keek even omhoog naar het plafond. Het was te dik om iets vanaf de uitkijkpost erboven te kunnen horen, maar hij was daarboven, er was geen andere mogelijkheid. Voor me was een derde, smallere wenteltrap en ik liep er met lood in mijn schoenen naartoe. Nu had ik hem – of hij had mij.

Ik hoorde zijn stem voor ik zijn gezicht zag. 'Hallo, Kate. Dus je hebt me toch gevonden.'

Ik bleef staan en keek op naar waar hij in de deuropening stond, scherp afgetekend tegen een rechthoek witte lucht. Hij leunde iets opzij, met zijn rechterhand buiten beeld, en gedurende één dramatisch ogenblik stelde ik me voor dat hij er iets in had, een voorwerp om mij mee te slaan, me onschadelijk te maken. Maar in plaats daarvan stak hij zijn linkerhand naar me uit. 'Kan ik je helpen? Ik zie dat je gewond bent.'

'Nee, dank je,' zei ik kortaf. 'Ik heb geen behoefte aan jouw galante manier van doen.'

'Juist ja. Goed.'

Hij stapte opzij. Zonder zijn hulp had ik moeite om me boven staande te houden en de koude wind te verdragen. Ik kon me er niet toe brengen naar zijn gezicht te kijken, nog niet, maar concentreerde me in plaats daarvan op de ruimte om ons heen. De omloop was net breed genoeg voor twee volwassenen om elkaar te passeren en we werden door slechts een ronde balustrade van grijze steen, die bij mij tot mijn ribben reikte, gescheiden van een diepte van vijftig meter tot de grond. Links van mij, en over Davis' schouder, liep de beboste kustlijn met een bocht uit het zicht, terwijl ik rechts het lange gouden lint van een zandstrand kon zien. Boven ons hoofd, ver buiten ons bereik, bevond zich het grote, oude vuurtorenlicht.

Davis wachtte terwijl ik mijn aandacht weer op hem richtte, zijn gezicht onderzoekend bekeek zonder hem echt in de ogen te kijken. Ik was vergeten, in het duister van mijn nieuwe weerzin voor hem, hoe buitengewoon knap hij was, met volmaakte gelaatstrekken onder een jeugdige kop vol krullen die nu door de wind naar achteren werden geblazen. Er zat een rode plek op zijn linkerjukbeen – vermoedelijk waar Alistair hem had geslagen – maar dit versterkte eerder de elegante bouw van zijn gezicht dan die te bederven. Ik voelde een samentrekken in mijn onderlichaam, een laatste erkenning van de begeerte die ik ooit voor hem had gevoeld. Mijn hersenen kenden de waarheid, mijn hart eveneens, maar mijn lichaam liep nog steeds een beetje achter.

'Ziezo, dit is het dus.' Hij sprak heel minzaam. Alsof dit het besluit was van een amusant gezelschapsspel. 'Je hebt deze vuurtoren altijd al heel interessant gevonden, hè? Dat was ik vergeten.'

Je was mij vergeten, dacht ik, en heel gemakkelijk ook, zonder enig berouw. Hij leek totaal niet uit het veld geslagen te zijn door mijn zwijgen, zoals ik dat door zijn zwijgen was geweest, of gespannen, zoals ik, over onze positie halverwege de wolken. Hij haalde niet moeizaam adem en keek niet onzeker om zich heen – hij hield zelfs één hand in zijn zak. (De andere hand, de hand die hij zojuist naar me had uitgestoken, de hand die mijn hand had vastgehouden toen we elkaar trouw hadden beloofd, speelde afwezig met het haar in zijn nek.) Ik staarde hem aan, verbijsterd over zijn koele manier van doen. Maar aan de andere kant, wanneer had ik hem ooit zijn zelfbeheersing zien verliezen? Zelfs gisteravond, toen hij werd aangevallen, was hij volmaakt beheerst geweest in alles wat hij zei, een zelfbeheersing die Alistairs woede alleen maar had aangewakkerd. Nee, ik kon me alleen twee gelegenheden herinneren dat hij uit zijn evenwicht was gebracht: de ene keer toen hij zich overweldigd had gevoeld door alle plannen voor de bruiloft (of dat had ik gedacht – ik besefte nu dat er diepere kwellingen aan het werk waren geweest), en de andere keer toen hij voor mijn deur had gestaan en me had gesmeekt met hem te trouwen...

'Adembenemend, nietwaar?' Hij haalde zijn hand uit zijn zak en klopte op de stenen muur, een vertrouwd, leraarachtig gebaar. Ik had gelijk gehad over zijn reden om me hier te brengen: als decor voor een krachtmeting was dit zowel onvoorstelbaar als volmaakt (geen wonder dat hij zo minachtend had gedaan over Alistairs ruwe aanval onder een straatlantaarn). In een film zou slechts een van ons straks de trap naar beneden nemen, de ander zou zich over de rand storten. 'Een echt kunstwerk, vind je niet?' zei hij.

'Ja.'

'Is Alistair nog steeds in Saint-Martin?' Er klonk nu iets achterdochtigs in zijn stem.

'Nee,' zei ik ik kortaf, 'hij is terug naar Londen. Dus het was echt niet nodig dat jij je hier zo overhaast ging verstoppen.'

'Ik verstopte me niet. Dit is een oude afspraak met een vriend.'

Ik vroeg me af of hij opzettelijk dubbelzinnig deed. Ik besloot hem op dit punt geen voldoening te schenken. 'Toch niet zo'n oude afspraak, neem ik aan?' snauwde ik. 'Of was je dit al van plan voor ik erachter kwam, voordat we zelfs maar getrouwd waren? Heb je die kameraad van je geschreven "Tot ziens, eind oktober; tegen die tijd moet mijn huwelijk wel voorbij zijn"?'

Hij sloeg geen acht op mijn sarcasme en handhaafde zijn dolmakende toon van beleefdheid in zijn antwoord. 'Nou, ik ben in elk geval blij dat je ex weer naar huis is. Hij mag van geluk spreken dat hij gisteravond niet is gearresteerd.'

Ik snoof smalend. Hoe dubieus ik Alistairs aanval ook had gevonden, toch meende ik dat er slechts één man in deze ellendige situatie was die van geluk mocht spreken dat hij niet was gearresteerd.

Een plotselinge windvlaag deed Davis' haar opwaaien en alsof hij daardoor opeens aan dringender zaken werd herinnerd, vroeg hij: 'Hoe wist je dat we hier waren, op Île de Ré?'

'Dat is niet belangrijk,' zei ik afwerend. Ik wilde Camilla's aandeel in mijn naspeuringen niet noemen. Ik dacht eraan terug hoe ze, ver weg in Engeland, had gehuiverd bij de gedachte dat hij haar naam had uitgesproken. Zou mijn eigen weerzin, na verloop van tijd, ook zo hevig zijn? Misschien wás deze al wel zo hevig.

'Het spijt me, Kate. Ik had je geen verdriet willen doen.' Hij keek me aan met een blik van nederigheid die ik nog maar enkele weken eerder maar al te graag voor waar zou hebben gehouden. Ik was eerst even ontwapend door zo'n snel excuus, maar toen bedacht ik dat wanneer je het niet meende, 'sorry' heel gemakkelijk kon worden gezegd.

'Het gaat niet om mij.' Ik hield mijn stem vlak en kalm, probeerde de emotie die eronder opwelde te bedwingen. 'Ik ben hier voor Roxy.'

David beet op zijn onderlip. 'Dat besef ik. Je moet je wel ongerust over haar hebben gemaakt.'

Ik keek hem woedend aan en hij deed een stap achteruit, alsof mijn walging een fysieke kracht vormde. Ik volgde, waarbij ik me buiten het bereik bracht van de deur en de trap naar beneden. Ik had de kust nu aan mijn rechterhand en de vlakte van het eiland links. 'Ongerust? Ongerúst? Iemand met jouw ontwikkeling kan toch zeker wel een beter woord bedenken om te beschrijven hoe een moeder zich voelt wanneer haar dochter is ontvoerd!'

Hij kneep zijn ogen een eindje dicht maar zei niets. Misschien dacht hij na over de woorden die ik gebruikte en probeerde hij ze uit in andere talen. Ik voelde hoe de verteller in hem genoot van deze woordenwisseling (die ongetwijfeld in die onnozele 'fragmenten' van hem zouden verschijnen) en toen hij eindelijk sprak, leek het met toegenomen leedvermaak te zijn. 'We weten allebei dat het geen "ontvoering" is, Kate.'

'Dat is het voor mij wel. En nog veel meer ook...' Ik was van plan geweest het daarbij te laten, maar ik kon me niet beheersen en spuwde de volgende woorden uit: 'Zoals bedrog, bijvoorbeeld. Echtelijke ontrouw. Een totaal en volslagen gebrek aan respect voor een menselijk wezen om wie je je hoort te bekommeren. Maar laten we ons maar tot de ontvoering beperken.'

Hij knikte en de vage overdrijving van dit gebaar zei me dat hij dit alleen maar deed om mij mijn zin te geven, terwijl hij zichzelf feliciteerde met het bezit van de vaardigheden die nodig waren om een hysterica als ik in bedwang te houden. Dat was zijn grote gave, besefte ik, hij dirigeerde jou en het was nooit andersom, hij duwde je in de rol die hij had bedacht. Eerst was ik de verdrukte moeder die moest worden gered ('redden', hij had die term zelfs een keer gebruikt), de vrouw die had gezworen nooit meer lief te zullen hebben; daarna was ik de minnares, de bekeerling, de persoon die hij tot mijn eigen schrik en vreugde uit mij tevoorschijn had weten te halen. Nu echter was ik de ongewenste vrouw wier emoties met haar op de loop waren gegaan, die lastig was geworden.

'Ik geef echt heel veel om je,' zei hij, 'maar ik verwacht niet dat je dat zult geloven. Ik ben niet gek, ik weet hoe het moet lijken.'

'Dat kun je onmogelijk weten,' zei ik ijzig, 'anders had je het niet gedaan. Tenzij je een sadist bent en er genoegen aan beleeft iemand zo te behandelen.'

Hij slaakte een diepe zucht. 'Nee, ik ontleen er geen genoegen aan. En ik weet dat ik mezelf niet kan verdedigen. Ik had het nooit zover moeten laten komen.' Mijn hoop flakkerde even op en stierf toen net zo snel. Dit sloeg natuurlijk op ons, niet op Roxy en hem.

De wind wakkerde weer aan, en ik zocht steun bij het hek terwijl ik mijn gedachten in bedwang probeerde te houden. Ik moest terug naar het punt van Roxy, ik moest me niet laten verlokken tot een troostend gesprek over hoe hij me had behandeld. 'Laat me je iets noemen wat je nooit had mogen doen, Davis: een kind weghalen uit haar huis, van haar school. Allemachtig, je bent zelf leraar, je weet hoe belangrijk haar opleiding is.'

Hij fronste bij het woord 'kind', maar bleef verder onbewogen. 'Het is niet ideaal, dat geef ik toe, maar er viel niets aan te doen.'

'Natuurlijk wel!' viel ik uit. 'Iedere dag is ze bezig terrein te verliezen. We moeten ervoor zorgen dat ze onmiddellijk weer terug naar school kan en dat ze al deze onzin vergeet!'

Daarop stak hij zijn handen in de lucht – alweer zo'n maniertje dat eerder voor zijn eigen genoegen diende dan als spontane reactie – alsof dit de crux van deze confrontatie was. 'O Kate, dat is de grote fout bij jou, weet je. Jij denkt dat alles met gezond verstand kan worden beslist. En alleen jouw definitie deugt,

330

jouw oordeel over de dingen. Maar er is niets "onzinnigs" aan wat er is gebeurd, dat verzeker ik je.'

Wat haatte ik die zelfvoldane toon in zijn stem, bijna even hevig als dat ik de betekenis van zijn woorden vreesde (mijn neiging om te oordelen bleef mijn zwakke punt, zelfs na jaren werken in de baan die ik had). 'Hoe bedoel je?'

'Ik bedoel dat het onvermijdelijk was. Voorbestemd.'

'Het is gedoemd,' verbeterde ik hem. 'In ieder geval voor haar. Dit zal haar leven ruïneren, Davis, zie je dat dan niet?'

We staarden elkaar aan. De wind was voldoende gaan liggen om de branding te horen; ik wist niet of het opkomend of afgaand water was, maar wat het ook mocht zijn, ik kreeg het gevoel dat het getij op zijn ritme bewoog, niet op het mijne.

'Geef haar op,' zei ik slechts.

Hij keek me aan, met meelevende ogen maar een stugge mond. 'Dat kan ik niet.'

'Ze is nog maar een kind.'

Hij schudde zijn hoofd. 'Ze is een jongvolwassene. En ze bezit een wijsheid die veel groter is dan die van ons.'

'Ach, hou toch op met die kletskoek!' Mijn woede kwam nu zo gevaarlijk dicht aan de oppervlakte dat hij tegen de balustrade werd gedrukt en onze lichamen op een haarbreedte afstand waren. Ik rook de sigaretten in zijn adem, de geur van zijn huid en zijn haar, en ik zag in gedachten opeens voor me hoe wij in de hitte van augustus hadden liggen kronkelen, met achter ons de gesloten jaloezieën vol daglicht. 'Ik ken deze persoon, weet je wel? Ik ken haar veel beter dan jij. En ik kan je verzekeren dat ze niet wijs en volwassen is. Weet je wel wat ze allemaal nog niet mag doen volgens de wet?' In gedachten nam ik die lijst thuis door, de laatste pagina van de uitdraai, en ook de langste. 'Wat mag ik doen op de leeftijd van achttien jaar?' 'Ze mag niet stemmen, ze kan geen testament laten opstellen, ze mag niet eens alcohol drinken in een pub!'

Hij wist zijn absurd minzame glimlach nog steeds te handhaven. 'In Frankrijk is dat anders.'

'Nee, dat is het niet! Het is nergens anders wanneer er beschaafde mensen wonen! Een kind wordt door de meeste autoriteiten gedefinieerd als iemand onder de leeftijd van achttien jaar.'

331

Hij liep bij de rand vandaan, opnieuw naar het midden van de omloop, met zijn hand weer in zijn zak. 'Je kunt al je statistieken op me loslaten tot je er blauw van ziet, maar ik denk niet dat UNESCO belangstelling zal hebben voor dit ene geval. Roxy is uit eigen vrije wil vertrokken. Dat zul je moeten accepteren. Je hebt haar hier gezien, ga nou niet zeggen dat ze niet gelukkig is!'

Ik schudde mijn hoofd. 'Ze is niet gelukkig, ze is misleid. Ze is een misleid schoolmeisje, ze streeft een hersenschim na, terwijl ze in de klas hoort te zitten!'

Hij trok zijn wenkbrauwen een eindje op terwijl hij zich afvroeg of hij me wel of niet de les zou lezen over de semantische aspecten van mijn taalgebruik, maar toen besloot dit niet te doen. 'Haar opleiding kan in een andere vorm worden voortgezet, Kate. Ze zal in dit leven een succes worden door wie ze is, niet door welke universiteit ze heeft bezocht. Dat heb ik je al eerder uitgelegd, dat dacht ik althans. Probeer dit alsjeblieft in verhouding te zien.'

Ik haatte hem op dat moment, met een hete, fysieke haat vol gewelddadige aspecten. Ik had hem het liefst over die fraaie verweerde stenen muur geduwd om te zien hoe hij beneden op de keien te pletter viel. En als ik dat had gedaan, had ik geen berouw gevoeld, daar was ik volmaakt zeker van. 'Het is mijn dochter, Davis, ik heb haar op de wereld gezet. Ga me nou niet vertellen dat ík de dingen in hun proporties moet zien.'

'Nou, als je dat niet kunt, dan is dit gesprek afgelopen. Ik ga weer naar beneden.' Hij wendde zich van me af en begon over de omloop te lopen, waarbij hij de langste weg naar de deur nam om niet langs mij heen te hoeven, om niet te riskeren fysiek contact met me te maken.

'Dit gesprek is helemaal niet afgelopen!' riep ik, en ik rende hem na, de deur door, de trap af, en greep hem bij zijn schouder om hem ervan te weerhouden verder te gaan. We kwamen onhandig tot staan in de houten kamer, en de plotselinge stilte en warmte van deze besloten ruimte maakte dat onze nabijheid nog intiemer, nog angstaanjagender leek.

Hij keek me echt kwaad aan, nu hij eindelijk die onuitstaanbare beminnelijke hoffelijkheid had afgelegd. 'Wat is er, Kate? Ik begin hier nu echt genoeg van te krijgen. Wat wil je dat ik zeg?

Iets anders dan sorry, kennelijk. Noem het maar, dan zal ik het zeggen en dan kunnen we daarna allebei ons weegs gaan.'

Ik deed mijn ogen dicht. Nu ik zijn onverdeelde aandacht had, kon ik mijn verlangen niet langer bedwingen, mijn verlangen naar zijn erkenning dat er iets oprechts tussen ons was geweest, dat ik die weken in de zomer niet zomaar had bedacht of de intimiteit van onze gesprekken, onze etentjes, onze liefde had gefantaseerd.

'Vertel me alleen waarom je met mij bent getrouwd, waarom...' Ik verbeterde mezelf voordat hij zelfs maar antwoord kon geven. 'Nee, laat maar. Ik weet wel waarom. Maar waarom ben je zelfs een verhouding met me begonnen terwijl je wist dat je je aangetrokken voelde tot iemand anders? Waarom deed je dat? Ik bedoel, nog afgezien van wie ze was? Ik begrijp het gewoon niet.'

Hij keek verlangend naar de deuropening, en toen weer met tegenzin naar mij. 'Ik voelde me echt wel tot jou aangetrokken, Kate, maar niet op de manier die jij wilde, niet met dezelfde intentie. Ik had gedacht... en toen ik besefte...' Voor het eerst moest hij naar woorden zoeken, en voor het eerste merkte ik dat ik de leemten heel goed zelf kon invullen. Hij had gedacht dat Roxy vast geen belangstelling voor hem zou hebben, dat was het wat hij probeerde te zeggen; hij had besloten dat een ouder, dankbaarder model het meest haalbare voor hem zou zijn. Maar toen ontdekte hij dat ze zich wel tot hem aangetrokken voelde, en meer dan dat, dat zij net zo betoverd werd door hem als hij door haar. Hun probleem was dat ik tegen die tijd ook verliefd was geworden.

Ik deed een stapje naar hem toe. 'Wanneer is het met haar begonnen? Vertel me dat dan tenminste.'

Hij knipperde met zijn ogen. 'Dat is nu niet echt van belang.'

'Het is wel van belang! Ik weet dat jullie vlak voor de trouwerij een keer met elkaar naar bed zijn geweest, toen jij zogenaamd naar je grote vriend Graham was. Hoe kon je zelfs maar hebben overwogen ons allebei tegelijk te hebben? Je moet binnen enkele dagen, enkele uren met ons allebei naar bed zijn geweest! Het is te gek voor woorden!'

Zijn kennelijke verbazing werd snel vervangen door een nieuwe verlangende blik naar de deur. Ik stelde me voor hoezeer hij wenste dat Roxy daar zou zijn, dat zij daar naar hem zou staan te glimlachen, zijn zoete beloning voor al mijn zurigheid. 'Ik geloof echt niet dat het zin heeft daarop in te gaan.'

'Dat geloof ik wel!' riep ik uit. 'Ik geloof dat het heel veel zin heeft als ik ook maar iets kan begrijpen van wat er omgaat in de geest van een volslagen...' Ik zweeg. Ik wist geen woord te bedenken dat op hem van toepassing was. 'Perverseling,' had Alistair hem genoemd. Tash 'klootzak'. 'Van iemand die zo volslagen gestoord is.'

Hij klemde zijn lippen opeen en hield zijn hoofd scheef: de minzame blik was terug. 'Kate, je begint nu echt hysterisch te worden. Laten we samen teruggaan naar het dorp en ergens een rustige bar vinden om dit alles goed uit te praten. Zodat jij weer met twee benen op de grond komt te staan.' Zonder op mijn instemming te wachten liep hij naar de deuropening, maar ik was hem voor, versperde hem de weg en krijste: 'Nee! Waag het niet om er zomaar vandoor te gaan! Je gaat niet weg voordat ík klaar ben!'

We waren allebei geschokt over hoe spookachtig schel en dierlijk mijn kreet klonk. Hij deed geen verdere poging om naar beneden te gaan maar liep in plaats daarvan de kamer door en ging op het houten bed zitten. Ik deed een laatste, moeizame poging om kalm te blijven. 'Laat me haar mee terug nemen, Davis. Dan kan ze haar school afmaken, haar achttiende verjaardag vieren, en als ze daarna nog steeds bij jou wil zijn, zal dat haar keuze zijn. Ik beloof je dat ze zelf over haar leven kan beslissen. Ik zal me er dan niet meer mee bemoeien. Maar laat haar haar kinderjaren bij mij afmaken.'

Hij schudde zijn hoofd. 'Jij leeft in een soort jaren-vijftig-fantasie, Kate. Meisjes als Roxy hebben hun kinderjaren al lang geleden achter zich gelaten. Wat jij ook mag geloven, ik was niet haar eerste "hersenschim" zoals jij het noemt.'

Ik hapte naar lucht. De opwaartse beweging van zijn wenkbrauwen, de manier waarop hij de woorden proefde, maakte me duidelijk wat hij bedoelde. Op deze zelfde plek, terwijl hij voor me stond, dacht hij terug aan hoe het was om seks te hebben met mijn dochter. Ik stelde me voor hoe hij door dit gesprek zelfs opgewonden raakte en wachtte tot ik zou vertrekken zodat hij haar bij zich kon laten komen. Ik werd er onpasselijk van.

Ik bleef hoog voor hem staan, met zijn hoofd binnen mijn bereik. 'Je bent een smerig beest. Je weet heel goed dat een meisje van haar leeftijd niet de ervaring bezit om zoiets te kunnen beoordelen. Ze denkt dat het romantisch is, ze heeft geen idee van de repercussies. Maar jij bent ouder, veel ouder, Davis. Je bent godverdomme zevenentwintig jaar ouder. Jij weet heel goed wat de repercussies zullen zijn. Je moet boosaardig en slecht zijn om dit te doen.'

Hij kwam weer overeind, en zijn lippen trokken even. 'Boosaardig? Ik vind dat je nu echt op de griezeltoer gaat, liever. Ik begrijp dat jij meer dan ik wordt geïnspireerd door onze negentiende-eeuwse achtergond.'

Toen gaf ik hem met de vlakke hand een duw, zodat hij even tegen het hout aan tuimelde. 'Ach, rot op! Deze stomme vuurtoren doet me niets! Als jij niet zo'n lafaard was, hadden we dit gesprek in Londen gevoerd. In míjn huis, het huis dat jíj voor eeuwig voor mij hebt vergiftigd!'

Hij draaide zich weer naar me toe en keek me aan. Hij knipperde op zijn bekende, vermoeide manier met zijn ogen, en op dat moment besefte ik dat ik zolang ik leefde nooit weer iemand zo intens zou haten als hem. Net zoals hij diepere begeerten in me had gewekt, riep hij nu ook een donkerder walging op. 'En als je niet meewerkt, kun je ervan op aan dat Alistair hier terug zal komen om je te dwingen. Als ze niet uit eigen beweging komt, zal hij haar met geweld terughalen.'

'In dat geval is hij degene die de wet overtreedt, nietwaar? En de volgende keer zullen we niet aarzelen om de autoriteiten te waarschuwen, dat beloof ik je!'

Wé, hetzelfde afgrijselijke meervoud waarmee Roxy me had getart, twee letters slechts en toch wisten die een kloof tussen ons te openen. Ik probeerde mijn tranen te bedwingen en hoorde zelf hoe verstikt mijn stem klonk bij mijn laatste smeekbede. 'Wil je dan echt dat ze van haar ouders vervreemd raakt? En van haar broertje? Voor hoelang? Wat moet dat niet voor effect op haar hebben?'

We schrokken op van het galmende geluid van stemmen van beneden, van voetstappen, van de realiteit dat er iemand – twee mensen of meer – omhoog kwam om van het uitzicht te genie-

335

ten. Ik kon de gedachte aan hun triomfantelijke gezichten niet verdragen en ook niet hun onvermijdelijke verzoek een foto van hen te maken. Ik keek naar Davis, niet langer smekend, niet langer beschuldigend, alleen maar vol afschuw dat deze man in mijn leven, in ons leven, was gekomen, en schatte dat ik nog ongeveer twintig seconden met hem alleen had.

'Stel dat het jouw dochter was, Davis, jouw vlees en bloed. Hoe zou je je dan voelen?'

Maar hij voelde dat mijn argumenten en energie uitgeput raakten, dat ik niet langer een antwoord verwachtte. 'Wat kan ik zeggen, Kate? Het is haar keuze, niet de jouwe.'

Ik schudde mijn hoofd en draaide me om. Over mijn schouder riep ik hem mijn laatste woorden toe, zonder me erom te bekommeren of ze hem wel of niet bereikten. 'Nee, Davis, het is jóúw keuze.'

26

Ik ben Matthew één keer kwijtgeraakt. We waren in het Londen Aquarium op de zuidoever, hij, Roxy en ik. Hij was drie, Roxy was toen elf. Het ene moment was de wereld zoals hij moest zijn en zat het tweetal aan de voet van het grote waterreservoir te wachten tot de haaien dichterbij kwamen, met zilverblauw verlichte gezichten als door het maanlicht, het volgende moment kantelde hij, om even in een soort blinde hel te blijven hangen voor hij volledig uit zijn baan werd geslingerd.

Ik moest mijn neus snuiten – het leek wel of ik in die dagen eeuwig verkouden was – en keek even omlaag om in mijn tas naar een zakdoek te zoeken. Toen ik weer opkeek zat er nog steeds een jongetje op de plek naast Roxy, maar hij was ouder, had donkerder haar, was het kind van een ander...

'Roxy! Roxy!' Ik reikte door de rijen toeristen heen om haar schouder aan te raken. 'Waar is Matthew?'

Ze fronste even en keek toen om zich heen. Haar blik bleef op haar nieuwe buurman rusten en ze bekeek de familieleden naast hem, de volwassenen bij wie hij hoorde. Toen holde ze door de drukte heen naar me toe en kwam vlak bij me staan, met haar gezicht vragend naar mij omhoog.

'Ik dacht dat hij bij jou was,' zei ze.

'Ik dacht dat hij bij jóú was. Hij was er nét nog!'

Ergens, ondanks de stijgende paniek, besefte ik hoe verkeerd ik eraan deed haar als een gelijke te behandelen, als iemand die even verantwoordelijk was, even schuldig. Een mede-ouder. Dat was niet eerlijk, ze was zelf nog een kind. Ik hoorde haar gerust te stellen, maar in plaats daarvan wilde ik op haar steunen, haar de schuld geven.

'O grote hemel, waar is hij, Roxy? Als er maar niks met hem is gebeurd.' Er hadden de laatste tijd verhalen in de kranten gestaan over een bende die kinderen uit supermarkten roofde, uit winkelcentra en toeristenattracties. In één geval, waar het een jongetje van drie betrof, hadden de ontvoerders tegen de tijd dat ze met hun slachtoffer via de nooduitgang naar buiten kwamen, zijn hoofd geschoren en hem van top tot teen andere kleren aan gegeven. Ik keek verwilderd om me heen. Hoe groot was dit gebouw? Dat viel onmogelijk te zeggen, want er waren overal personeelsdeuren en nooduitgangen en doorgaande routes naar andere exposities. Een slecht verlicht ondergronds labyrint, het had niet erger gekund! We zouden het hele gebouw zo snel mogelijk moeten afgrendelen.

'Ik moet naar de directeur,' riep ik wanhopig.

Roxy's ogen waren groot van verbazing. 'Mam, moeten we niet eerst zelf even gaan zoeken? Misschien is hij nog...'

'Jij blijft hier,' beval ik, haast zonder naar haar te luisteren, 'voor het geval hij terugkomt, en ik ga hulp halen. Hij kan nog niet ver weg zijn.'

Maar het was zaterdag, de schoolkinderen hadden net herfstvakantie gekregen en het was vreselijk druk. Ik rende van de ene afdeling naar de andere, steeds zijn naam roepend, maar ik was nauwelijks hoorbaar boven al het lawaai.

Ten slotte vond ik een medewerkster en wist huilend te vertellen wat er aan de hand was.

'Ik zal mijn baas halen,' zei ze, 'en dan zullen we een zoektocht organiseren. Gaat u met me mee?'

'Ik moet eerst Roxy, mijn dochter, halen. Ik heb haar bij het grote bassin met haaien achtergelaten. O, ik weet nu niet meer welke kant dat op is.'

'Ik breng u er wel naartoe, maakt u zich maar niet ongerust. Komt u maar mee.'

Maar Roxy was ook niet meer waar ik haar had achtergelaten. Kennelijk was ze toch maar gaan zoeken. Er flitste opeens een beeld door mijn donkere geest, dat ik in mijn eentje langs de Theems liep en mijn kinderen kwijt was.

Het meisje gaf een kneepje in mijn arm. 'We vinden ze heus wel, maakt u zich maar niet ongerust. Ze kunnen niet allebei zijn verdwenen. Ik breng u naar boven naar de informatiebalie en dan laten we hen omroepen.'

En toen, nog geen vijf minuten na het begin van deze hele nachtmerrie, klonk er een mededeling boven ons hoofd: 'Wil

Roxy alsjeblieft naar de informatiebalie komen om haar broertje Matthew op te halen?'

Het bericht werd nog een keer herhaald en het meisje keek me hoopvol aan. 'Denkt u dat dat ze zijn?'

'Dat moet wel.' Ik ontspande me even en keek haar eens goed aan. Ze was nog jong, niet ouder dan een zesdeklasser. Het leek nog maar zo heel kort geleden dat ik die leeftijd had gehad en toch was ik mezelf heel zielig gaan vinden om hoe mijn leven had uitgepakt. Nou, nooit meer! Als de kinderen maar veilig waren, dat was het enige dat ertoe deed, dat was het enige dat ik van het leven verwachtte. Toen we door de tunnels holden die ons terugbrachten naar de begane grond, klemde mijn geest die gedachte vast, als een vuist met een kostbare steen.

Ze stonden samen bij de klantenservice. Roxy hield Matt stevig bij de hand.

'Hij was bij de pijlstaartroggen,' vertelde een medewerker. Hij was iets ouder en mijn helpster voegde zich automatisch naar zijn gezag. 'Hij was niet verdrietig of zo, maar het was duidelijk dat hij bij niemand hoorde. Gelukkig wist hij de naam van zijn zusje te noemen.'

Matthew riep vaak om Roxy in plaats van om mij – wanneer hij in de tuin was gevallen of wanneer hij 's nachts wat wilde drinken – op die momenten waarop alleen moeders geacht worden behulpzaam te zijn. Zij gaf hem de knuffel die hij nodig had of veegde zijn tranen weg. Ik vroeg me af of het kwam door alle hulp die ze had verleend toen hij een baby was. Hij vertrouwde haar evenzeer als mij.

'Ik vond dat ik moest komen,' zei Roxy angstig tegen mij, 'toen ik mijn naam hoorde.'

Ik hoorde haar nauwelijks, doordat ik Matthew vasthield tot hij protesteerde. 'Domme jongen, je had wel in het water kunnen vallen! Je mag nooit meer zo weglopen, hoor je? Dit is heel gevaarlijk. We hadden je zomaar kwijt kunnen raken!'

Roxy stond er zwijgend bij te wachten.

'Goed gedaan, Rox,' zei ik, en ik trok haar naar me toe. 'Je was echt geweldig. Kom hier.' Ik drukte haar ook tegen me aan.

In de bus naar huis waren we allemaal nog een beetje geschokt. Ik hield Matt op schoot en herhaalde in gedachten de woorden die de man had uitgesproken: 'Het was duidelijk dat hij bij niemand hoorde', terwijl mijn wangen rood waren van schaamte. Ik keek naar Roxy op de stoel aan de andere kant van het gangpad, met haar mooie profiel, haar wipneus en haar hoge, ernstige voorhoofd. Ik was haar nooit kwijtgeraakt, nooit. Maar zij was op Matthews leeftijd mijn enige zorg geweest en bij zo'n uitstapje zou Alistair er ook bij zijn geweest, twee volwassenen voor één kind, niet één voor twee, zoals het nu was. Zij zou nooit uit het zicht zijn geweest, geen seconde.

Alles was anders na Île de Ré. Niet op de schokkende, overweldigende manier als wanneer ze dood was gegaan – en daar dankte ik de hemel nog dagelijks voor – maar in allerlei kleine dingen, in alles wat ik zei, deed, dacht en geloofde. Het leven had gewoon een Roxy Easton-echo. Wanneer ik bijvoorbeeld op mijn werk aantekeningen uitwerkte, moest ik mijn vingers bedwingen om niet uit zichzelf de details van haar verdwijning openbaar te maken, zoals die hartverscheurende posters die je in de bus zag. Naam: Roxana Easton. Laatst gezien: 25 oktober 2007. Leeftijd op moment van verdwijning: zeventien jaar en acht maanden. Een foto van hoe ze er toen uitzag of hoe ze er mogelijkerwijs nu uitzag. Een fotomontage.

Er was contact geweest in de vijf maanden die ze weg was, maar het was vreselijk weinig. Op iedere meer dan twintig e-mails die ik verstuurde kreeg ik één antwoord terug, waarbij een pagina nieuws van mij één regel van haar opleverde. Eigenlijk niet meer dan een ontvangstbevestiging, een manier om ons te vertellen dat ze nog leefde. Ik kon er zelfs niet zeker van zijn dat ze mijn verslagen had gelezen en er waren momenten dat ik het gevoel had dat ik een dagboek voor een toekomstig kind schreef, voor iemand die nog niet was geboren en met wie mijn leven niet geheel samen zou vallen.

Er waren ook telefoontjes geweest, drie of vier die weinig onthulden, maar die na afloop voortdurend werden geanalyseerd, op zoek naar dat ene doorslaggevende teken dat ze misschien van gedachten was veranderd, misschien toch anders wilde.

'Denk je dat je misschien nog terug zult komen?' vroeg ik, slechts één keer.

Het antwoord klonk verwijtend. 'O, begin nou niet daarmee, anders hang ik meteen op. Je weet wat het antwoord is.'

'Ik bedoel alleen maar voor een bezoekje, om Matt en je vader en mij te zien. Een weekend? Een middag? We kunnen je een vliegticket sturen.'

Een korte stilte en toen: 'Ik denk niet dat dat een goed idee is. Jij wel?' Maar het maakte niets uit wat ik dacht, ze wilde mijn antwoord toch niet horen.

Ze belde haar vader niet. In het begin, enkele dagen na onze terugkeer uit Frankrijk, begin november, had Alistair zijn advocaat een strenge brief naar Davis laten sturen, oppervlakkig bekeken angstaanjagend, maar in wezen niets anders dan veel geschreeuw, weinig wol en er werd dan ook niet op gereageerd. Haar schoolgeld voor het tweede semester werd betaald en haar plaats werd opengehouden, hoewel we te horen kregen dat Roxy zelf naar het hoofd had geschreven om haar te zeggen dat ze niet meer terug zou komen. Dit deed Alistair opnieuw in woede ontsteken, precies zoals ze moest hebben geweten, maar die woede verdween stukje bij beetje naar de achtergrond door alle drukte met zijn werk, zijn tweede vrouw, zijn tweede dochter, kortom zijn tweede kans. Met betrekking tot Roxy was ik gaan inzien dat er bij hem min of meer sprake was van berusting.

'Misschien komt ze nog wel terug,' zei ik tegen hem. 'Uiteindelijk zal ze echt terugkomen.'

'Uiteindelijk,' zei hij. 'De vraag is: willen we haar dan nog, na dit alles?' Hij was minstens voor de helft serieus. 'Ze heeft dit gezin uiteengerukt.'

Nou, daar was ze dan niet de eerste in, dacht ik, maar tegenwoordig ging ik niet meer in op zulke uitspraken. Ik had niet meer de behoefte om Alistair verdriet te doen, hem dingen betaald te zetten. Hij had genoeg narigheid gehad. Later belde hij me op om te zeggen dat hij niet had gemeend wat hij had gezegd, natuurlijk had hij het niet gemeend. Ik zei tegen hem dat dat vanzelf sprak.

Voor Elizabeth kwam en ging het eerste kerstfeest, een speciale gelegenheid, hoe dan ook. Matthew en ik gingen er op kerstavond heen om een cadeautje voor haar te brengen en ik tekende het kaartje namens ons alledrie: Kate, Roxy en Matthew. Tash was heel lief. Toen ze haar cadeautjes tevoorschijn haalde, had ze er ook een voor Roxy, dat ze zonder iets te zeggen onder de kerstboom schoof, gewoon voor het geval dat.

Eind februari was Roxy's achttiende verjaardag. Matthew en ik stuurden kaarten naar het huis op Île de Ré, maar we wisten niet of ze er waren aangekomen, we kregen nooit te horen hoe zij haar dag had doorgebracht, de dag die haar wettelijk gezien vrij maakte om op eigen benen te staan. Tegen die tijd vroeg Matthew niet langer dagelijks of ze al naar huis kwam – of hij vroeg het in elk geval niet meer aan mij. Ik vermoedde dat hij het nu aan Tash vroeg, om mijn gevoelens te sparen. Hij was te jong om zich zorgen te moeten maken over het sparen van de gevoelens van zijn moeder, maar zo was het nu eenmaal. En als ik eerlijk was, moest ik bekennen dat Roxy een dergelijke ervaring op die leeftijd had gehad toen ze haar moeder zag worstelen met de nasleep van een ander vreselijk geval van verlating, alles zag doorstaan, alles zag doen wat ze kon doen om zichzelf verdere narigheid in dit leven te besparen. Het was niet het beste voorbeeld om te stellen, het was niet veel beter dan Alistairs woedeuitbarstingen, maar ik wist niet hoe ik me anders moest gedragen.

Davis en ik waren nog steeds niet gescheiden. Hoewel hij ontegenzeggelijk overspel had gepleegd, kon ik me er niet toe brengen mijn dochter te noemen in het verzoek tot echtscheiding. Camilla wees me erop dat ik na verloop van tijd verlating zou kunnen aanvoeren, wat veel minder bloeddorstig was. Dat was ook het dichtst bij de waarheid over hoe ik me voelde. Wanneer ik iemand ontmoette die ik een tijdje niet had gezien en ik kreeg de vraag hoe het getrouwde leven me beviel, antwoordde ik alleen maar kalm dat het niet was geworden wat we ervan hadden verwacht. Meestal waren de mensen wel zo verstandig om het daarbij te laten.

27

De brief kwam eerst. De envelop droeg het poststempel van Parijs en bevatte een enkel velletje papier, het flinterdunne luchtpostpapier dat ik in geen jaren had gezien. Het handschrift was onmiskenbaar het hare, maar het zag er bedachtzaam uit, alsof ze diep adem had gehaald alvorens haar pen op te pakken. Ik was te ongeduldig om eerst naar boven te gaan maar scheurde de envelop in de hal open, staande bij mijn postvak, op dezelfde plek als waar ik ooit had getreuzeld om een praatje met Davis te maken, waar ik me door hem had laten intrigeren, naar hem had verlangd.

Het was een meesterwerk van eenvoud:

Lieve mam,
Ik hoop dat alles goed met jullie is en dat het met Matt goed gaat op school.

Ik ben niet meer op Île de Ré, ik ben niet meer bij Davis. We zijn een tijdje geleden uit elkaar gegaan. Er is niets ernstigs gebeurd, maar het was gewoon niet wat we ervan verwacht hadden.

Ik weet hoe het klinkt, alsof ik zomaar wegloop van iets wat zoveel opwinding heeft veroorzaakt en waarbij ik verwachtte dat iedereen zou vergeten wat ik jou heb aangedaan. De enige manier waarop ik het kan rechtvaardigen is te zeggen dat het me niet mogelijk leek dat jullie tweeën samen konden zijn, niet echt samen, zelfs nadat jullie getrouwd waren, niet terwijl hij zulke gevoelens voor mij koesterde. Het kon niet echt zijn. Ik had heel veel in mijn hoofd en het was echt geweldig om dat kwijt te kunnen raken. Hij heeft me daar echt mee geholpen. Hij was de enige die wist hoe.

Ik zit al een tijdje in Parijs. Maak je geen zorgen, ik heb een plek om te wonen en ik heb een baan. Davis heeft me ook wat geld gegeven. Wat je ook mag denken, hij geeft echt om me en hij wilde zeker weten dat ik veilig was.

Hij vroeg me je te zeggen dat het hem spijt, ook al zei hij dat jij geen excuses zou aanvaarden van een van ons. Dat was iets waarover we het oneens waren. Ik heb tegen hem gezegd dat ik je beter kende. Daarom schrijf ik je nu. Ik wilde weten of je in staat zou zijn me te vergeven en me terug te laten komen. Dat zou ik echt graag willen.

Ik zal wachten op bericht van jou.

Liefs, Roxy

P.S.: Ik heb een ander telefoonnummer en e-mailadres. Het adres om naartoe te schrijven staat hieronder. Kom niet hierheen, het is niet waar ik woon.

'Er is niets ernstigs gebeurd,' herhaalde Abi droog, toen ik haar de brief liet zien. 'Nou, dat is een grap. Waarom denk je dat ze al haar contacten heeft veranderd? Het klinkt allemaal heel geheimzinnig, vind je niet?'

'Vermoedelijk om hem van zich af te schudden,' zei ik. 'Ze zal toch niet in gevaar zijn, hè? Moet ik naar Parijs gaan om haar te zoeken?'

Abi keek me aan met een blik die zowel vertederd als streng was. 'Beslist niet. Kijk maar hoe dat de vorige keer is afgelopen. Bovendien klinkt het alsof ze volmaakt veilig is. En als ze geld van hem heeft aangenomen kunnen ze ook weer niet zó'n slechte verstandhouding hebben gehad.' Ik keek toe terwijl ze de brief een tweede keer las; ik kende hem inmiddels uit mijn hoofd en ik kon zin voor zin volgen waar ze was, zonder op het papier te hoeven kijken. 'Ik vind het vreselijk om dit te zeggen, Kate, maar ik denk dat er veel moed voor nodig was om dit te schrijven. Ze verbaast me. Ik geloof niet dat ik op haar leeftijd op zo'n manier sorry had kunnen zeggen.'

Ik dacht na. Ik geloofde niet dat ik op die leeftijd iets had gehad om sorry voor te moeten zeggen, althans niet dat ik had opgemerkt. 'Ik denk dat ze een beetje volwassen is geworden.'

Abi trok haar wenkbrauwen op. 'Wel jammer dat het ten koste van jou is gegaan.'

Ik dacht aan Naomi en Marianne, aan de verhalen over meisjes bij wie de maag leeggepompt had moeten worden. Ik dacht aan de digitale agenda van Alistair, met de openingen voor afspraken en hoe een tiener bereid was geweest haar dag in te delen in de twaalf porties van zestig minuten van een advocaat. Ik dacht aan het briefje dat ik binnen een uur na de ontvangst van haar brief had verstuurd: *Natuurlijk vergeef ik je.* Toen ik mijn briefje op de post had gedaan durfde ik niet toe te geven aan de opgetogenheid die als een nevel om me heen hing. Ik wist inmiddels wel beter dan veronderstellingen te doen, dan de mist voor stenen aan te zien.

'Volgens mij gaat het altijd ten koste van de moeder,' zei ik, 'linksom of rechtsom.'

Ik was alleen op kantoor toen het bericht kwam. Het was een vrijdag begin mei, ongeveer een maand nadat ik de brief had ontvangen. Een deel van mijn nieuwe taak als hoofd van het kantoor was voor de vrijwilligers beschikbaar te zijn wanneer Ethan er niet was en alle vrije tijd die ik had te besteden aan assistentie bij onze helpdesk. Het liep tegen het eind van mijn werktijd en ik had net een telefonisch verzoek om inlichtingen afgehandeld toen ik op mijn mobieltje keek, zoals altijd, voor telefoontjes inzake Matthew. Zijn tijden waren nu duidelijk ingedeeld: op dagen dat hij geen sport had, ging hij naar een naschoolse opvang en liep daarna met zijn vriend Evert naar huis, waar hij bleef tot ik hem om zes uur kwam ophalen.

Er waren drie gemiste oproepen, met ongeveer een uur afstand en allemaal van een beller die geen nummer had achtergelaten. Dit was ongewoon, ongewoon genoeg voor een begin van hoop en paniek, vooral toen ik de mededeling 'Nieuw voicemailbericht' zag. Ik beefde toen ik op 'Voicemail afluisteren' drukte. Ik sloot mijn ogen, alsof ik me wilde beschermen tegen de woorden: 'Mam, met mij. Ik heb je briefje ontvangen. Ik kom terug. Mijn vlucht gaat morgenochtend vroeg. Dat wil zeggen op zaterdagmorgen.' Stilte. 'Zou je me misschien op Heathrow kunnen ophalen, om halfacht?' Stilte. 'Maar het geeft niet als je dit bericht niet hoort, het is een beetje op de valreep, en misschien ben je niet zo vroeg op. Ik zorg zelf wel dat ik thuis kom.'

Dat waren de woorden waar ik voortdurend naar had verlangd sinds ze was vertrokken, maar die ik nooit echt had verwacht te zullen horen, zelfs niet sinds de komst van de brief. Ik speelde het bericht nog eens af. Het was er nog steeds, nog steeds hetzelfde. De derde keer durfde ik het te geloven.

Naar huis. Ze zou uit zichzelf naar huis komen!

Maar zelfs in mijn vreugde nam ik de noodzakelijke voorzorgsmaatregelen in acht. Ik zou niets tegen Matt zeggen (het zou bepaald niet de eerste keer zijn dat ik nieuws voor hem achterhield), misschien zou zijn hoop alsnog de bodem in geboord worden, of nog erger, misschien zou dat op de een of andere manier ongeluk over haar thuiskomst afroepen. Alistair kon eveneens wachten tot ze er echt was. Hij was sceptisch geweest over de brief, had geopperd dat het misschien niet meer was dan een aanloop naar een uitzonderlijk verzoek om geld. Hij was natuurlijk blij dat ze uit de greep van Davis was, maar haar langdurige afwezigheid, de manier waarop ze zijn dromen voor haar had verwoest, de toekomst die hij zo zorgvuldig voor haar had geconstrueerd en die zij zo gemakkelijk had weggegooid... Nee, dat zou iets meer vergevensgezindheid vergen.

Tash was uit, zoals de meeste avonden, waardoor ze de spot dreef met mijn aanvankelijke angst dat ze tot overlast zou zijn als ze bij me in huis kwam. Ik bleef voor haar op en vertelde dat ik een haastklus op mijn werk had, een bezoek heel vroeg de volgende morgen bij een cliënt thuis om hem te helpen zich voor te bereiden op het bezoek van een sociaal werker. Dat was niet iets wat ik ooit eerder had gedaan en de plaatselijke sociaal werkers hadden evenmin de gewoonte weekendbezoeken af te leggen, maar Tash was moe en slikte het voor zoete koek. Ze bood zelfs aan op Matthew te passen, nog voor ik het zelfs maar kon vragen.

Achteraf herinnerde ik me niets van de rit met de ondergrondse naar Heathrow. Ik had net zo goed door een zwevend tapijt kunnen zijn vervoerd. Ik was de gevangene die gratie had gekregen, de kreupele wiens verlamming op wonderbaarlijke wijze was verdwenen, het kleine meisje dat haar hele leven op Kerstmis had gewacht en eindelijk te horen had gekregen dat het zover was. En al die tijd leefde ik tussen hoop en vrees, durfde ik de waarheid niet te vertrouwen, niet tot ik haar had gezien, niet tot ze naast me stond en ik kon zien dat haar ogen bij haar woorden pasten.

Op het vliegveld, te midden van de duizenden anderen die bezig waren met vertrekken, aankomen, afscheid nemen, herenigen, voelde ik een ander soort angst. Wat zou er gebeuren als ik haar miste, als ze er heel anders uitzag, of als ik op het verkeerde moment de andere kant uit keek? Zou ze dan doen zoals ze had gezegd en op eigen gelegenheid teruggaan naar de flat, of zou mijn kans voor altijd voorbij zijn? Zonder een telefoonnummer om antwoord te geven was ik niet in staat geweest haar te laten weten dat ik haar voicemail had ontvangen en van plan was haar op te halen. Zou mijn gebrek aan een antwoord haar van gedachten hebben doen veranderen, haar toch aan mij hebben doen twijfelen? Toen ik het scherm met aankomsten stond te bekijken besefte ik dat ik niet eens wist waar ze vandaan kwam. Vermoedelijk uit Parijs, maar de meeste vroege aankomsten waren langeafstandsvluchten uit India en uit het Verre Oosten, gevolgd door een uit Madrid, nog een uit Frankfurt... de lijst ging verder, minuut na minuut, over twee monitoren, tot ik het zag: 7.15 uur Parijs. Het toestel was nog niet geland.

Ik stelde me op bij de afwezig kijkende taxichauffeurs en popelende geliefden in het afgezette gedeelte bij de schuifdeuren van de aankomsthal. Ik kocht een grote beker koffie die ik niet opdronk en een dik tijdschrift dat ik niet las, hoewel het ene voorwerp weldra stukgekauwd was bij het deksel en het andere verkreukeld raakte aan de randen. Mijn hoofd ging als dat van een marionet op en neer, iedere keer als de automatische deuren opzijschoven om de volgende kluwen reizigers en karretjes door te laten. Het enige dat ik kon doen was wachten en niet vergeten in en uit te ademen. Ik moest weer denken aan die lange uren in Saint-Martin, waar we hadden zitten kijken tot onze botten koud werden en het begon te schemeren, met ogen die probeerden niet te knipperen.

En toen was ze daar, eerder dan ik had verwacht, en gelukkig alleen.

'Mam!'

'O! Roxy!'

Ze liep haastig naar me toe, zonder enige aarzeling. 'Je bent er! Wat ben ik daar blij om!' Haar gezicht stond gespannen en ze begon te huilen, maar het waren niet de tranen van een overlevende van een ongeluk of van een slachtoffer van een misdrijf, eerder het kortstondige overborrelen van een kind dat moe is van een lange reis en dat het liefst in bed wil worden gestopt om te slapen.

Ik hielp haar om de barrière van andere afhalers heen en bekeek haar daarna uitvoerig. Ik hield nog net geen vinger tegen mijn lippen, maar ik zou dat hebben gedaan als ze had geprobeerd me te onderbreken bij het bekijken. Haar haar was korter in haar nek, de pony werd met een reeks klemmetjes naar achteren gehouden, en haar rechte, ernstige wenkbrauwen en gespikkelde ogen waren geheel vrij van make-up. Ze droeg een dikke winterjas en ze had als bagage één enkele weekendtas die nu aan haar voeten op de grond stond.

Toen deed ik een stap naar voren en nam haar in mijn armen. Ze rook naar onbekende merken shampoo en kauwgum, maar ze voelde nog altijd exact hetzelfde. 'Natuurlijk ben ik er!' zei ik heftig. 'Ik ben er altijd geweest, elk moment.'

Haar neus woelde door mijn haar. 'Ik ben zo blij,' zei ze weer. 'Zat je in de vlucht uit Parijs?'

Ze knikte. 'De trein was volgeboekt. Ik kon geen plaats krijgen.'

We stapten bij elkaar vandaan. Op dat moment besefte ik dat ik hen nooit samen had gezien, Roxy en Davis, niet sinds ze waren vertrokken. Dat zou helpen, besefte ik, bij het vergeten dat ze ooit samen waren geweest. 'Ik ben niet met de auto gekomen,' zei ik. 'Ik vond het beter om samen met een taxi naar huis te gaan.'

Ze keek naar mijn linkerhand, die nog steeds het ongelezen tijdschrift omklemde. 'Maar je arm is beter?'

'Ja, het was niet zo ernstig als het eruitzag. Maar ik heb daarna gewoon geen auto meer gereden. Misschien durfde ik wel niet meer.' Ik wilde haar tas dragen, maar ze stond erop dat zelf te doen. Haar vuist greep de hengsels beet, waarbij de lange mouwen van haar jas tot over haar knokkels vielen en om de een of andere reden moest ik aan haar bedelarmband denken. Het was voor mij een soort symbool geworden van haar verhouding met Davis, ook al had ik nooit kunnen bewijzen dat ze die van hem had gekregen en had ik er eigenlijk ook nooit naar gevraagd. Ik had besloten dat ook nooit te doen.

We liepen zwijgend naar de uitgang. Ik had het gevoel dat ze even vastbesloten was als ik om een hysterische scène te vermijden. Ik had mezelf tenminste voorgehouden dat ik lering moest trekken uit wat er in Frankrijk was gebeurd, en dat ik haar tijd moest geven, haar niet moest bombarderen (en afschrikken) met de volle kracht van mijn mening, mijn kritiek, mijn nieuwsgierigheid. Maar nu ze er eenmaal was, vormden de vragen een prop in mijn keel, zeiden me dat de tijd om achter de waarheid te komen beperkt was en dat ik mijn kans hier en nu moest grijpen. 'Wat is er gebeurd?' vroeg ik simpelweg. 'Waarom ben je bij hem weggegaan?'

Hoewel ze haar stap niet inhield, voelde ik haar aarzelen. 'Het was gewoon... Het werd een beetje te intens.' Ze zweeg en wierp me een zijdelingse blik toe. Ze besefte hoe het moest hebben geklonken, alsof ze in de rol werd gedrongen van een dochter die te laat van een feestje thuiskwam, of van een weekend weg. 'Ik denk...' Ze zweeg opnieuw, om haar woorden te kiezen. 'Ik denk dat de opwinding er vooral in het begin was.'

Ik knikte. 'Is hij daar nog steeds, in Saint-Martin? Heeft hij geprobeerd je achterna te komen?'

Ze gaf geen antwoord, wist dat ze dat ook niet hoefde, vermoedde ik. Natuurlijk was hij haar achterna gekomen. Zijn vlucht van mij, uit zijn woonplaats en uit zijn gevestigde bestaan, had hij verbijsterend gemakkelijk volbracht, maar hij had het niet lichtzinnig gedaan. Hij had de omvang van zijn desertie volledig beseft. En nu hij op zijn beurt in de steek was gelaten, zou hij precies hetzelfde hebben gedaan als ik: hij was haar gevolgd, had haar gesmeekt, had die onverzoenlijke ogen afgezocht op zoek naar restjes verdwenen loyaliteit. En hij zou ook oog hebben voor de symmetrie van het verhaal, daar voelde ik me vrij zeker van. De vraag was alleen of hij het verhaal als voltooid zou beschouwen.

Ik begon opnieuw. 'Hij heeft toch geen problemen veroorzaakt, hè?'

Ze riskeerde nogmaals een zijdelingse blik in mijn richting – misschien om te zien of ik wel besefte dat dit nog veel te zwak was uitgedrukt – voor ze antwoordde: 'Hij was nogal ontdaan, ja. Maar ik heb een ander telefoonnummer genomen en ik ben een paar keer verhuisd. De boodschap is tot hem doorgedrongen. Ik bedoel, je kunt iemand niet dwingen...' Ze zweeg opnieuw, liet het aan mij over om de rest in te vullen: je kunt iemand niet dwingen je te begeren, je lief te hebben, bij je te blijven.

'Mam?'

'Ja?'

'Vind je het goed als we er niet over praten? Nu nog niet, tenminste? Ik ben nu erg moe.'

'Natuurlijk.' Ze zou er nooit over willen praten, besefte ik, en niet alleen omdat schuldbewuste bekentenissen zo moeilijk zijn, maar ook omdat ze er genoeg van had, zo simpel was het. Ze was achttien en ze had haar leven nog voor zich, niet achter zich.

'Heb je papa verteld dat ik terug ben? En Matt?'

'Nog niet.' Weer kreeg ik het gevoel dat ze mijn gedachten kon lezen: ik wilde eerst zelf kunnen oordelen. Ik wilde hen niet blij maken en daarna weer teleur moeten stellen, het verdriet nog groter maken. Ik wilde zeker van je zijn.

Buiten begon ze naar de gele lichten van de taxistandplaats te lopen, maar ik greep haar bij de arm en hield haar tegen. Rechts van ons zag ik onze weerspiegeling in de glazen wand van het terminalgebouw, de twee donkere hoofden, de twee paar ernstige ogen. 'Weet je zeker dat je terug wilt komen, Roxy?'

Ze maakte geen aanstalten om haar arm weg te halen of haar blik af te wenden. 'Ik weet het zeker.'

In de taxi ontspande ze zich wat, leunde achterover in de hoek en keek uit het raam. Ze strekte haar benen en sloeg haar voeten over elkaar; ze zaten in dezelfde laarzen die ze had gedragen toen ze van ons vertrok. Ik moest steeds maar naar haar gezicht kijken, en hield mijn hand voor mijn mond om me te bedwingen steeds weer haar naam te noemen. Ik kon er maar niet over uit dat ze hier werkelijk naast me zat, in dezelfde taxi, dat we samen op weg waren naar hetzelfde huis. Het meisje met wie alles was begonnen en met wie bijna alles was geëindigd en dat in de tussentijd voortdurend in mijn gedachten aanwezig was geweest.

Het zou een heldere dag worden. De zon was nog niet lang op en toen hij voor ons uit boven de stad rees, was hij nog bleek genoeg om er recht in te kunnen kijken. Roxy's ogen weerkaatsten het licht en bewogen heen en weer toen ze de positie van de zon in de lucht volgden.

Ik keek ook, en ik moest denken aan een spelletje dat we vaak in de auto hadden gespeeld toen ze klein was. Alistair reed dan en zij zat achterin met haar verzameling speelgoed. Ze noemden het spelletje 'Vang de zon'. Je kon het alleen 's ochtends vroeg spelen, zoals nu, of vlak voor zonsondergang, wanneer de zon laag genoeg stond om via de voorruit te worden achtervolgd.

'Kijk eens, wat een grote bal daar achter de bomen,' had ze die eerste keer gezegd, toen ze hem niet herkende door de kleur, donkerder en roder dan ze hem ooit eerder had gezien.

We lachten om haar onschuldige verbazing. 'Waar is hij nu gebleven? O nee, Rox, hij komt hierheen! Straks stuitert hij nog op het dak van de auto!'

En daarna, bij talloze andere keren: 'We zijn hem weer kwijt! Iemand anders heeft hem gevangen!'

'Nee, daar heb je hem!'

'Ik heb hem het eerst gezien!'

'Nee, ík!'

Alistair was een keer volledig van de geplande route afgeweken om hem in westelijke richting achterna te gaan terwijl de vreugdekreten vanaf de achterbank steeds luider werden. Ik denk dat ze echt dacht dat we hem konden vangen, dat we hem gewoon met onze handen uit de lucht konden plukken om mee te nemen. Misschien dacht Alistair het ook wel heel even, aangemoedigd door het vertrouwen dat zijn dochter in hem had, dat hij alles kon geven wat zij vroeg.

Er doemde een wegwijzer naar het centrum van Londen op en de taxi wisselde van rijstrook. De zon stond nu pal boven de linkerschouder van de chauffeur.

'Kijk Rox,' zei ik, waarmee ik de stilte verbrak. 'De zon. Misschien kunnen we hem deze keer echt vangen.'

Ze zei niets, ze knikte niet eens, maar ik begreep uit het licht in haar ogen dat ze me had gehoord.